Sammlung Luchterhand 926

0/16.80

D0180562

Über dieses Buch: Christa Wolfs mutiger Artikel »Das haben wir nicht gelernt« – unter diesem provozierenden Titel am 21. Oktober 1989 in der DDR-Zeitschrift »Wochenpost« veröffentlicht – hat eine heftige Debatte ausgelöst. In über 300 Briefen an die Autorin, von denen jetzt eine Auswahl vorliegt, berichten Lehrer, Eltern und Schüler von ihren Erfahrungen mit dem System der »Volksbildung« in der DDR. Sie erzählen von den Erschütterungen in einer Zeit, in der »auch innere Mauern« fielen, üben aber auch heftige Kritik an der Verfasserin.

Der Band ist ein Dokument über 40 Jahre DDR-Pädagogik, gleichzeitig gibt er einen authentischen Einblick in die Gefühle, Hoffnungen und Ängste, die Menschen bewegen, wenn eine Gesellschaft in Bewegung gerät. Denn »darüber sollten wir uns nicht täuschen: Die Spuren der Entmündigung in vielen Menschen werden nachhaltiger weiterwirken als, zum Beispiel, ökonomische Verzerrungen« (Christa Wolf).

Das Nachwort enthält eine knappe vorläufige Analyse der bisherigen und einer möglichen zukünftigen Pädagogik.

Angepaßt oder mündig?

Briefe an Christa Wolf
im Herbst 1989

Herausgegeben von
Petra Gruner
Mit einem Nachwort von
Jan Hofmann

Luchterhand
Literaturverlag

Sammlung Luchterhand, Mai 1990
Luchterhand Literaturverlag GmbH, Frankfurt am Main. Lizenzausgabe mit freundlicher Genehmigung von Volk und Wissen Volkseigener Verlag, Berlin. Copyright für die Artikel »Das haben wir nicht gelernt« und »Es tut weh zu wissen« © 1989 by Christa Wolf. Copyright für die Dokumentation © 1990 by Volk und Wissen Volkseigener Verlag, Berlin. Alle Rechte vorbehalten. Umschlagentwurf: Max Bartholl. Druck: Ebner Ulm. Printed in Germany.
ISBN 3-630-61926-6

1 2 3 4 5 6   95 94 93 92 91 90

Inhalt

Vorbemerkung von Petra Gruner   7

Christa Wolf: Das haben wir nicht gelernt   9
Christa Wolf: Es tut weh zu wissen   12

»Es ist schwer die Wahrheit zu sagen, es ist noch
viel schwerer, die Wahrheit zu ertragen«
Lehrer(innen)ansichten   18

»Es geht um unsere Kinder«
Eltern(zwischen)betrachtungen   134

»Alternativ-Ideale, nach denen wir hätten
streben können, gab es nicht«
Schüler(un)mut   166

»Was haben wir (nicht) gelernt?«   212

Nachwort von Jan Hofmann   229

Vorbemerkung

Unter dem polemischen Titel *Das haben wir nicht gelernt* veröffentlichte Christa Wolf in der »Wochenpost« (Nr. 43/1989) einen Artikel, mit dem sie, wie sie selbst schreibt, »eine erste Annäherung an das Thema ›Jugend‹« beabsichtigte. Sie benennt darin Ursachen für die Identitätskrise junger Menschen in der DDR, die vor allem seit dem Beginn der massenhaften Ausreise im Sommer 1989 – der »Abstimmung mit den Füßen« – nicht mehr aus dem öffentlichen Bewußtsein zu verdrängen war. Die Autorin hinterfragt Anspruch und Wirklichkeit bisheriger Bildungs- und Erziehungspolitik, konstatiert gravierende Versäumnisse – alles in allem ein Befund, der betroffen macht. Daß sie sich – zumal zu einem Zeitpunkt, da die verantwortlichen Institutionen sich »bedeckt hielten« – mit dem Thema »Volksbildung« auf ein besonderes sensibles Terrain gewagt hatte, zeigen die teilweise heftigen Reaktionen, die ihr Artikel auslöste.

In der »Wochenpost«, Nr. 46, erschienen erste Briefe von Lesern, wobei die Mehrzahl – vor allem Lehrer – Christa Wolfs Überlegungen entschieden zurückwiesen. Aus späteren Briefen wird deutlich, daß viele Leser diese Veröffentlichung zum Anlaß nahmen, sich in die Diskussion einzuschalten und ihre – oft gegenteiligen – Erfahrungen und Meinungen mitzuteilen. Da einige der in Nr. 46 zu Wort gekommenen Kritiker Christa Wolfs einen erneuten Abdruck ihrer Zuschriften in dieser Dokumentation abgelehnt haben, andere Briefeschreiber sich aber auf sie beziehen, sei noch einmal ausdrücklich auf diese »Wochenpost«-Ausgabe verwiesen.

Von den insgesamt ca. 300 Briefen habe ich 170 in die Dokumentation aufgenommen. Die ursprüngliche Absicht, *alle* Briefe zu veröffentlichen, war aus mehreren Gründen nicht zu realisieren. Ich habe die Auswahl deshalb vor allem auf das Thema »Schule« konzentriert und möchte, bis auf die wenigen, die ihre Zustimmung zur Veröffentlichung verweigert haben, alle zu Wort kommen lassen, die in ihren

Briefen Fragen der Bildung und Erziehung berühren. Das sind zum einen Lehrer beziehungsweise Pädagogen im weiteren Sinne (von der Krippenerzieherin bis zum pädagogischen Wissenschaftler), zum anderen Betroffene, die aus der Sicht der Eltern oder des Schülers über ihre Erfahrungen mit der Schule berichten. Zahlreiche weitere Zuschriften gingen über das Thema »Volksbildung« hinaus. Ob zustimmend oder ablehnend gegenüber Christa Wolfs Gedanken, könnten sie alle mit der Frage überschrieben sein: »Was haben wir (nicht) gelernt?« Das gleichnamige Kapitel ist bedauerlicherweise in der jetzigen Fassung etwas knapp geraten. Noch in der letzten Arbeitsphase mußten Briefe herausfallen, weil der mögliche Umfang des Buches begrenzt war.

Wichtig erschien mir, die Briefe möglichst vollständig wiederzugeben, da oftmals auch scheinbar nebensächliche Details etwas über den Schreibenden, seine Haltung, seine Befindlichkeit aussagen. Nur in wenigen Fällen wurden leichte Kürzungen vorgenommen, so wenn sich jemand allzuweit vom »Thema« entfernte (beispielsweise ganz persönliche Worte an Christa Wolf richtete oder Überlegungen zu anderen »Wochenpost«-Artikeln einfließen ließ). Eingriffe in inhaltliche Aussagen wurden bewußt vermieden; die Authentizität, das streitbare Für und Wider sollten erhalten bleiben.

Noch etwas sei bemerkt: Es handelt sich bei dieser Briefesammlung um ein Zeitdokument. Die Briefe entstanden zwischen Ende Oktober und Mitte Dezember 1989, in einer Zeit des »überstürzten Umbruchs der Werte in unserem Land«, wie Christa Wolf in ihrem zweiten »Wochenpost«-Artikel *Es tut weh zu wissen* (Nr. 47) schreibt. Es sind spontane und zumeist sehr emotionale Reaktionen – »Zeugnis unserer geistig-seelischen Verfassung in diesen Tagen«. Manche der aufgeworfenen Fragen stellen sich – auch den Schreibenden – heute bereits anders, einige mögen überholt sein. (Es wurde dennoch in den Briefen auf die Angabe des Datums verzichtet, lediglich innerhalb der Kapitel chronologisch geordnet.) Wesentlicher als der unmittelbare Anlaß und entscheidend für das Vorhaben, die Briefe in einem Buch zu veröffentlichen, war, daß sich in ihnen individuelle Erfahrungen, Befindlichkeiten, Konflikte mitteilen, die ein gutes Stück DDR-Identität ausmachen; wo nicht zuletzt eines deutlich wird: Daß der Riß durch diese Gesellschaft nicht zwischen Parteien, Generationen oder Berufsgruppen verläuft, sondern quer durch sie hindurch, nicht selten eben auch »mitten durch die Person«.

Januar 1990   Petra Gruner

Christa Wolf **Das haben wir nicht gelernt**

Vor vierzehn Tagen, nach einer Lesung in einer mecklenburgischen Kleinstadt, beschwor ein Arzt die Anwesenden, die das Literaturgespräch sehr schnell in einen politischen Diskurs umgewandelt hatten, jeder solle jetzt an seinem Platz wenigstens offen und deutlich seine Meinung sagen, sich nicht einschüchtern lassen und nichts gegen sein Gewissen tun. In die Stille nach seinen Worten sagte leise und traurig eine Frau: Das haben wir nicht gelernt. Zum Weitersprechen ermuntert, erzählte sie von dem politisch-moralischen Werdegang ihrer Generation – der heute knapp Vierzigjährigen – in diesem Land: Wie sie von kleinauf dazu angehalten wurde, sich anzupassen, ja nicht aus der Reihe zu tanzen, besonders in der Schule sorgfältig die Meinung zu sagen, die man von ihr erwartete, um sich ein problemloses Fortkommen zu sichern, das ihren Eltern so wichtig war. Eine Dauerschizophrenie hat sie als Person ausgehöhlt. Nun, sagte diese Frau, könne sie doch nicht auf einmal »offen reden«, ihre »eigene Meinung sagen«. Sie wisse ja nicht einmal genau, was ihre eigene Meinung sei.

Ein erschütternder, wenn auch nicht überraschender Befund. Erschütternd auch deshalb, weil er von den Leitungen der Volksbildung, die ihn zu einem guten Teil zu verantworten haben, seit vielen Jahren geleugnet, mit einem scharfen Öffentlichkeitstabu belegt und unter dröhnenden Erfolgsmeldungen erstickt wird; weil jeder, der dennoch auf grundlegende Deformationen bei Zielen und Methoden der Erziehung junger Menschen an unseren Schulen hinwies, politischer Gegnerschaft verdächtigt wurde und womöglich noch wird. Kritische Bücher, Stücke, Filme zu diesem Thema hatten es schwer. Die Medien schwiegen, schlimmer: sie überzogen den Kern des Problems – daß unsere Kinder in der Schule zur Unwahrhaftigkeit erzogen und in ihrem Charakter beschädigt werden, daß sie gegängelt, entmündigt und entmutigt werden – mit wort- und bilderreicher Schaumschlägerei, in der Schein-Probleme serviert und im Handumdrehen gelöst wurden. (Ich ziehe meinen Hut vor *den* Lehrern, die in voller Kenntnis der Lage und oft nahe der Verzweiflung versucht haben, ihren Schülern einen Raum zu schaffen, in dem sie frei denken und sich entwickeln konnten). Die angeblich für sie geschaffenen Organisationen, welche die Jugendlichen mehr vereinnahmten als ihnen Einübung in selbständiges, demokratisches Handeln zu ermöglichen, ließen sie meistens im Stich. Von den Leidtragenden dieser Misere mußten die beklagenswerten Zustände als unabänderlich angesehen werden. Gerade diese Erfahrungen, mit denen sie von fast allen Erwachsenen allein gelassen wurden, haben nach meiner Überzeugung viele von ihnen weggetrieben. Das Ergebnis konnten wir auf westlichen Bildschirmen besichtigen: Massen junger Leute, die zumeist leicht und freudig aus dem Lande rennen. Gut ausgebildete Facharbeiter, Sekretärinnen, Krankenschwestern, Ärzte, Verkäuferinnen, Wissenschaftler, Ingenieure, Kellner, Straßenbahnfahrer. Was wollen sie bloß noch, habe ich Ältere, die selbst keine wirkliche Jugend hatten, fragen hören. Die hatten doch alles.

Alles, außer der Möglichkeit, ihr kritisches Bewußtsein im Streit mit anderen Auffassungen zu schärfen, ihre Intelligenz nicht nur an Bildungsstoffen zu beweisen, sondern sie bei einer für sie bedeutsamen gesellschaftlichen Tätigkeit mit anderen zusammen anzustrengen, Experimente zu machen, auch solche, die dann scheitern, ihre Lust am Widerspruch, ihren Übermut, ihre Skurrilitäten, ihre Verquertheiten und was immer ihnen die Vitalität dieses Lebensabschnitts eingibt, in produktiver Weise auszuleben, sich also kennenzulernen. Den aufrechten Gang zu üben. Bei der Gelegenheit: Was ist aus den Schülern der Carl-von-Ossietzky-Schule in Berlin-Pankow geworden, die eben das getan haben und dafür – ein Hohn auf den Namen ihrer Schule! – relegiert wurden? Wann können sie, falls sie es wollen, ihren Schulbesuch fortsetzen? Und: Wann werden diejenigen zur Verantwortung gezogen, die befahlen, mit Gewalt gegen junge, gewaltlose Demonstranten und Unbeteiligte vorzugehen, wann werden die Vorgänge auf Polizeirevieren, in Garagen usw. untersucht, öffentlich gemacht und geahndet, die diesen Befehlen folgten?

So etwas gebe es auch anderswo auf der Welt? Ich weiß, und ich habe es selbst beobachtet. Aber wir leben nicht anderswo, sondern ausgerechnet hier, in jenem Teil Deutschlands, der erst seit vierzig Jahren ein Staat ist, der sich die Bezeichnung »demokratische Republik« gegeben hat und sich »sozialistisch« nennt – das alles in bewußter Alternative zu dem anderen deutschen Staat, der gewiß nicht sozialistisch sein will, der aus einer Reihe von Gründen reicher ist als der unsere und der, wenn keine anderen Werte bei uns den minderen materiellen Wohlstand des einzelnen ausgleichen, eine Dauerverlockung besonders für junge Menschen darstellt. Für mich war es eine Befreiung, als, zuerst wohl in Leipzig, den Sprechchören »Wir wollen raus« der immer noch anwachsende Chor: »Wir bleiben hier« entgegenscholl. In jenen Tagen sagte jemand zu mir: Wir müssen die DDR retten.

Was haben wir falsch gemacht? fragte in der Leserversammlung, von der ich anfangs sprach, eine etwa sechzigjährige Frau. Sie sprach davon, wie stark ihr eigenes Leben mit der Entwicklung dieses Staates verwoben ist; wie sie an den Zielen hängt, für die sie sich in ihrer Jugend engagierte. Ich verstand sie gut. Natürlich will sie nicht vierzig Jahre ihres Lebens negieren; natürlich wollen und können wir nicht vierzig Jahre Geschichte löschen. Aber es steht uns eine schwere Arbeit bevor: die Voraussetzungen dieser Geschichte und ihren Ablauf Etappe für Etappe. Dokument für Dokument im Lichte ihrer Ergebnisse und der Forderung des heutigen Tages neu zu untersuchen. Dabei wird eine Menge nur noch von wenigen geglaubter Dogmen fallen, unter anderem das Dogma von den »Siegern der Geschichte«.

Diese Losung – darüber waren wir zweihundert Leute, nun schon am späten Abend, in unserer »Literaturdiskussion« uns einig – hat dazu beigetragen, das Verstehen zwischen den Generationen in unserem Land zu erschweren. Eine kleine Gruppe von Antifaschisten, die das Land regierte, hat ihr Siegesbewußtsein zu irgendeinem nicht genau zu bestimmenden Zeitpunkt aus pragmatischen Gründen auf die ganze Bevölkerung übertragen. Die »Sieger der Geschichte« hörten auf, sich mit ihrer wirklichen Vergangenheit, der der Mitläufer, der Verführten, der Gläubigen in der Zeit des Nationalsozialismus auseinanderzusetzen. Ihren Kindern erzählten sie meistens wenig oder nichts von ihrer eigenen Kindheit und Jugend. Ihr untergründig schlechtes Gewissen machte sie ungeeignet, sich den stalinistischen Strukturen und Denkweisen zu widersetzen, die lange Zeit als Prüfstein für »Parteilichkeit« und »Linientreue« galten und bis heute nicht radikal und öffentlich aufgegeben wurden. Die Kinder dieser Eltern, nun schon ganz und gar »Kinder der DDR«, selbstunsicher, entmündigt, häufig in ihrer Würde verletzt, wenig geübt, sich in Konflikten zu behaupten, gegen unerträgliche Zumutungen Widerstand zu leisten, konnten wiederum *ihren* Kindern nicht genug Rückhalt geben, ihnen nicht das Kreuz stärken, ihnen, außer dem Drang nach guten Zensuren, keine Werte vermitteln, an denen sie sich hätten orientieren können. – Dies ist auch ein Schema, ich weiß, von dem es so viele Abweichungen wie Familien gibt. Aber ich unternehme, voller Zorn und Trauer, hier auch nur eine erste Annäherung an das Thema »Jugend«, und ich weiß, sie selbst, die Jugend, wird dieses Thema aufgreifen und sich über sich selber aussprechen. Vielleicht wird man ihr nun endlich zuhören und sich eingestehen, daß Fackelzüge und gymnastische Massendressuren ein geistiges Vakuum anzeigen und vergrößern, nicht aber geeignet sind, jene Bindungen zu erzeugen, die nur in tätiger Mitverantwortung für die Gesellschaft wachsen können.

Der Nachholebedarf auf vielen Gebieten ist enorm, aber mir

scheint, in diesen Wochen lernen wir schneller, und zwar nicht zuletzt von den jungen Leuten: von ihrem Ernst, ihrer Standhaftigkeit, ihrem Humor, ihrem Einfallsreichtum, ihrer Phantasie, ihrer Bereitschaft, sich einzusetzen. (Hoffentlich werden viele Beispiele von literarischem Volksvermögen gesammelt, die sich jetzt in Verlautbarungen, Sprechchören, Flugblättern ungehemmt zeigen.) Mich beeindruckt die politische Reife in den Gesprächen und Diskussionen, die ich erlebte oder von denen ich gehört habe. Ein Wunder? Ich glaube nicht! Man hat aus vielen Quellen gelernt, nicht zuletzt aus den Nachrichten über Reformprozesse in unseren Nachbarländern. Auch von g u t e n Lehrern, natürlich, vor allem aber, glaube ich, voneinander. Überall zeigt sich ein großes, bisher ungenutztes Reservoir an Erfahrung und Handlungsbereitschaft. Sagte man früher – ich spreche wieder von meiner Begegnung mit Lesern –, in Mecklenburg komme alles hundert Jahre später an, so muß ich dem widersprechen: keine Spur! Wir sprachen an jenem Abend, jener jungen Frau zugewandt, die ich am Anfang erwähnte, auch von einer Metapher, die Tschechow einmal gebraucht hat: Er müsse »den Sklaven tropfenweise aus sich herauspressen«. In diesen Wochen pressen viele von uns, scheint mir, »den Sklaven« literweise aus sich heraus. Aber darüber sollten wir uns nicht täuschen: Die Spuren von Entmündigung in vielen Menschen werden nachhaltiger weiterwirken als, zum Beispiel, ökonomische Verzerrungen. Bisher hat vor allem die Kunst, oft dafür angegriffen, solche Erscheinungen bemerkt und beschrieben. Wie schön, wenn jetzt Journalisten, Soziologen, Historiker, Psychologen, Gesellschaftswissenschaftler, Philosophen ebenfalls öffentlich ihre Pflicht tun werden.

(In: Wochenpost, Nr. 43/1989)

Christa Wolf   **Es tut weh zu wissen**

Die Briefe auf meinen letzten Artikel in der »Wochenpost«, die ich las, sähe ich gern als Dokumentation gedruckt. Für mich sind sie ein Fundus, den ich sorgsam bewahren werde, auch als Zeugnis für unsere geistig-seelische Verfassung in diesen Tagen. Die Briefe zeigen zuallererst, wie aufgewühlt wir alle in diesen Wochen sind, und sie beweisen außerdem, daß jeder, der sich mit der »Volksbildung« auseinandersetzt, besonders empfindliche Punkte berührt. Besonders heftige Reaktionen auf den überstürzten Umbruch der Werte in unserem Land sind die Folge, auch die Abwehr gegen vermeintliche oder wirkliche Angriffe zeigt sich besonders stark. Vieles, was mir in manchen Briefen noch als Unterstellung angekreidet wird, ist inzwischen dutzendfach auf öffentlichen Foren ausgesprochen. Das mindert die Betroffenheit nicht, steigert sie eher.

Wie die Leute überall im Land sich in streitenden Gruppen gegenüberstehen, spaltet sich auch die Leserschaft eines solchen Artikels: »Sie haben mir aus dem Herzen gesprochen.« Oder: »Dieser Artikel ist es nicht wert, gelesen zu werden.« Zu einfach wäre es, die einen zu den bisher Unterdrückten, die anderen zu denen zu schlagen, die selbst gängelten und unterdrückten, obwohl die natürlich nicht durch Zauberschlag verschwunden sind. Oft geht der Riß mitten durch die Person, mitten durch den Brief: »Haben wir das Falsche gelernt und gelehrt? Haben wir nicht gefördert und versucht anzuerziehen: mitdenken – mitarbeiten – mitregieren? Leider standen der Verwirklichung dieser Ziele Wände entgegen.«

Ehemalige Schüler melden sich: »Wenn ich an meine eigene Schulzeit denke, spüre ich, wie Wut und Zorn, ja sogar Haß in mir aufsteigen, Erinnerung an Demütigungen und die eigene Ohnmacht.«

»Die EOS-Zeit waren die schlimmsten Jahre meines Lebens. Ich lebte diese vier Jahre sowohl in ständiger Angst, ›Falsches‹ zu sagen, als auch in der Beflissenheit, die von den Lehrern gewünschten Formulierungen zu erahnen.« »Ich werde 30, und auch meine Generation hat seit frühester Kindheit nichts anderes gehört, als ja nicht sagen, was man wirklich denkt. Es tut mir leid um unsere Jugendzeit, wo wir weiter nichts taten, als die Hand zu heben, wenn es erwartet wurde.«

Andere verwahren sich dagegen, als »unmündig hingestellt zu werden«, berichten, wie sie sich ihr kritisches Denken bewahrt haben und ihre Kinder im gleichen Geist erziehen – Briefe, die mich freuen, auch wenn einige von ihnen mich mißverstanden haben: Ich verallgemeinere keineswegs Einzelbeispiele auf die Menschen einer ganzen Generation.

Am tiefsten betroffen zeigen sich die Lehrer. Da stehen sich zwei Parteien gegenüber, die in verschiedenen Ländern mit unterschiedlicher Realität gelebt, in unterschiedlichen Schulsystemen gelehrt zu haben scheinen. Manche verstehen meinen Artikel als Pauschalangriff auf alle Lehrer: »Frau Wolf erklärt die Lehrer in unserem Land für vogelfrei, und jeder, der auf der Seite von Frau Wolf steht, darf Lehrer beschimpfen, anspucken und für alle Probleme in unserem Land verantwortlich machen.« Andere sehen ihre Probleme zutreffend dargestellt. »Ehrlich gesagt, ich hätte es nicht geschrieben, denn in mir steckt immer noch die Angst vor Repressalien.« Manche glauben sich verteidigen zu müssen: »Es gibt in unserem Land Tausende gute Lehrer, die ihren Schülern, häufig weit ins Leben hinein, Freund und Helfer sind.« Das würde ich nicht bestreiten. Andere bekennen ihre Gewissensnot. Ein Lehrer, 35 Jahre im Beruf, schreibt: »Ich habe so gearbeitet, wie man es von mir verlangte und unter stetem Tabu, um nicht beim Direktor oder Kreisschulrat aufzufallen. Auf meiner Fahne stand ja ›Sozialismus‹.« – Eine Lehrerin: »Ich wußte, daß Mut zur Offenheit meinen Schülern später nur Unannehmlichkeit einbringen würde. Auch ich habe mit zwei Gesichtern gelebt, leben müssen, und ich habe psychisch großen Schaden dadurch erlitten.« Andere verteidigen, was sie gelehrt haben und wie sie es taten und sprechen manchmal unbewußt gegen sich selbst: »Nach Wolf wäre es wohl besser gewesen, unseren Kindern – wie in Bayern – die Landkarten mit den Grenzen von 1937 zu servieren.«

Am bittersten ist jene Reihe von Lehrerbriefen, die sich mit der Unterdrückung ihres eigenen kritischen Denkens im System der Volksbildung auseinandersetzt. »Nicht vorstellbar, was wir schlucken mußten«, schreibt eine ehemalige Lehrerin. Man habe schon lange »nachgedacht und Signale gegeben«, aber zum Beispiel keine Antwort auf einen Brief ans Volksbildungsministerium bekommen. Der Kreisschulrat habe »gestandenen Pädagogen« das Wort entzogen und den Mund verboten. Eine Lehrerin nennt das Dienstverhältnis der Lehrer eine »moderne Form der Leibeigenschaft«. Nun, schreibt ein anderer, müsse er erleben, »wie wir Lehrer angegriffen und jetzt von staatlichen Leitungen, von eigenen Kollegen allein gelassen werden«. Manche Lehrer schildern ihre jahrelange »verzweifelte Gratwanderung, um das gerade noch Sagbare (im Sinn von Erlaubtem) zu finden, dabei zu den Schülern zu stehen und von anderen Kollegen und Vorgesetzten nicht als Staatsfeind degradiert zu werden«. Einige schildern, wie sie aus dem Schuldienst gehen mußten, weil ihr Körper sie – zum Beispiel durch »schlimmste Magenschmerzen« – »auf etwas nicht Funktionierendes« hinwies.

Manche fühlen sich durch meinen Artikel tief verletzt, nennen mich »hartherzig«, »demagogisch«, »einäugig«, mit »Scheuklappen versehen«, suchen mich sogar – wiedermal – »auf der anderen Seite der Barrikade«. Außer normalen Meinungsverschiedenheiten, dem ebenfalls berechtigten Bestehen auf unterschiedlichen Erfahrungen, gibt es eine Abwehr bis zur Leugnung der Realität und zu Beschimpfungen und Drohungen: »Die politische Macht hat die Arbeiterklasse. Das sollten auch Wolf und Konsorten nicht vergessen.«

Sechzehn Unterschriften.

Das kommt mir bekannt vor. Bekannt auch jene Ausfälle gegen »unsere Schriftsteller«, gegen die »Künstler«, die sich »jetzt als Gralshüter der Freiheit darstellen«. »Wo waren sie denn bisher?« – Ich sehe, die Politik der Trennung von »Intelligenz« und »Volk«, die über Jahrzehnte mehr oder weniger zielgerichtet betrieben wurde, wirkt weiter – nicht bei vielen, vielleicht, aber sie wirkt. Genau dieser Ton, und was er an konkreten und diffusen Maßnahmen oder Behinderungen voraussetzte und zur Folge hatte, hat so viele Künstler – ohne Anführungsstriche – aus dem Land getrieben. Ohne dieses Problem aufbauschen zu wollen, möchte ich doch warnen vor einer Fortsetzung der unheilvollen Tradition der deutschen Geschichte, die so oft die Produzenten der materiellen und die der geistigen Güter an verschiedene Ufer trieb: Den revolutionären Erneuerungen ist das nie bekommen.

Ich sehe auch, daß bestimmte Informationen bisher vorenthalten wurden – zum Beispiel darüber, daß es mir und anderen seit unserem Protest gegen die Ausbürgerung Wolf Biermanns 1976 nicht möglich war, in Zeitungen und Zeitschriften der DDR politische Artikel zu schreiben oder uns in Rundfunk und Fernsehen zu äußern. »Der Name Christa Wolf scheint im Moment Mode zu sein«, schreibt eine Leserin erbost. Eine andere glaubt, ich hätte als »Funktionärin des Schriftstellerverbandes« selbst »alles mitgemacht«. Das Honorar von Künstlern und Schriftstellern ist seit Jahren ein Dauerthema. – Ich kenne die Symptome für die entsprechende, allerdings ungleich stärkere und rabiatere intelligenzfeindliche Strömung in der Sowjetunion. Ich halte es für richtig, daß die Leser bei uns (hoffentlich noch) rechtzeitig von diesen Tendenzen erfahren, von denen ich auch durch Kollegen weiß.

Wir sind erst am Anfang, und ich wünschte inständig, daß wir unnötige Härten und Tragödien bei diesem Neuanfang vermeiden könnten. Den Schmerz, den wir uns und anderen zufügen, wenn wir jahrzehntealte Verkrustungen aufbrechen, können wir uns nicht ersparen. Mag es ein euphorisches Gefühl sein, wenn die äußeren Mauern fallen – viele Leser schreiben, daß sie sich »noch nicht so richtig freuen können«. Mir geht es auch so. Glücksmomente sind selten, Zorn und Trauer überwiegen noch. Ich habe den Eindruck, daß sich jetzt für viele die Frage erhebt, ob denn diese Starrheit, zu der sie selbst sich auch gezwungen haben, überhaupt nötig gewesen wäre, wo die gestern noch unangreifbaren Gründe für Grenzen, Geheimhaltung, Einschränkungen, Verbote über Nacht einfach dahingeschmolzen sind. Viele zermartern ihr Gewissen, andere, Verantwortliche »verschwinden einfach im Dunkeln«, wie eine Leserin empört schreibt. Natürlich entsteht eine große Unsicherheit, wenn man die *inneren* Mauern einreißen, sich dem bisher beargwöhnten Nebenmenschen öffnen soll. Die Aggressivität, die sich dann auch gegen andere richtet, verstehe ich.

»Wahnsinn!« Nicht zufällig war es wohl dieses Wort, das aus den Massenströmen derer, die am letzten Wochenende nach 28 Jahren zum erstenmal die Grenzen gen Westen ungehindert passieren konnten, am häufigsten über Mikrofone und Bildschirme zu uns kam. Man sollte nicht verkennen, daß es Menschen gibt, die eindeutige, sogar starre Strukturen brauchen. Wahnsinn hat mit Entgrenzen zu tun. Viele fragen sich nun: War ich vorher normal? Bin ich es jetzt? Ein Lehrer schreibt: »Manchmal hatte man nämlich das Gefühl, verrückt zu sein, wenn man alles so anders, so bedrückend anders sah als viele Mitmenschen.« Oder, eine Lehrerin: »Was wir im kleinen Kollegenkreis ganz leise und ganz geheim vor zwanzig Jahren bemerkt und ausgesprochen haben, das verkünden jetzt diese Leute von ganz oben, als wäre es das Normalste von der Welt.«

Es ist das Normalste von der Welt – jetzt. Immer haben revolutionäre Bewegungen eine neue Normalität eingeführt, immer hat es dann Gruppen von Menschen gegeben – nicht nur die bisher Herrschenden –, die die Welt nicht mehr begreifen, die schwer unter dem Gefühl des »Zu spät« für sie leiden, und andere, die endlich lustvoll entdecken, was in ihnen steckt. »Jetzt fühle ich mich lebendig, jetzt ist es spannend, hier zu leben.«

Ich enthalte mich aller Ratschläge; Ich hoffe nur, wir sind großzügig und weitsichtig genug, so viele wie nur irgend möglich auf diesem neuen Weg mitzunehmen. Ich glaube daran, daß Menschen sich verändern können, weiß es auch von mir. Und: Gibt es nicht auch produktiven Schmerz? Wie einer der Briefeschreiber ausdrückt: »Es tut weh zu wissen: Ich darf mit Selbstverständlichkeit ›ich‹ sagen.«

(In: Wochenpost, Nr. 47/1989)

Der Artikel von Christa Wolf »Das haben wir nicht gelernt« ist die erste Veröffentlichung in unseren Medien, die auf mich überzeugend wirkt. Da ich auch zu dieser Generation gehöre (um 40), unterstütze ich rückhaltlos Frau Wolf. Wir alle brauchen viel mehr solche anständigen, mutigen und ehrlichen Leute.

R. Petzhold, Ilmenau

Der Beitrag von Christa Wolf findet meine volle Zustimmung, da ich zu der von ihr angesprochenen Generation gehöre und schon damals unbequeme Fragen auf meinem Abschlußzeugnis 1968 so quittiert wurden: »Er zeigte sich offen und kritisch, manchmal provokatorisch.«

W. Buchmann, Oranienbaum

Heute früh beim Frisör eine »Wartegemeinschaft«. Zwei Frauen neben mir, eine legt die »Wochenpost« auf den Tisch, liest vor, was Christa Wolf geschrieben hat. Vom Nachbartisch drehen sich Frauen um und beginnen aus der »Wochenpost« abzuschreiben. Ich hatte plötzlich keine Lust mehr zum Haareschneiden, sondern suchte nach der »Wochenpost«. In der Frühstückskantine lag sie auf dem Tisch. Ihre Seite gibt es jetzt in vielen Abzügen, und jeder in unserer Gruppe hat sie schon gelesen.

A. Richter, Berlin

Sie haben unter der Überschrift »Das haben wir nicht gelernt« Überlegungen der Schriftstellerin Christa Wolf veröffentlicht. Ich habe die Ausführungen gelesen und mich gefragt, ob es einen kompetenten Vertreter der Volksbildung (Ministerium, APW oder ZK) gibt, der einen entsprechenden Gegenartikel schreiben wird. Wer wird die von Frau Christa Wolf aufgeworfenen Fragen beantworten? Die Verantwortlichen der Volksbildung können doch diese Vorwürfe nicht auf einem großen Teil der Lehrer sitzen lassen.

J. Rieger, Doberlug-Kirchhain

»Es ist schwer, die Wahrheit zu sagen, es ist noch viel schwerer, die Wahrheit zu ertragen«
Lehrer(innen)ansichten

Die Christa-Wolf-Kontroverse hat eine Menge Staub aufgewirbelt, was jedoch angesichts der überaus bewegten Zeit, die uns alle mehr oder weniger seit Wochen beziehungsweise Monaten beschäftigt, nicht sonderlich verwundert. Ich verstehe das mitunter hitzige Für und Wider in den zahlreichen Leserbriefen als produktives Indiz dieser mit Sicherheit wichtigsten und alles entscheidenden (revolutionären) Phase innerhalb der DDR-Geschichte. Ich hoffe, Christa Wolf hat mit ihrem Antwort-Brief (»Wochenpost«, Nr. 47/1989) bei einigen verstimmten Gemütern etwas mehr Klarheit hervorgerufen, wobei mir bestimmte Überreaktionen auch nach mehrmaligem Lesen nicht so recht einleuchten wollen. Natürlich schmerzt Kritik, man sollte sie in jedem Fall annehmen, wenn sie berechtigterweise geäußert wird. Nur hätten meines Erachtens sämtliche »Ausfälle« gegenüber Frau Wolf vermieden werden können, wenn der eine oder andere pikierte (Lehrer-)Leser den Text *Das haben wir nicht gelernt* genauer gelesen beziehungsweise verinnerlicht hätte. So muß ich beispielsweise Frau W. aus Leisnig vorwerfen, daß sie, die Christa Wolfs Bücher »einst mit großer Begeisterung« las, merklich wenig, so jedenfalls mein Eindruck von der Art und Weise Wolfscher Diktion verstanden hat. Und was jene »Dauerschizophrenie« angeht, an der sich offenbar so viele stoßen – ich empfinde diesen Zustand nicht ausschließlich volksbildungsimmanent, vielmehr war das doch ein nahezu vierzigjähriges gesamtgesellschaftliches Krankheitsbild, welches in (fast) allen Bereichen, sicherlich hier und da unterschiedlich wirksam, zutage gefördert wurde.

Mittlerweise tut es gut, wenn sich innerhalb der Volksbildung – ich halte übrigens dieses Wort aus mehreren Gründen für unpassend beziehungsweise nicht mehr zutreffend – bestimmte Dinge urplötzlich im Selbstlauf regeln, die noch vor kurzem unmöglich schienen. Ich denke nur an das ideologieüberfüllte Referat von Margot Honecker auf dem IX. Pädagogischen Kongreß, an die in der Mehrzahl nichtssagenden

»Diskussionsbeiträge« und claqueurhaften Gebärden der 4300 sorgfältig selektierten Kongreßteilnehmer. Ich denke aber auch an den Pädagogischen Rat zu Beginn des Schuljahres 1988/89; an unserer Schule (POS mit EOS-Teil) hatte sich damals »hoher Besuch« angesagt, unter anderem der Bezirksschulrat und der stellvertretende Minister für Volksbildung Parr. Nachdem ich es »wagte«, mich gegen Wehrerziehung und inszenierte Lebensfreude – Pionier-Treffen – auszusprechen, wäre es beinahe um meine Tätigkeit als Lehrer geschehen gewesen. Zwar wurde kein Tribunal à la Carl-von-Ossietzky-EOS mit mir inszeniert, dennoch habe ich nur aufgrund der Ägide meines Direktors meinen Arbeitsplatz noch heute inne. Und ich kann mit Fug und Recht behaupten, daß ein derartiges Auftreten eines Schuldirektors vor der »Obrigkeit« bislang zu den wohltuenden Ausnahmen gehörte. In diesem Zusammenhang frage ich mich, wie sich Moral und Gesinnungswandel nach der sogenannten Wende gerade in jenen Bildungseinrichtungen mit pseudostalinistischer Vergangenheit bis in den Herbst '89 hinein vor Schülern und Eltern rechtfertigen lassen.

Ein gewisses Maß an Skepsis sollte in Anbetracht der tausendfachen Chamäleoneskie nach dem Motto: »Wes Brot ich ess', des Lied ich sing'« gegenwärtig mit zu den dringlichsten Bürgerpflichten gehören. Denn irgendwie muß das D-Zug-Tempo bezüglich der Erneuerungs- und Umgestaltungsprozesse Besorgnis hervorrufen: Immerhin praktiziert die Sowjetunion seit über vier Jahren Glasnost und Perestroika mit letztendlich mäßigem Erfolg, wobei die angestauten Probleme um ein Vielfaches komplizierter sind. Ich meine, daß eine echte Demokratie nach jahrzehntelanger Deformation wachsen muß. So sehr ich mich darüber freue, ja sogar stolz bin, daß der DDR-Bürger endlich (!) seine Nische(n) verlassen hat, so beunruhigt bin ich andererseits über den ca. vierwöchigen »Husarenstreich«, was übrigens in ähnlicher Weise auf die etwas überstürzte und nicht genügend (rechtlich) vorbereitete Mauer-Öffnung zutrifft. Wie dem auch sei, wir werden – so glaube ich – in nicht allzuferner Zukunft noch ganz andere Entwicklungsprozesse wahrzunehmen haben, ob wir wollen oder nicht. Ich hoffe dennoch auf eine Lösung, die auf breitem Konsens in Ost und West basiert. Mögen uns für alle Zeit die unheilvollen großgermanischen Tugenden und Gebärden erspart bleiben, wenngleich derartige Intentionen auch bei uns (zum Beispiel am 20. 11. bedauerlicherweise gerade in Leipzig) immer stärker artikuliert werden.

Ich bin vom eigentlichen Thema abgewichen, etliche Gedanken wären noch auszusprechen, die weit über die Volksbildung hinausgehen. In diesem Sinne meine abschließende Bitte: Greifen Sie den Vorschlag

Christa Wolfs auf, besagte Leserbriefe als eine Art Stimmungsbarometer »für unsere geistig-seelische Verfassung in diesen Tagen« zu dokumentieren.

Andreas Otto,
Lehrer,
Rüdersdorf

Liebe, sehr verehrte Christa Wolf, ich bin Lehrerin. Gestern flatterte mir ein Brief ins Haus, eine Mitteilung und Ihren Artikel in der »Wochenpost« enthaltend; geschickt hatte ihn die Mutter der zwölfjährigen Anna, Schülerin »meiner« Klasse. Dieses sofortige Reagieren, das Sie sicher freuen wird – mich aber ganz besonders –, war eine wichtige Bestätigung. Habe ich doch vor etlichen Tagen gewagt, meine Nische zu verlassen und beiliegenden Leserbrief an die »Neue Zeit« zu schreiben, dessen Veröffentlichung ich erhoffe. Besonders die offensichtliche und anhaltende Sprachlosigkeit, Stille, die in den Bereichen der Volksbildung herrscht, macht mich betroffen. 1969 – ich war Studentin im zweiten Studienjahr Deutsch/Geschichte – ging Ihre »Christa T.« von Hand zu Hand. Diskussionen waren unliebsam. Dann Funkstille. Ich will nie wieder Funkstille …

Vielen Dank für die Denkanstöße, mutgebende Zivilcourage und für Ihre wunderbare Literatur.

Fragen einer Lehrerin:
Es geschieht viel Merkwürdiges – des Merkens Würdiges – in diesen Tagen, aber auch das des Bedenkens Nötige soll nicht fehlen. »Ein Dialog im Großen zieht nicht einen Dialog im Kleinen nach sich.« Vor drei Jahren von einer leitenden Schulfunktionärin formuliert, bezog sich dieser Satz noch auf die beschränkten Reisemöglichkeiten der Lehrer; seine verhängnisvollen gesamtgesellschaftlichen Dimensionen – nun sichtbar geworden – haben wir damals vielleicht partiell erahnen können. Und jetzt: Einige Leitungsmitglieder in der Volksbildung glauben, daß allgemeines Schweigen über Probleme »hinweghelfen« kann. Da wird getan, als ob eigentlich nichts ist. Dabei gibt es so immens wichtige Dinge, die uns auf den Nägeln brennen.« Uns – den Lehrern. Welche Aktie haben wir durch das Einwirken oder Nichteinwirken auf die Teile der jungen Generation, die »mit den Füßen abstimmten«? Ist der Begriff der Erziehung nicht schlechthin in unserer sozialistischen Gesellschaft neu zu überdenken? Stimmt der Vorwurf, wir hätten »Menschen mit zwei Gesichtern« erzogen? Was ist zu tun, die Tugenden des kritischen Lehrers, also auch des kritischen Schülers,

besser auszubilden. Der Druck, mit allen Mitteln militärische und pädagogische Nachwuchsgewinnung zu betreiben, hat er der Sache gedient? Wieviel Eigenständigkeit wird den Pionier- und FDJ-Kollektiven zugebilligt? (Mitunter komme ich mir wie ein »Oberpionier« vor.) Gängeln wir da, wo es zu entfalten gilt; lassen wir dort, wo wir gebraucht werden, die Schüler und die Elternschaft nicht allein? Unsere Zahlen und Berichte! Wer bestimmt das Maß eines »gut« arbeitenden Lehrers? Daß niemand sitzenbleibt? Die Durchschnittsnoten?

Eine Bemerkung zum Lehrplanwerk: Anfang der achtziger Jahre wurden die Pläne für den Literaturunterricht 5 bis 10 »überarbeitet«: Halten alle im Lehrplan geforderten (der Lehrplan gilt als Gesetz) literarischen Werke dem Zeitgeist stand? Und eine Frage, die mich als parteilose Lehrerin schon seit langem bewegt: Niemand hat mir geantwortet, ob es stimmt, daß – bis auf wenige Ausnahmen – die Direktoren an den Berliner Schulen Mitglied der SED sind (sein mußten?). Schweigen – bisher.

Aber: Ein Dialog im Großen kann *nur* erfolgreich sein, wenn wir einen Dialog im Kleinen täglich führen. Denn (wie es in einem Gedicht von Erich Fried heißt): Zweifle nicht / an dem / der dir sagt / er hat Angst. / Aber hab Angst / vor dem / der dir sagt / er kennt keinen Zweifel.«

Reina Hoffmann,
Lehrerin,
Berlin

Ich bin 75 Jahre alt, war seit 1939 und dann nach dem Krieg seit 1949 wieder Lehrer für Deutsch, Altphilologie und Sport. Studiert habe ich vor dem Krieg in München und Tübingen. Ich bin nicht Mitglied der SED und habe deshalb auch keine Karriere in der Volksbildung machen können. Aufgrund meines Wissens wurde ich allerdings bald Fachberater für Deutsch. Aufgrund der Leistungen, so kann ich mit Recht und Stolz sagen, Oberstudienrat als der einzige Nicht-Genosse bei uns in Eisenhüttenstadt.

Ich gehöre zu denen, die nicht immer zu allem Ja und Amen gesagt haben. Ich stimme mit ihnen überein, wenn sie sagen, daß wir immer noch mit den Resten des Stalinismus sowohl »oben« als auch in den unteren Ebenen uns auseinandersetzen müssen. »Die Partei hat immer recht« – dieser Ausspruch war nach meiner Auffassung genau so arrogant wie falsch.

Sie sagten, daß alle die, die als Polizisten und Mitglieder bewaffneter Einheiten sich Übergriffe aller Art erlaubt haben, zur Rechenschaft gezogen werden müßten. Einverstanden! Aber ich habe vermißt, daß Sie sich auch gegen die wendeten, die, als Zivilisten aufgehetzt, selber Gewalt angewendet und Zerstörungen angerichtet haben wie in Dresden, wo ich es selbst erlebt habe. Gleiches Maß für alle, Frau Wolf, ob uniformiert, ob im Auftrag der Machthaber oder irgendwelcher Hetzer! Ich persönlich verabscheue *jede* Art von Gewalt. Nur Rechtsbrecher im Goetheschen Sinne dürfen und müssen die Gewalt zu spüren bekommen.

Worüber ich erstaunt und zugleich betroffen bin, ist Ihre Auffassung von der Schule. Die Schüler hätten angeblich nicht gelernt, zu diskutieren. Dabei haben Sie eine Frau zu Wort kommen lassen, die Ihnen das bestätigte. Eine derartige Verallgemeinerung ist nicht nur falsch, sondern häßlich! Sie maßen sich ein Urteil über alle Lehrer bei uns an, und das steht Ihnen wohl nicht zu.

Natürlich gibt es viele Lehrer, die nicht in der Lage waren und sind, mit ihren Schülern zu diskutieren; teils, weil es geistig nicht reichte, um Argumenten entgegenzutreten, teils, weil sie linientreue Schäfchen waren und jede andere Meinung nach Kräften unterdrückten. Aber genau so viele oder noch mehr gab es, die immer bereit waren, eine offene Diskussion mit ihren Schülern zu führen, die Schüler als Persönlichkeiten zu achten und zuzuhören.

Eine leider verstorbene Kollegin von mir, Mitglied der SED und Staatsbürgerkundelehrerin, K. H., zum Beispiel wird noch heute von einem Pfarrerskind gerühmt, weil sie jede Meinung anhörte und diskutierte, ohne daß die Schüler Nachteile davon hatten. Wer, Frau Wolf, gibt Ihnen das Recht, eine ganze Berufskategorie abzuurteilen? Sie haben ein Beispiel gebracht. Sicher hätten Sie mehrere bringen können, wobei ich fast der Meinung bin, daß die zitierte Dame vorher nach bewährtem Beispiel instruiert war. Ich könnte Ihnen Hunderte, ja Tausende ehemaliger Schüler (auch einige inzwischen in der BRD ansässige) nennen, die Ihnen sagen könnten, daß sie wohl gelernt haben, zu diskutieren. Das wollte ich nicht nur in meinem, sondern auch im Namen vieler Kollegen, die mich angerufen haben und empört waren, sagen!

Oberstudienrat H.-J. Hauenschild,
Eisenhüttenstadt

Der Beitrag von Christa Wolf ist ein Schlag unter die Gürtellinie für mich und meine Berufskollegen. Ich wurde in diesem Staat geboren (1949), habe hier meine Ausbildung erhalten. Während meiner Schul- und Studienzeit haben mich viele Lehrer beziehungsweise Dozenten beeinflußt, die von mir Aufrichtigkeit, aber auch Parteilichkeit forderten, die mir halfen, mich im Leben zurechtzufinden. Auch in meinem Arbeitskollektiv (ich bin seit 17 Jahren Lehrer) sind wir schon immer um Offenheit, um eine kritische und schöpferische Atmosphäre bemüht. Wir wollen die uns anvertrauten Schüler zu denkenden und unserem Staat verbundenen jungen Menschen erziehen, nicht erst seit dem letzten Plenum. Ich räume ein, daß es Überspitzungen gab. Ursachen sehe ich unter anderem in den unterschiedlichen Fähigkeiten der einzelnen Lehrer. So wie es gute, wirkungsvolle und weniger gute Schriftsteller gibt, so gibt es gute und weniger gute Lehrer. Ich würde mir aber nicht zutrauen, die fachlichen Qualitäten einer Christa Wolf sowie ihre menschlichen und politischen Qualitäten zu beurteilen (ich war bisher ein Anhänger von Christa Wolf). Eins ist sicher, jeder mir bekannte Lehrer ist um ständige Weiterbildung auf dem Gebiet seines Faches, seiner Allgemeinbildung und seines politischen Wissens bemüht. Auch jeder Schriftsteller?

Aber die Schule ist ein Teil dieser Gesellschaft, wir können nicht besser sein als diese, aber auch nicht schlechter. Ich meine, daß man mit Anstand und Achtung vor dem anderen um der Sache willen streiten muß. Gute Beispiele gibt es dafür in unserer Gegenwart genug. Denn ich gehe davon aus, daß wir das gleiche Ziel haben: die schnelle Entwicklung unseres Landes zum Wohl aller Menschen. Ich gehöre auch zum Volk und nicht nur die Menschen, die sich in den Medien und auf der Straße lautstark äußern. Jeder muß an seinem Arbeitsplatz sein Bestes geben, und für hilfreiche, ehrliche Kritik bin ich persönlich sehr dankbar.

Roswitta Hendrich (40),
Lehrerin für Mathematik/Physik,
Berlin

Ein tiefgründiger Artikel Christa Wolfs! Tausendmal hat sie recht! Wie deutlich deckt sie die Gründe von Deformierungen auf! Welch treffender Ausdruck: »Dauerschizophrenie«! Ja, diese ist wohl die Ursache, weshalb niemand aufbegehrte, als wir – vermutlich mit löblicher Absicht – »Staatsvolk der DDR« genannt wurden, also ein Volk, das dem Staate gehört. Die Bezeichnung fiel auf günstigen Boden, da der Deutsche seit Jahrhunderten den Staat als etwas Über-ihm-Stehendes,

Erhabenes, ja von Gott Gesandtes anzusehen gewohnt war. Wenn sich heute der sogenannte »Republikaner« Schönhuber rühmen kann, auch in der DDR in allen Schichten der Bevölkerung Freunde zu haben, dann hängt dies auch damit zusammen, daß sich jeder Nazi rehabilitiert fühlen konnte, als er zusammen mit der übrigen Bevölkerung unter die »Sieger der Geschichte« fiel.

Unsere Jugend hat in letzter Zeit viel Ausdauer und Freude am Demonstrieren bewiesen. Möge das neu erwachte Selbstbewußtsein ausreichen, auch gegen Neofaschismus und Antisemitismus aufzutreten, es scheint an der Zeit zu sein! Wir haben einen geistigen Augias-Stall auszumisten, der bis in die dreißiger Jahre reicht. Es bedarf dazu aller moralischen und geistigen Anstrengungen, ganz besonders auch in den Schulen. Lehrer wie Schüler haben nicht nur das Recht, sondern die Pflicht, ihren eigenen Verstand zu benutzen; denn geistige Fertigfabrikate sind nicht mehr gefragt, wohl aber gründliches Nachdenken!

Lucie Schönfelder (81)
Lehrerin i. R.,
Sebnitz

Liebe Christa Wolf, gerade habe ich Ihren Artikel gelesen. Wie lange hatte ich auf solche Worte gewartet! Seit wenigen Tagen kann man endlich offene Worte in den Zeitungen lesen. Aber es stellt sich bei mir nicht das erhoffte und ersehnte Gefühl der Erleichterung ein. Das »Endlich« wird verdrängt von dem Gefühl »Zu spät«! Zu spät, viel zu spät kam für mich und wie ich meine auch für andere meiner Generation die Erklärung des Politbüros (11. Oktober 1989; d. Red.). Eine lähmende Resignation hat von mir Besitz ergriffen, und es ist für mich nur ein kleiner Trost, daß ich mit ganz bescheidenen Mitteln versucht habe, der mir anvertrauten jungen Generation die Fähigkeit zum offenen Gedankenaustausch zu vermitteln. Mit schlechtem Gewissen hatte ich solche Unterrichtsstunden gehalten, bis sie mir der neue Lehrplan offiziell gestattete. Aber auch dann blieb Unbehagen, denn ich wußte, daß Mut zur Offenheit meinen Schülern später nur Unannehmlichkeiten einbringen würde. Auch ich habe mit zwei Gesichtern gelebt, leben müssen, und ich habe psychisch großen Schaden dadurch erlitten. Bei meinem eigenen Sohn war ich nämlich nicht betroffen, sondern beruhigt, daß er sehr wohl wußte (und weiß), wo er was sagen konnte.

In Gesprächen unter Kollegen waren wir uns einig, daß es schlimm ist, wenn man seine Kinder so erziehen muß. Aber in jeder Versammlung habe ich zu spüren bekommen: Das ist der einzig gangbare Weg, sonst geht man kaputt. Mein Grundwesenszug ist eigentlich der Drang nach Harmonie. Zu schnell konnte und kann ich verzeihen, Schlechtes vergessen! Ich suche Entschuldigungen für Fehlverhalten, suche Fehler zuerst bei mir. Jetzt auf einmal fehlt mir diese Fähigkeit!

Ich kann die Fehler, die jahrelang gemacht wurden, die wir jahrelang gemacht haben, einfach nicht entschuldigen. Ich kann keinen neuen Elan finden und meine Zweifel nicht verdrängen.

Vielleicht muß ich noch viele Artikel wie den Ihren lesen. Ich bin froh, daß es Menschen wie Sie gibt, die Mut machen, weil sie selbst welchen haben. Und ich danke Ihnen dafür!

U.Sch.,
Lehrerin
Stbg.

Mit dem Abdruck der Stellungnahme *Das haben wir nicht gelernt* haben Sie keinen guten Griff getan. Christa Wolfs Aussagen und Schlußfolgerungen sind sehr einseitig und in einer Art, die nicht zum Dialog herausfordert, sondern nur Ablehnung hervorruft. Bekanntlich wird das Verhalten eines Menschen zur Schule und zu den Lehrern während der Schulzeit geprägt. Christa Wolf hat offensichtlich wenig Gutes erlebt. Zum Glück ist die Mehrzahl solcher Lehrer 1945 nicht mehr auf die Kinder losgelassen worden.

Bei aller Unbegrenztheit der Meinungsäußerung sollte eine international bekannte Schriftstellerin wie Christa Wolf eine Kultur des Dialogs pflegen. Ich hoffe, daß sie das auch noch lernt!

Anlage (Begründung meines Standpunktes): Christa Wolfs Aussagen und Schlußfolgerungen sind verletzend für einen Lehrer, der über 40 Jahre im Schuldienst tätig ist (davon 20 Jahre als Klassenlehrer). Verschiedene Klassentreffen, das letzte Anfang Oktober 1989, mit meinen ehemaligen Schülern (zwischen 30 und 50) haben mir gezeigt, daß sie selbstbewußte und freimütig ihre Meinung äußernde Bürger der DDR geworden sind. Genauso wie ich eine gute Meinung von der überwiegenden Zahl meiner ehemaligen Schüler habe, haben sie diese auch von mir. Ich lehne es aber ab, in die von Christa Wolf genannten »guten Lehrer« eingereiht zu werden. Die politische Reife, die auch ich im Gespräch feststellen konnte, haben meine ehemaligen Schüler nicht aus den von Christa Wolf genannten Quellen. Sie bestätigte, daß sie in der Schule mit einem umfangreichen Wissen durch die Lehrer ausgestattet wurden. Die zu verzeichnende Doppelzüngigkeit bei einigen Schülern haben sie nicht in der Schule, sondern in ihren Elternhäusern gelernt. Wer selbst Kinder und Enkelkinder hat, die auf dem Boden unserer Republik stehen, die nicht zu allem Ja und Amen sagen und ihren Standpunkt äußern, braucht nicht bei Tschechow eine »Sklaven«-Anleihe zu nehmen.

Karl Bülow,
Bernau

Sehr geehrte Frau Wolf, seitdem ich Ihren Beitrag in der »Wochenpost«, Nr. 43, gelesen habe, habe ich nicht nur eine schlaflose Nacht hinter mir, sondern befinde mich im Zustand tiefster Erregung und Empörung. Ich begrüße die neue Offenheit unserer Medien aus tiefstem Herzen, brauche jetzt sehr viel Zeit zum Zeitunglesen und bemühe mich ehrlich, Andersdenkende anzuhören und möglichst zu akzeptieren. Eine Ausnahme bilden Passagen Ihres erwähnten Artikels. Bei allem Respekt für Ihre Person und Ihre literarischen Leistungen, vielleicht auch Verständnis für Ihnen zugefügtes Unrecht: Ich kann einige Passagen Ihres Artikels nicht unwidersprochen lassen. Um nicht mißverstanden zu werden: Ich empfinde es als sehr schmerzlich und bitter, daß viele junge Menschen unser Land verließen. Ich habe am eigenen Leibe Bevormundung und versuchte Einschüchterung durch Instrukteure der SED-Kreisleitung erfahren. Ich bin erschüttert über das Verschweigen und Nichtwahrhabenwollen von Realitäten durch unsere Staatsorgane. Letztlich läßt mir der moralische Verfall (Unehrlichkeit, Korruption, miserable Arbeitsmoral) keine Ruhe. Aber die Art und Weise Ihrer Darstellung ist derart überzogen, daß ich Ihnen darauf antworten muß. Ich hoffe, von Ihnen auch gehört zu werden, wenn ich vielleicht auch nicht messerscharf logisch oder im druckreifen Stil schreibe, aber ich bin ein impulsiver Mensch (was mir, zugegebenerweise, nicht nur Lob einbrachte!).

Zitiere ich also jene Stellen, die mir das Blut in Wallung brachten: »... Wie sie von kleinauf dazu angehalten wurde, sich anzupassen, ja nicht aus der Reihe zu tanzen, besonders in der Schule sorgfältig die Meinung zu sagen, die man von ihr erwartete, um sich ein problemloses Fortkommen zu sichern, das ihren Eltern so wichtig war. Eine Dauerschizophrenie hat sie als Person ausgehöhlt (...), daß unsere Kinder in der Schule zur Unwahrhaftigkeit erzogen und in ihrem Charakter beschädigt werden, daß sie gegängelt, entmündigt und entmutigt werden – mit wort- und bildreicher Schaumschlägerei ...!«

Ich habe von 1946 bis März 1988 als Fachlehrerin für Geschichte und Staatsbürgerkunde gearbeitet, gehöre in Ihren Augen zu diesen potentiellen »Schaumschlägern«. Ich bin 1926 geboren, also nur drei Jahre älter als Sie, obwohl drei Jahre der Kindheit und Jugend sehr viel Zeit sind und sicher verschiedene Schwerpunkte aus diesem minimalen Unterschied gesetzt werden. Ich wurde 1933 eingeschult, war während der bitteren Jahre in Faschismus und Krieg noch Schülerin, und 1945 stand ich kurz vor der Verheiratung: Mein damaliger Verlobter war ein Jahr älter als ich, war ebenfalls um Kindheit und Jugend gebracht worden und als Junge in seinen Idealen noch mehr mißbraucht, er mußte ja Soldat werden – eben so ein »Werner Holt«-Typ. Wir beide wollten schon vor 1945 Lehrer werden – 1946 beziehungsweise 1947 konnten wir als Neulehrer unseren Wunsch realisieren. Da schworen wir uns: »Niemals werden wir etwas lehren, was wir nicht verantworten können. Niemals sollen Kinder und Jugendliche wieder zu Verbrechen, Rassismus und Faschismus erzogen werden. Niemals sollen sie den Krieg kennenlernen!«

Und so sind wir, und mit uns Tausende von Lehrern (damals Neulehrer), reinen Herzens vor die Schüler getreten und haben über vier Jahrzehnte das Berufsethos des Pädagogen hoch gehalten. Leider ging in der schweren Nachkriegszeit unsere junge Ehe auseinander. Wir blieben bis heute gute Freunde, auch, nachdem wir neue Partnerschaften eingingen. Er wurde Verdienter Lehrer des Volkes, ich Oberlehrer. Gewiß gab es auch Gängeleien für uns, für ihn als Direktor einer EOS, für mich als Fachlehrerin. Ich habe mich in meinen beiden Fächern Geschichte und Staatsbürgerkunde um unbedingte Ehrlichkeit bemüht. Durch mich wurde nie ein Schüler reglementiert oder wegen anderer Weltanschauung benachteiligt. Gerade Letzteren gegenüber habe ich mich um besonderes Fingerspitzengefühl bemüht. So sind Begegnungen mit Schülern, die zum Beispiel der Neuapostolischen Gemeinde angehören, heute noch herzlich und erfreulich, und oft fragen sie mich um Rat. Oder eine andere Schülerin, die heute leider nicht mehr in unserem Staat lebt, weil man ihr später beruflich Wege verbaute, wurde in Elternabenden von mir gelobt, weil sie durch kluge Fragen in der Staatsbürgerkundestunde auffiel. Sie hat noch Jahre nach ihrer Entlassung aus unserer POS als hervorragende Rezitatorin mir zuliebe geholfen, Jugendweihefeiern zu gestalten.

Mit solchen Beispielen könnte nicht nur ich, sondern könnten die meisten Lehrer aufwarten und Bände füllen. Im Geschichtsunterricht war die Aufmerksamkeit besonders groß, wenn ich historische Geschehnisse durch persönliche Erlebnisse und Erfahrungen belegte. Dabei machte ich leider oft die Erfahrung, daß die Schüler dann klagten, daß ihre Eltern oder Großeltern entweder nicht bereit waren, über ihre

Erlebnisse zu sprechen oder die von Westmedien verbreiteten Halbwahrheiten oder historischen Verzerrungen widergaben. Haben Sie, Frau Wolf, vielleicht schon über diesen Aspekt des Versagens der Eltern nachgedacht? Gewiß haben unsere Lehrpläne es uns oft schwer gemacht, den Jugendlichen ein reales Bild zu geben. Wir wurden auch reglementiert von Schulräten, Schulinspektoren und Parteiinstrukteuren (die EOS noch dazu von FDJ-Kreisleitungen). Es gab und gibt auch sicher »Stundengeber« in der Lehrerschaft. Aber wenn man nach mehr als 40 Dienstjahren von einer anerkannten Schriftstellerin unseres Landes die oben zitierten Worte liest, dann fällt es sehr schwer, im großen Dialog ruhig zu bleiben. Ich empfehle Ihnen, bei Erik Neutsch nachzulesen, er hat in seinen Büchern sehr offen und sehr sachlich Sorgen und Probleme des Bildungswesens aufgedeckt, ohne dabei verletzend zu werden. Übrigens: Haben Sie sich schon einmal informiert, wie wehrlos wir Lehrer oft Angriffen von anmaßenden Eltern oder Frechheiten von Schülern ausgesetzt waren? Manche von uns haben den Beruf aufgegeben, und manche andere landeten in Nervenkliniken. Diese Anmaßung fand ich zum Teil auch im Tagebuch Ihrer verstorbenen Freundin, aber lassen wir das, sie kann sich ja nicht mehr wehren!

Der zweite Einwand zu Ihrem Artikel: »Eine kleine Gruppe von Antifaschisten, die das Land regiert, hat ihr Siegesbewußtsein zu irgendeinem nicht genau zu bestimmenden Zeitpunkt aus pragmatischen Gründen auf die ganze Bevölkerung übertragen. Die ›Sieger der Geschichte‹ hörten auf, sich mit ihrer *wirklichen* Vergangenheit, der der Mitläufer, der Verführten, der Gläubigen, in der Zeit des Nationalsozialismus auseinanderzusetzen. (…) Ihr untergründig schlechtes Gewissen machte sie ungeeignet, sich den stalinistischen Strukturen und Denkweisen zu widersetzen, die lange Zeit als Prüfstein für ›Parteilichkeit‹ und ›Linientreue‹ galten und bis heute nicht radikal und öffentlich aufgegeben wurden.«

Dazu meine persönliche Meinung: 1952 ging ich meine zweite Ehe ein. Mein Mann war elf Jahre älter als ich. Er war von 1933 bis 1939 Häftling im KZ Lichtenberg beziehungsweise Buchenwald. Von 1940 bis 1943 war er in der berüchtigten Strafkompanie 199, 1943 lief er auf die sowjetische Seite über und war bis 1949 in einer Antifaschule des Nationalkomitees »Freies Deutschland«. Als er 1950 entlassen wurde, trat er als Politoffizier in die Reihen der Volkspolizei. (Sollten wir anderen diese Stellungen überlassen?) Sicher denken Sie nun: »Auch so ein damaliger Stalinist«? Von 1961 bis zu seinem Tode 1976 hat mein Mann an der Martin-Luther-Universität Halle in der Sektion Philosophie gearbeitet und Seminare für Medizinstudenten geleitet. Sehr oft war er mit diesen in der Mahn- und Gedenkstätte Buchenwald und hat es einigen ermöglicht, anhand des Archivmaterials ihre Promotion zu schreiben.

Viele unserer Freunde waren ebenfalls Widerstandskämpfer. Keiner von ihnen hätte es verdient, so abgekanzelt zu werden. Ich unterstelle Ihnen nicht, daß Sie bewußt die Widerstandskämpfer und auch die Aktivisten der ersten Stunde verhöhnen wollen, aber in der Endkonsequenz geht aus Ihrem Artikel hervor, daß diese senil sind und nun gefälligst den Mund zu halten haben. Mein Mann hat nie den Mund gehalten zu Mißständen und Ungerechtigkeiten, er hat sich in unserem damaligen Wohnort sogar mit dem SED-Kreissekretär angelegt und dann auch Recht bekommen. Wünschen Sie etwa, man solle über jene Menschen und ihren Kampf so schweigen, wie man es im anderen deutschen Staat tut? Das kann ich nicht glauben! – Daß bei uns ein Generationswechsel in der Leitung von Partei und Staat überfällig war, stelle ich keinesfalls in Abrede. Aber wir wollen nie vergessen, wie diese Menschen nach 1945 unseren Staat aufbauten und einen Weg aus dem Faschismus wiesen.

»Wann werden diejenigen zur Verantwortung gezogen, die befahlen, mit Gewalt gegen junge, gewaltlose Demonstranten und Unbeteiligte vorzugehen, wann werden die Vorgänge auf Polizeirevieren, in Garagen usw. untersucht, öffentlich gemacht und geahndet, die diesen Befehlen folgten?«

Inzwischen hat man ja nun diese Fälle untersucht und, wo nötig, bestraft. Aber bitte – Gerechtigkeit für alle! Ich habe in meiner unmittelbaren Nachbarschaft zwei Fälle, wo junge Männer, die ihren Wehrdienst ableisten, übrigens ehemalige Schüler von mir, in Berlin in Ausübung ihres Dienstes (Schutz des Palastes der Republik, Begleitung des vorgesetzten Fregattenkapitäns) von Demonstranten geschlagen, in den Unterleib getreten, aufs Übelste beschimpft und bedroht wurden, und sie hatten strengsten Befehl, sich nicht zu wehren und provozieren zu lassen. Mit dem jungen Matrosen habe ich selber gesprochen und an seinem Gesicht und seinen Armen die Spuren jener »friedlichen Demonstration« gesehen. Ich kann es nur als pure Heuchelei bezeichnen, wenn kirchliche Kreise geflissentlich übersehen, daß doppelt so viele Angehörige der Sicherungskräfte verletzt ins Krankenhaus eingeliefert wurden wie Demonstranten. Man zündet Kerzen für letztere an, hat sich aber nicht für erstere entschuldigt. Schließlich sind unsere Sicherheitskräfte unsere Söhne, die ihre staatsbürgerliche Pflicht tun. Ich sage ehrlich, ich bin froh gewesen, daß mein Sohn seine Armeezeit schon hinter sich hat in dieser brisanten Zeit!

»Man hat aus vielen Quellen gelernt, nicht zuletzt aus den Nachrichten über Reformprozesse in unseren Nachbarländern.«

Meinen Sie das, was Genosse Gorbatschow tut und anstrebt, dann stehe ich auf Ihrer Seite. Meinen Sie aber die Verhältnisse in Ungarn und Polen, dann wehre ich mich mit allen Kräften. Ich habe (neben meinem Beruf) vier Kinder groß gezogen, damals noch ohne sozialpolitische Maßnahmen, die von jungen Leuten heute nicht gewürdigt werden. Drei meiner Kinder haben studieren können, haben ein schönes Zuhause. Ich bin Großmutter von fünf Enkelkindern. Meine eine Tochter (37) ist spastisch gelähmt, Rollstuhlfahrerin. Sie lebt mit mir zusammen, und nach dem Tode meines Mannes bin ich allein für ihre Pflege verantwortlich. Aber sie ist ein geistig regsamer und politisch interessierter Mensch. Sie würde sowohl in den vom Westen hochgelobten »reformwilligen« Ländern als auch in der BRD ein trauriges Leben haben – auch wenn hier noch manches mehr für Behinderte getan werden könnte!

Frau Wolf, aus Ihrem Artikel hörte ich sehr viel Bitterkeit, vielleicht würden Sie ihn heute nicht mehr so scharf schreiben, aber Dialog darf nicht beleidigen und verletzen – ganz besonders jetzt nicht!

Elisabeth Buxbaum,
Tangermünde

Liebe Christa Wolf, ich habe Ihren Artikel *Das haben wir nicht gelernt* gelesen, und ich muß Ihnen dafür danken, denn es hat mir jemand aus dem Herzen gesprochen. Ich wurde 1953 Lehrerin in unserem Staat und habe 35 Jahre als solche gearbeitet, wie man es von mir verlangte und unter stetem Tabu, um nicht beim Direktor oder Kreisschulrat aufzufallen. Auf meiner Fahne stand ja »Sozialismus«. So habe ich all die Jahre meine Schüler gebildet und erzogen und nebenbei auch meine eigenen drei Töchter. Und dann sah ich die Massen der jungen Leute, die, so schien es, zumeist leichtfertig unser Land verließen. Unter ihnen waren auch drei Schüler, die durch meine Erziehung gegangen waren. Da stelle ich mir die Frage: »Warum?« Sie haben doch von uns jede Unterstützung bekommen, sie waren doch so gut »eingebettet« in den sozialistischen Alltag. Und wir haben sie doch hingeführt zu »machtvollen Fackelumzügen und gymnastischen Massendressuren«, und wehe es kam ein eigener Gedanke, das stand ja nicht in unseren ethischen und moralischen Vorgaben.

Die erste Ohrfeige und damit das Nachdenken, was ich falsch gemacht hatte, kam, als meine eigene Tochter 1985 einen Ausreiseantrag stellte und ich erst sehr spät davon erfuhr, weil sie wußte, wieviel Kummer mir diese Entscheidung bringen würde. Sie wollte reisen und sich nicht mehr gängeln und einzwängen lassen. Mit ihr ging meine über alles geliebte Constance, bei deren Erziehung auch ich Anteil hatte. Meine Enkelin, die begabt war und ausgestattet mit Einfallsreichtum und Phantasie, hatte gewagt, zum Thema »Vorbild« im Deutsch-Prüfungsaufsatz zu schreiben: »Jesus ist mein Vorbild« – und sie begründete dies. Der Aufsatz wurde nicht zensiert, und meine Tochter mußte in der Schule antanzen. Sie hatte versucht, den aufrechten Gang zu üben, und sich dabei gründlich die Nase gestoßen.

Als ich von dem Ausreiseantrag erfuhr, habe ich sogleich meinen Dienst als Lehrerin quittiert, weil ich mich schämte; ich hatte das Gefühl, hier in meiner Erziehung versagt zu haben. Nachdem nun meine Schüler fortgingen, habe ich nachgedacht. Meine Familie ist jetzt gespalten. Meine jüngste Tochter verharrt in der starren Haltung, die ich ihr mit meiner Erziehung mitgegeben habe – aus Angst, Schaden in ihrer beruflichen Tätigkeit zu haben –, und verurteilt ihre Schwester sehr.

Ich leide als Mutter darunter. Nun leben meine »Ausgereisten« schon vier Jahre in Köln, haben Wohnung, Arbeit und Studium und wollen nicht zugeben, daß es dort nicht einfach ist. Obgleich sie schon vier Jahre dort sind, bekam ich bisher keine Besuchserlaubnis, um die ich schon mehrmals gebeten habe. Nun will ich es zu Weihnachten noch einmal versuchen. Ich glaube, daß Großzügigkeit und humane Handlungen unseren Staat nur stärken können. Ich werde mit meinen Problemen nicht auf die Straße gehen, aber ich brenne für offene Diskussionen ohne Angst vor Repressalien. Auch das muß ich erst lernen. Mögen sich viele an diesen Diskussionen beteiligen, damit das gerettet wird, was geblieben ist.

E. Piachnow,
Lehrerin, Stendal

Die Überlegungen der Schriftstellerin Christa Wolf werfen die Frage auf nach den Konsequenzen denjenigen gegenüber, die Reformprozesse in unseren Nachbarländern bewußt ignoriert haben, und denjenigen, die die Verantwortung dafür tragen, daß sich Kinder und Jugendliche in unserem Land nicht zu selbständig denkenden Menschen entwickeln konnten und, falls sie es dennoch gelernt hatten, für öffentlich geäußerte Meinungen als »Gegner unseres Staates« angesehen wurden.

Die Antwort auf die Frage, ob und in welcher Weise den relegierten Schülern der Carl-von-Ossietzky-EOS jetzt die Möglichkeit weiterer Ausbildung gegeben wird, sollte in den Medien veröffentlicht werden.

Ingeborg Hämmerling
seit 1986 Lehrerin i. R.,
Berlin

Ich stimme mit Ihnen überein in der Ansicht zum Thema Jugend, die Sie in der »Wochenpost«, Nr. 43, darlegten. Noch schlimmer als die traurige Lage unserer jungen Menschen ist die Lage der Lehrer, wenn so ein Vergleich überhaupt gestattet ist. Sie hatten die demagogischen Parolen (Erziehungsziele) des Ministeriums für Volksbildung zu verwirklichen, das ein noch schlimmerer Staat im schlimmen Staate war. Das verlangte ein besonderes Maß an Anpassung und bot einen noch geringeren Raum zum Andersdenken. Die Leitungen der Partei und der Gewerkschaft übten einen zusätzlichen Druck aus und »halfen« bei der Beschaffung der »donnernden Erfolgsmeldungen«, die die Lehrer zu verfassen hatten.

Die Eltern stellten sich auf die »Realitäten« ein und betrieben weniger eine Erziehung als eine Versorgung ihrer Kinder mit materiellen Gütern und mit praktikablen Regeln für ein Fortkommen in der »entwickelten sozialistischen Gesellschaft«. So ergab sich weniger eine Partnerschaft zwischen Eltern und Lehrern als vielmehr ein Verhältnis gegenseitiger Überwachung. Nicht selten wurden die Lehrer zum »Berichten« über Schüler und Elternhäuser veranlaßt.

Die Schüler, sowohl entrechtet als auch verwöhnt, meist geistig unterfordert und nicht selten Alkohol und Nikotin zusprechend, nahmen häufig Verhaltensweisen an, die die Lehrer zur Resignation oder gar zu Anbiederung zwangen. Ein Zusammenhang zwischen guter Arbeit und Arbeitsergebnis ist bei Lehrern nicht deutlich erkennbar. Das erleichterte böswilligen Funktionären, auch gute Lehrer einer schlechten Arbeit zu bezichtigen. Wenn ein Lehrer trotzdem mal seine Überzeugung der Allmacht der leitenden Volksbildungsorgane entgegenhielt, wurde er drohend an seinen erhöhten Rentenanspruch erinnert. Solidarität zwischen Lehrern ist sehr selten.

Die Mutigsten haben sich bietende Gelegenheiten benutzt, in eine andere Tätigkeit zu wechseln. Die anderen haben nach und nach eine Art geistig-moralischer Yoga-Position eingenommen, aus der das Große als niedrig und das Lächerliche als erhaben erkennbar ist. Rückgrat und Gewissen waren dabei sehr störend und wurden deshalb reduziert oder ganz abgeschafft. Diese Lehrer, physisch und psychisch in Mitleidenschaft gezogen, können ihre Lage nicht mehr erkennen und denken sich in eine Scheinwelt hinein, in der sie sich als aufrecht oder gar mutig sehen. Sie vermögen ihre Beteiligung an der fehlerhaften Erziehung unserer Schuljugend nicht erkennen, reagieren empfindlich und beleidigt und ordnen sich in die Kategorie ein, vor der Sie »den Hut ziehen«. Zu erwarten ist, daß die Schüler künftig freier und offener für ihre Ansichten streiten, dadurch diese Lehrer in zusätzliche Schwierigkeiten bringen und ihr Elend noch vergrößern.

Ich sehe keine bessere Möglichkeit, als diesen Lehrern ohne Schonung die Wahrheit zu sagen und sie damit emporzuziehen aus ihrer unwürdigen Lage, wenn es auch schmerzhaft ist. Dabei müssen, zum Nutzen unserer jungen Menschen, Sie und Ihre Schriftstellerkollegen wohl ein weiteres Mal den Anfang machen, verehrte Frau Christa Wolf!

Werner Winke,
Lehrer, z. Z. tätig als Nachtwächter,
Gustow

Liebe Christa Wolf, Ihren Artikel in der »Wochenpost« habe ich mit Interesse gelesen. Zuerst war ich erschrocken, denn solche krassen Formulierungen über die Volksbildung habe ich zwar schon in Gesprächen mit Eltern schulpflichtiger Kinder gehört, aber gelesen habe ich das in der Schärfe noch nicht. Ich möchte mich zuerst einmal vorstellen: Ich bin seit 1965 in der Volksbildung tätig als Lehrerin für Mathematik und Geographie und seit 1974 als Direktorin. Seit 1978 bin ich Direktorin der 8. Oberschule »Mildred Harnack« in Berlin-Lichtenberg. Es ist ein altes Schulgebäude, 1905 eröffnet, mit einigen typischen Merkmalen des Jugendstils. Und wir sind im Besitz einer Schulchronik, die meine Vorgänger von 1905 bis 1945 geführt haben.

Nun zu Ihrem Artikel. Ich glaube, man muß Versuche von Lehrern, die Schüler zu gängeln, zu entmündigen und zu entmutigen, sehr differenziert sehen. Natürlich gibt es Lehrer, die das zum Teil aus Unkenntnis der Lage, aus Gedankenlosigkeit, aus Bequemlichkeit, aus geistiger Armut oder aus »guter Absicht« getan haben und auch heute noch tun. Wenn ich an die Kollegen an meiner Schule denke, dann trifft das aber nur auf sehr wenige zu. In den Diskussionen an meiner Schule waren wir in den letzten zwei Jahren schon so offen, daß wir unter den neuen Bedingungen keine besonderen Schwierigkeiten haben. Es gibt schon lange keine Tabus mehr, und die Kollegen sprechen natürlich auch offen über westliche Sendungen (das war bei Lehrern nicht immer so!). Auf der nächsthöheren Ebene, auf Direktoren-konferenzen, reden wir so offen noch nicht. Es fängt aber an, und da sind manche junge Direktoren mutiger als die alten, aber das hat ja Ursachen. Ich habe mich auf der letzten Konferenz sehr kritisch geäußert zu bestimmten Methoden in der Volksbildung, die überholt sind. Ich bin davon überzeugt, daß es für die Erziehung der Schüler einer Schule schon wichtig ist, welche politische und vor allem menschliche Atmosphäre im Kollegium herrscht, und da hat der Direktor einen entscheidenden Einfluß.

Bei uns trauen sich viele Schüler bei den meisten Lehrern der Oberstufe, natürlich auch bei mir, ihre Probleme und Fragen zu nennen, und wir hören auch zu, ohne gleich immer unsere »Weisheiten« zu verbreiten. Ich habe die Lehrer in den letzten Jahren dazu immer ermutigt und habe in meinen Analysen versucht, ihnen Anregungen zu geben. So habe ich grundsätzlich bestimmte Phrasen wie: »Mein Arbeitsplatz ist mein Kampfplatz für den Frieden«, »Sozialistische Schülerpersönlichkeit«, »Fester Klassenstandpunkt« oder »Sozialismus in den Farben der DDR« (»… in den Phrasen der DDR« hätte es heißen müssen!) nie in den Mund genommen. Helfer waren mir vor allem viele Bücher, auch Ihre, Artikel der »Weltbühne« oder des »Sonntag«. So habe ich zum Beispiel im Juni Teile des Artikels aus der »Weltbühne«, Nr. 26, von Susanne Schäfer *Meine vierzig Jahre* vorgelesen, und meine Kollegen fanden das sehr gut.

Die Ereignisse dieses Sommers und Herbstes, daß viele junge Leute unser Land verlassen haben und noch verlassen, werden uns noch lange beschäftigen. Und natürlich haben wir von Anfang an über Gründe, die bei uns in der DDR liegen, nachgedacht. Um auf Ihren Artikel zurückzukommen: In Gesprächen mit Kollegen und Freunden haben wir in den letzten Jahren oft festgestellt, daß unserere Jugendlichen bestimmte moralische und ethische Werte zu wenig verinnerlicht haben. Und daß die Schule zu wenig Möglichkeiten hat, und die sie hat, nicht genügend nutzt. Ich denke, daß man dabei die gesamte Umwelt des Jugendlichen sehen muß, seine täglichen Erfahrungen in unserer Gesellschaft, mit den Menschen, mit ihrer Einstellung zur Arbeit usw.

Wenn ich an meine Kindheit denke – ich bin 1943 in Landsberg/Warthe geboren, mein Vater ist 1944 gefallen, meine Mutter kam 1945 mit ihren zwei Kindern nach Berlin – so habe ich viele schöne Erinnerungen. Wir lebten sehr bescheiden, aber damals lebten die meisten Familien bescheiden. Ich kann mich nicht erinnern, daß meine Mutter oder andere Erwachsene geschimpft haben, daß es irgend etwas nicht gab. Ich wurde zur Achtung der Arbeit anderer Menschen erzogen und habe nie bemerkt, daß Erwachsene nicht ordentlich arbeiten.

Ich denke, daß das, was unser Minister für Volksbildung auf dem IX. Pädagogischen Kongreß bezüglich der Erziehung zur Vaterlandsliebe gesagt hat, viel zu einseitig und zu eng war. Wenn in der Gesellschaft insgesamt die Einstellung zum Vaterland DDR nicht stimmt, dann ist das, was die Kinder und Jugendlichen in der Schule zu diesem Thema hören, eben nicht wirksam. Ich bin der Meinung, daß wir einen ganz großen Nachholebedarf gerade in der humanistischen Erziehung haben – Verständnis für andere haben, zuhören können, auf etwas verzichten können zugunsten anderer ... Ich besuchte als Kind einen evangelischen Kindergarten und Hort. Und ich erinnere mich da an Menschen, die sehr bescheiden gelebt haben und völlig uneigennützig waren und uns Kindern viel mitgegeben haben.

Noch einmal zu den Ausreisern. Wie eng sind denn die Beziehungen in den Familien, wenn die Kinder ihre Eltern verlassen, ihre Geschwister oder, wie es in Berlin passierte, daß junge Familien ihre Kinder hier gelassen haben? Fragen über Fragen. Und doch habe ich Hoffnung. Heute war ein Kollege vom Ministerium für Volksbildung an meiner Schule, wir haben uns drei Stunden ganz offen über alles unterhalten, was in der Volksbildung nach meiner Meinung falsch ist, nicht geht oder besser gemacht werden muß. Motto: Weniger hochtrabende Sprüche, erst einmal notwendige Bedingungen schaffen!

Elke Günther,
Direktorin einer POS,
Berlin

Den meisten Leuten fällt es zur Zeit leicht, Fehler anzusprechen und Kritik zu äußern. Es reicht aber in der momentanen Situation nicht aus, nur zu »meckern«. Mit jeder Kritik, die auf Tatsachen und sachlicher Basis beruhen muß, sollten Vorschläge zur Verbesserung vorgebracht werden. Ich habe von den 40 Jahren DDR zwar erst 26 Jahre miterlebt (ich bin Jahrgang 1963), glaube aber nicht, daß 40 Jahre DDR gleich 40 Jahre Fehler, Mißstände und Entmündigung sind. Ich stehe als Mitglied der SED für alle begangenen Fehler mit ein, aber ich wende mich dagegen, daß alle Erfolge und Errungenschaften der letzten 40 Jahre unter den Tisch fallen sollen. Ich möchte an dieser Stelle weder alle Probleme noch alle Errungenschaften aufzählen. Die ersteren werden seit ca. vier Wochen, die letzteren wurden in den Jahren davor ausführlich aufgezählt.

Ich gehöre gewiß nicht zu irgendwelchen Privilegierten in unserem

Land: Zusammen mit meiner Frau und meiner Tochter warten wir seit Monaten auf die uns als Absolventen (wir sind beide Lehrer für Mathematik und Chemie) zugesicherte Wohnung, und unser Trabant 600 entspricht auch nicht unbedingt meinen Idealvorstellungen von einem Auto. Aber trotzdem glaube ich, daß unsere sozialistische Gesellschaft ihre Daseinsberechtigung bewiesen hat und auch, daß im Sozialismus die Potenzen stecken, um die menschlichen Bedürfnisse grundlegend zu befriedigen. Widersprüche und Rückschläge gehören zur Entwicklung! Deshalb zähle ich uns, die DDR, zu den Siegern der Geschichte. Und damit meine ich nicht nur die Teilnahme am antifaschistischen Widerstandskampf, sondern alle, die unser Land mit aufgebaut haben und daran weiter bauen.

Und noch etwas: Wenn es bei uns zu ungesetzlichen Übergriffen der Schutz- und Sicherheitsorgane gekommen ist, so müssen die Betreffenden zur Verantwortung gezogen werden. Aber wurden die über 100 verletzten Polizisten von gewaltlosen Demonstranten verletzt? Haben gewaltlose Demonstranten den Dresdner Hauptbahnhof in einen Scherbenhaufen verwandelt? Ich glaube, es ist schon in Vergessenheit geraten, wie es am 17. Juni 1953 begann. Bei den Berichten über die Ereignisse um den 7. Oktober 1989 herum habe ich oft die Bilder der chinesischen Fernsehdokumentation vom Juni dieses Jahres vor mir: Junge Soldaten werden gesteinigt, erschlagen, aufgehängt – sie wehrten sich nicht.

Ihre Aussage, »daß unsere Kinder in der Schule zur Unwahrhaftigkeit erzogen und in ihrem Charakter geschädigt werden, daß sie gegängelt, entmündigt und entmutigt werden«, hat mich (fast) sprachlos gemacht. Die Arbeit aller Lehrer und Erzieher seit 1945 derart pauschal in den Schmutz zu ziehen, hat nichts mehr mit sachlichem Dialog zu tun. Ich bin zwar erst seit diesem Jahr Lehrer, aber diese Unterstellung geht gegen meine Berufsehre. Außerdem sollten Sie bedenken, daß die Eltern auch einen wesentlichen Beitrag zur Erziehung der Kinder leisten. Ich kann auch Ihre Meinung zur Entmündigung vieler Menschen nicht teilen. Wenn ich mich irgendwann einmal nicht getraut habe, etwas zu sagen, so habe ich die Schuld dafür noch nie bei anderen gesucht. Es wurde einem oft schwer gemacht, wenn man Dinge angesprochen hat, die verändert werden mußten und die man verändern wollte. Aber mit der entsprechenden Portion Sturheit und Einsatzbereitschaft konnte man Dinge bewegen. Jeder sollte sich in diesen Tagen selbst Rechenschaft ablegen, ob er in der Vergangenheit immer diese Sturheit aufgebracht hat, oder ob man nicht viel zu oft den bequemen Weg des geringsten Widerstandes gegangen ist.

Es ließe sich noch über viele Dinge diskutieren, zum Beispiel, ob ein Fackelzug der FDJ zum Republikgeburtstag von einem »geistigen Vakuum« zeugt, oder ob da vielleicht von Seiten der Jugendlichen mehr dahintersteckt. Noch haben wir in der DDR eine »Zwei-Drittel-Gesellschaft«: Wir haben die Möglichkeiten des Sozialismus nur zu zwei Dritteln ausgeschöpft. Das letzte fehlende Drittel, zu dem zum Beispiel Reisepässe, Videorecorder und eine höhere Arbeitsproduktivität (höher als in vergleichbaren kapitalistischen Staaten) gehören, schenkt uns niemand, und das können wir auch nicht herbeireden, das müssen wir uns erarbeiten.

Uwe Kaiser (26),
Lehrer,
Frankenberg

Unter vielen interessanten, von endlich viel Wahrheit geprägten Artikeln aller Zeitschriften bewegte mich ganz besonders – persönlich, wie beruflich – der Beitrag der Schriftstellerin Christa Wolf. Sie machte Wort für Wort Gedanken frei, bei denen gewiß Tausende Altersgenossen der »knapp Vierzigjährigen« schon in den ersten Zeilen aufhorchen.

Ich hatte ein Würgen im Halse, wie Christa Wolf in konkreter und unmißverständlicher Art und Weise aussprach, was bisher die Leitungen der Volksbildung, mit beziehungsweise vom »Öffentlichkeitstabu« belegt, verschwiegen haben; besser noch: an der Generation der »knapp Vierzigjährigen« verzogen und verbildet haben, so daß es nur eine Devise gab: Entweder sich anpassen oder, wie sie es sagt, Verdächtigung politischer Gegnerschaft ... Es herrschte kaum Austausch, kaum Meinungsstreit, man handelte und dachte im Sinne der »Obrigkeit«, was sicher zu psychischen Spannungen führen mußte.

Dabei nahm ich mir dennoch vor, meine eigenen Kinder zu mündigen Persönlichkeiten zu erziehen. Dies gelang und gelingt mir zu Hause, daß man spricht, was man denkt, denn das befreit! Aber, um das »Fortkommen« in Schule und Gesellschaft zu sichern, benötigten meine Kinder noch eine zweite – »linientreue« Bildung und Erziehung! Wider Willen »verbildete und verzog« ich also, aus den genannten Gründen; denn sie hätten sonst vielleicht Nachteile in der Zensierung, Gesamteinschätzung oder gar in der Berufswahl gehabt, ohne Berücksichtigung ihrer auch positiven Charaktereigenschaften, gutgemeinten Absichten, die die »Trichterbewegung« oft erstickte. Nun sind mir in meinem Beruf, der ein Wunschberuf war, eine Menge Vorschulkinder anvertraut. Die Bildung und Erziehung, ihre Methoden und Organisationsformen unterliegen ständig den »Anweisungen und Richtlinien von oben«, die sich laufend verändern, weil »Neues ausprobiert« wurde mit sogenannten Testgruppen, so daß eine Kindergärtnerin zwischen Altbewährtem und Neuem hin- und hergeschüttelt wird. Und die Kinder? »Das ist von oben her so beschlossen worden!« Keinen Widerspruch. Es wird bei einer Erzieherin also vorausgesetzt, daß sie mit all den Bildungs- und Erziehungszielen unbedingt einverstanden zu sein hat! Ich vermisse hier zutiefst einen Austausch der Kindergärtnerinnen untereinander, ihre Ideen und Vorschläge, Positives zugunsten der Kinder und(!) Erzieherinnen herauszuhören, dies für alle weiterzugeben. Eine Kindergärtnerin sollte frei sprechen dürfen, ohne zu hören: »Wie diskutieren Sie denn?«

Und welche Dinge haben sich denn angestaut, die vom »großen Tisch« nicht gehört oder übersehen werden, die aber eine Kindergärtnerin unter hoher nervlicher Belastung auszuhalten, oder besser: auszuführen hat!? Jahrelang kämpfte ich um die Reduzierung der Kinderzahl von ca. 18 bis 20 Kinder(!) auf wenigstens 10 bis 12 pro Gruppe, auch in den jährlichen Analysen am Schuljahresende! Ich wurde belächelt! Mein Vorschlag zur Realisierung dazu: Es sollten doch wenigstens einige ehemalige Erzieherinnen, die heute nur »anweisen und kontrollieren«, uns für herausgepickte fehlerhafte Methoden erneut belehren (die auch manchmal gutgemeinte Absichten der Kindergärtnerinnen sind!), doch wieder im Beruf arbeiten und dadurch ermöglichen, daß die Kinderzahl in den Gruppen reduziert werden kann!! Das wäre auch für uns endlich eine »Verschönerung am Arbeitsplatz«. Von den Bedingungen und Möglichkeiten mancher Einrichtungen gar nicht zu sprechen ...

Christine Vogel (38),
Kindergärtnerin,
Leisnig

Sehr geehrte Frau Wolf, meine Sorge über die Unzulänglichkeit der Kinderkrippenerziehung mit zu wenig menschlicher Wärme möchte ich Ihnen mitteilen.

Ich kenne in dieser Beziehung nur wenige Ausnahmen – einzelne Krippenerzieherinnen, die durch ihr Verhalten der Zuwendung ständig Streit haben im Mitarbeiterkollektiv. Unsere Einsendung an den Pädagogischen Kongreß 1989 betreffs der entwicklungsfördernden Rolle der Familie in unserer Gesellschaft (nicht allein in der Krippe) – blieb ohne Resonanz.

Einige Überlegungen zu der Frage: »Warum verlassen uns so viele

Jugendliche, warum ist die Kommunikation zwischen ›jung und alt‹ so schwierig, das gegenseitige Verstehen so gering?« Ich behaupte: Es liegt an der nicht erfahrenen uneingeschränkten familiären Geborgenheit während des Aufwachsens der Kinder in den ersten drei Lebensjahren – Problem: Kinderkrippe.

Die Kinder werden in eine Lebenssituation hineingegeben, die sie nicht überblicken und verstehen können. Die sie sonst umgebende mütterliche oder väterliche Liebe schützt sie nicht in ihrer neuen Umwelt – sie fühlen sich alleingelassen und voller Angst. Nach dem sogenannten Eingewöhnen setzen sie sich meistens ganztags mit ihren Spielgefährten auseinander – kaum mit sich selbst. Auftretende Fragen und Probleme werden für das Kind abends nicht geklärt, weil Kind und Eltern nicht gemeinsam darum wissen und die allgemeine Müdigkeit wenig Kommunikatives zuläßt. Selbst die älteren Geschwisterkinder – inzwischen eingewöhnt und angepaßt –, deren Mutter im Babyjahr zu Hause ist, werden in die Tageskrippe gebracht. Begründung: »Mein Kind kann zu Hause nicht allein spielen!«

Auch im Kindergarten, wenn dieser ganztags besucht wird, liegen in der Woche kaum gemeinsame Erlebnisse von Kindern, Eltern und Großeltern. Zu Beginn der 1. Klasse klagen dann Klassenlehrerin und Horterzieherin – oft ratlos – über den rohen und groben Umgang der Kinder untereinander. Das Heranwachsen und die Erziehung in der Gruppe in der Kinderkrippe und im Kindergarten erbringen also kein fürsorgliches Miteinander, sondern Aggressivität in der Rangordnung.

Die Eltern sind in all den Jahren tagsüber nie präsent. Sie delegieren ihre Verantwortung auf die Erzieher ihrer Kinder, und die meisten Eltern fühlen sich dabei wohl. Sie haben kaum das Bedürfnis zu hospitieren (was allerdings auch verwehrt wurde). Auf schulische Probleme – die fortlaufende Bevormundung – gehe ich hier nicht ein. Ich frage: Wie können bei diesem Entwicklungsweg unsere Jugendlichen Verständnis aufbringen für die Probleme ihrer Eltern, Großeltern und Erzieher, wenn sie selbst diese Zuwendung nie erfahren haben?

Jetzt, unabhängig von ihren Bevormundern, leben sie sich selbst – ihren eigenen Interessen –, ohne jegliche Ambition zum Zuhören, so wie sie es beispielhaft genug erlebt haben. Es ist schon unsere zweite Generation, die so heranwächst. Soll der gesellschaftliche Wert der Kinderbetreuung durch die Eltern in den ersten Lebensjahren tatsächlich so niedrig bleiben und eine positive Kommunikation mit Erlernen neuer Wertmaßstäbe verhindern?

Elke Schuppan, Mieste

Sehr geehrte Frau Christa Wolf, Ihre Überlegungen in der »Wochenpost« bewegen mich sehr. Ich möchte mich Ihnen kurz vorstellen: Geboren 1942 in Hohensalza (heute Polen), 1948–1958 Grundschule und Mittelschule. 1958–1960 Institut für Lehrerbildung Halle, 1960 Eintritt in den Schuldienst als LAA (Lehramtsanwärter), 1961 Abschluß des Studiums als Unterstufenlehrer, 1965–1969 Fernstudium (Diplomlehrer für Geographie). Für mich gab es nur einen Beruf, und ich bin Lehrer und Erzieher mit Leib und Seele. Sie äußern in dem Artikel Ihren Standpunkt zum Volksbildungswesen als Teil der Gesellschaft. Ich möchte Ihnen meinen mitteilen und diesen mit einigen Fragen an Sie verbinden:

1. Woraus erwächst Ihre Kenntnis über das Volksbildungswesen, über die Diskussionen, die in den Lehrerzimmern und Pädagogischen Räten geführt werden, über die konkrete Arbeit des einzelnen Lehrers? Sie unterstellen der Schule, daß die Kinder zur Unwahrheit erzogen und in ihrem Charakter beschädigt werden, daß sie gegängelt, entwürdigt und entmutigt werden. Welche Unwahrheiten meinen Sie? Der sozialistische Staat DDR hat doch nie geleugnet, daß das Bildungswesen ein sozialistisches ist. Sie sagen, die Schule hätte keine Werte vermittelt, an denen man sich orientieren konnte. Sind solche Werte wie Friedensliebe, Solidarität, Achtung des anderen Menschen, Streben nach Vervollkommnung der Persönlichkeit, Hilfe für Jüngere und Schwächere, Standpunkt beziehen und sich für eine gute Sache engagieren, und, und ... nicht Werte, die wegweisend sind für weitere Lebensabschnitte, für die es sich lohnt zu streiten und das humanistische Anliegen dieser humanistischen sozialistischen Gesellschaft auszudrücken? Meinen Sie die Unwahrheit, daß Eltern mit Hirn und Herz im kapitalistischen Ausland leben, aber alle Vorzüge unserer sozialistischen Gesellschaft genießen und Ihre Kinder im Zwiespalt erziehen? Dann gebe ich Ihnen recht!

Mein Sohn ist wie ich logischerweise ein Kind dieser sozialistischen Gesellschaft. Er ist wie ich Kommunist, er hatte keine Probleme mit der Unwahrheit und weist keine charakterlichen Deformierungen auf, es sei denn, Sie bezeichnen einen jungen streitbaren 24jährigen Genossen, der seinen Vorgesetzten ein kritischer Partner ist, als charakterlos. (Er besitzt in der gegenwärtigen politischen Situation auch den Charakter, sich als Angehöriger der bewaffneten Organe beschimpfen zu lassen.)

2. Sie sprechen davon, daß »gut ausgebildete Facharbeiter, Sekretärinnen, Krankenschwestern, Ärzte, [...] die DDR verlassen haben«. Ich lege die Betonung auf »gut ausgebildete«! Wer soll diese Men-

schen, Kinder unserer Gesellschaft denn gut ausgebildet haben, wenn nicht die sozialistische Gesellschaft und in ihrem Auftrag die sozialistische Schule, der Lehrer und Erzieher? Mich als Lehrer bewegt wie sehr, sehr viele meiner Kollegen die Frage: Was haben wir falsch gemacht, daß junge Menschen uns verlassen? Darüber müssen wir auch in unserem Berufsstand noch nachdenken. Zu gut ausgebildeten Menschen zählt das Leistungsstreben. Drang nach guten Zensuren ist ein Leistungsstreben. Ist Leistungsstreben ein schlechter Wert? Zeigt sich nicht in der gegenwärtigen Situation, daß das Leistungsprinzip verfälscht ist? Müssen wir nicht alles tun, um insgesamt vorwärts zu kommen, daß noch mehr gestrebt wird, drangvoll nach vorn? Und nach vorn heißt für mich, noch besseren Sozialismus zu machen. Der Sozialismus ist eine Leistungsgesellschaft, besser: Er muß wieder dazu gemacht werden. Aber jeder Lehrer hat im Blick die zu erreichenden Leistungen des Schülers und die Entwicklung seiner Gesamtpersönlichkeit, denn eins bedingt das andere, und beide bilden eine Einheit. (Und mit dieser Meinung fühle ich mich im Bündnis mit Pädagogen vergangener Zeit.)

3. Sie schreiben: »In jenen Tagen sagte jemand zu mir, wir müssen die DDR retten!« Ich nehme an, daß Sie sich mit dem Ausspruch identifizieren. Wollen Sie die DDR retten vor dem Wiedervereinigungsgefasel westlicher Prägung, das ja so alt ist wie die DDR? Dann haben Sie mich als Partner! Wollen Sie eine DDR retten, die auf der Grundlage des bisher auf allen Gebieten des gesellschaftlichen Lebens Erreichte die sozialistische Gesellschaft erneuert? Dann haben Sie mich als Partner! Wollen Sie eine DDR, die den Antifaschismus zum Staatsanliegen auch weiterhin macht, aber differenzierte Probleme aus der dunklen Vergangenheit unseres Volkes und ihre Auswirkungen auf die heutige Zeit untersucht? Ich wäre Ihr Partner! (Übrigens auch das Jugendforschungsinstitut in Leipzig, welches solche Probleme in ihren Auswirkungen auf die Jugend untersucht!) Wollen Sie eine DDR, in der der Grundsatz »Hohe Bildung für alle Kinder des Volkes« auf ein neues Niveau gehoben wird? Ich wäre Ihr Partner! Wollen Sie eine sozialistische DDR? Wenn nein, wäre ich kein Partner, und Sie können mir nicht einreden, daß ich gegängelt, entmündigt, entmutigt oder gar schizophren wäre.

Jochen Größer (47),
Geographielehrer,
Merseburg

Sehr geehrte Frau Wolf, vor zwanzig Jahren habe ich Ihnen geschrieben – nach einer Buchlesung, ich glaube, es war Ihr *Nachdenken über Christa T.*. Damals hatte ich meine Arbeit als Lehrer gerade begonnen, und seitdem unterrichte ich im Spannungsfeld zwischen Vergnügen und Verzweiflung die Fächer Kunsterziehung und Deutsch, seit fünf Jahren an einer mathematisch-naturwissenschaftlichen Spezialschule. Nach Ihrem Artikel *Das haben wir nicht gelernt* muß ich Ihnen ganz einfach schreiben, vor allem deshalb, weil ich Ihren Gedanken aus vollem Herzen zustimme. Für mich ist es eigentlich beschämend, wenn in diesen Tagen des nun endlich öffentlich geführten Meinungsstreits bisher weder vom Kollegium des Ministeriums für Volksbildung, noch von der Akademie der Pädagogischen Wissenschaften oder von anderen sich kompetent fühlenden Pädagogen und Bildungspolitikern ein Wort der Neubesinnung zu vernehmen ist. Unter den Lehrern unserer Schule führten die Ereignisse der letzten Wochen, auch Ihr Artikel, zu hitzigen Auseinandersetzungen. Beim Versuch, unsere Auffassungen zu formulieren, Meinungen, Forderungen und Vorschläge wirklich demokratisch zu erfassen und einen Konsens zu erreichen, scheiden sich die Geister.

Ich will nicht verhehlen, daß es sehr heftige emotionale Ausbrüche gab, daß Kolleginnen öffentlich geweint haben, weil sie sich Vorwürfe machen für ihr Dulden und Schweigen in der Vergangenheit (Männer scheinen da ihre Rolle noch besser zu spielen). Natürlich sieht mancher auch das eigene gutgemeinte Wirken in Frage gestellt. Lehrer neigen ja wohl oft dazu, mit Blick auf das Ganze »kleine« Mißlichkeiten zu entschuldigen.

Am erschreckendsten ist aber die Demagogie, Falschmünzerei und Charakterlosigkeit, mit der über Nacht diejenigen, die gestern noch andersdenkende junge Menschen (im übrigen auch andersdenkende Lehrer) als »Fast-Staatsfeinde« abqualifiziert haben, heute der Meinung sind, sie könnten jedem offen in die Augen sehen. Auch bei uns gab es fürchterliche Verfahrensweisen, als Schüler ihr Unverständnis für das Verbot des »Sputnik« vor einem Jahr an der Schulwandzeitung öffentlich machten. Da verging kein Tag ohne Besuche von höherer Stelle – heute sind diese Besucher in der Schule nicht zu sehen ...

Da ja auch in der Führungsspitze von Partei und Staat schneller Gesinnungswechsel bei so manchem offenbar wird, nimmt es nicht wunder, wenn im tagtäglichen persönlichen Erleben jeder schon immer für die Erneuerung war. Und vor allem ohne Diskussion nach hinten zur Tagesordnung übergehen möchte. Gut, daß junge Menschen ein sehr feines Empfinden haben für alte und neue Töne und auch keine Ruhe geben! Als Gruß an Sie, Frau Wolf, füge ich einen Gedichtversuch an, den einer meiner Schüler (angeregt durch einen Volker-Braun-Text) im Frühjahr 1989 vorgelegt hat, vor dem Abitur.

Bin achtzehn erst,
　longst schon vom Leben korrumpiert.
In engen Räumen,
　jahrelang hab ich Diplomatie studiert.
Gelernt,
　wie ich mich vor mir selbst rechtfertige
Dafür,
　daß ich die Wahrheit jung beerdige.
Jeder Kompromiß
　Zieht einen tiefen Riß
zwischen mir und mir.
　Meiner Utopie
Näher komm ich nie
　zwischen hier und hier.
Mich lockt das Meer,
　das dagegen ist.
Denn ins Offene
　führt uns kein Fluß.
Noch hab ich die Grenze nicht überschritten,
　Die ich doch
eines Tages
　überschreiten muß.

(Jan Richter, Abitur 1989, zur Zeit NVA,
Studienwunsch: Lehrer für Deutsch/Englisch)
Günter Brand, Lehrer,
Jena

Am Anfang ein Widerspruch in Ihrer Überlegung: Sie werfen unserer Volksbildung vor, unmündige und dressierte Bürger erzogen zu haben. Am Ende Ihrer Überlegung sind Sie überrascht von der politischen Reife der jungen Leute. Ich bin seit 1946 Berufspädagoge und Genosse und habe mit Jugendlichen fast 40 Jahre gearbeitet und gelebt. Unsere Jugend ist nicht besser oder schlechter als sonstwo auf dieser Welt. In guter Absicht hat unsere Partei geglaubt, jedem eine Chance im Leben zu geben und ein hohes Maß an sozialer Gerechtigkeit anzustreben. Ich gebe zu, diese Einbahnstraße war einfach und bequem für Zöglinge und Erzieher. Dieser Irrtum kommt uns jetzt unter anderem teuer zu stehen. Diese Art von Gleichmacherei, die vor allem gegenüber der Arbeiterjugend praktiziert wurde, war falsch. Unsere jungen Menschen haben aus Bequemlichkeit wenig gestritten, denn es gehört Kraft und Wissen zu einer vernünftigen Diskussion, die spontane Opposition ausgenommen, die es immer gab und gibt. Dummheit allerdings wurde bei uns zu oft belohnt. Natürlich meine ich Dummheit auf beiden Seiten. Jugendliche kamen ohne Anstrengung weiter, und Lehrer bekamen das gleiche Gehalt. Jetzt wollen uns einige Jugendliche, denen es bei uns sehr leicht gemacht wurde, von der Straße aus lautstark belehren; fordern von der Gesellschaft mehr, als sie geben wollen. Eine große Zahl junger Menschen ist fleißig und hat viel gelernt. Mit den Widersprüchen unserer Zeit vernünftig fertig zu werden, fällt nicht nur der Jugend schwer. Dabei ist die Schuldzuweisung von seiten der Jugend uns Älteren gegenüber unberechtigt hart.

Eine andere Bemerkung sei mir erlaubt: Bei allem Respekt vor den Leistungen der Schriftsteller in unserer Republik meine ich doch, daß einige das Gras wachsen hören. Sie wandern zwischen zwei Welten, wollen bei uns in der DDR leben und im Westen konsumieren.

Walter Groß, Annaberg-Buchholz

Verehrte Christa Wolf, zunächst meinen Dank für die vielen Ermutigungen, die ich jahrelang durch Sie und andere Schriftsteller oder überhaupt Künstler unseres Landes erfuhr: Ch. Hein, V. Braun, H. Drescher, W. Heiduczek, F. Fühmann, E. Loest, G. de Bruyn, U. Plenzdorf, M. Wander, St. Mensching, H.-E. Wenzel, »Pankow«, B. Thalheim, W. Mattheuer – die Aufzählung ließe sich fortsetzen. Manche der Genannten leben leider nicht mehr, manche leider nicht mehr bei uns. Geholfen haben sie mir, trotz unterschiedlichen Herangehens an unsere gemeinsamen Probleme, alle. Geholfen vor allem gegen die Befürchtung, irgendwie allein zu sein. Manchmal hatte man nämlich das Gefühl, verrückt zu sein, wenn man alles so anders, so bedrückend anders sah als viele Mitmenschen. Und dann fragte man sich: Bin ich verrückt? (Und man ist es ja auch im Wortsinn – eben ver-rückt, aus dem Gemeinempfinden an den Rand.) Heute stellt man mit Erleichterung (und Befremden) fest, daß dem nicht so war, sondern wir alle uns zu wenig dem anderen öffneten. Sonst wäre uns dieses Gefühl der Gemeinsamkeit schon eher als Stärkung zugeströmt.

Die Entwicklung, die jetzt stattfand, mag für viele überraschend kommen, mich überrascht und irritiert vor allem die Geschwindigkeit. Denn, dies ist meine Erkenntnis seit langem, unsere eigentliche Avantgarde im Lande sind nicht Genossen der SED oder Philosophen, sondern die Künstler – allen voran die Schriftsteller. Dort ist Glasnost seit

Jahren intern vollzogen, letzter Beweis: Die 1988 erschienen Materialien des X. Schriftstellerkongresses.

Nun zu meinem eigentlichen Anliegen. Ich bin Lehrer. Es sind bittere, traurig-aufrüttelnde Wahrheiten, die Sie in Ihrem »Wochenpost«-Artikel sagen. Aber vor der Therapie muß die Diagnose stehen ... Ich sende Ihnen – das gehört schon zur Therapie für die von Ihnen diagnostizierten schweren Krankheiten – anbei meinen Themenkatalog, für meinen Bereich, wo ich mich kompetent fühle, entwickelt. Diesen habe ich in meinem Kollegium vorgestellt, diskutiert (zum Teil heiß!), und daraus wurde ein Papier, das wir den Plauener Schulen, der »Deutschen Lehrerzeitung«, dem »Neuen Deutschland«, dem Volksbildungsministerium zustellten. Es kann natürlich keinen Anspruch auf Vollkommenheit erheben.

Zum Schluß noch etwas zu meiner Person: Ich bin 39 Jahre alt, verheiratet, Vater von zwei Kindern (13 und 16). Ich habe mit 39 Jahren meine erste »Demo« erlebt – mußte erst so alt werden, obwohl ich generationsmäßig ja 68er bin (auch dem Gefühl nach). Diese fand am 7. Oktober 1989 in Plauen statt. Ich nahm teil, weil ich nicht mehr anders konnte, mit dieser krankmachenden Problematik in die Öffentlichkeit mußte (es klingt vielleicht unglaubwürdig, aber die letzten drei Jahre waren für mich insofern erschütternd und wirklich krankmachend, weil ich immer tiefer und tiefer kam und mich nicht mehr hochhangeln konnte). Jetzt ist ein Stein, ein Druck weggenommen. Und ich kann nicht mehr abseits stehen, ich muß mich einfach einbringen ...

Training des aufrechten Gangs
Die folgenden Vorschläge stellen ein *Diskussionsangebot* für uns dar. Sie sind eigene oder geklaute Ideen und warten auf Ergänzung. Ziel sollte ein mit Mehrheitsbeschluß erstelltes Papier sein, das als Forderung der Gewerkschaftsgruppe in die Abteilung (an den Minister?) Volksbildung geht.

Kurzfristig
– Zensuren sind einzig Sache des (schließlich dafür ausgebildeten) Fachlehrers;
– ZV-Unterricht ist rein auf den zivilen Bereich ausgerichtet;
– Wehrunterricht und Offizierswerbung fallen ersatzlos weg – oder statt dessen werden Strategien der friedlichen Konfliktbewältigung beziehungsweise die Ursachen für Gewalt und ähnliches diskutiert;
– FDJ-Arbeit/Pionierarbeit geschieht auf der Basis von Freiwilligkeit und höchster Eigenständigkeit der Schüler;
– Fahnenappelle, militärische Geländespiele und ähnliche alte Zöpfe

sind grundlegend in Form und Inhalt zu überdenken beziehungsweise abzuschaffen;

– Bezugskollektiv in der Schule sind nicht mehr das Pionier- oder FDJ-Kollektiv, sondern die Klasse;

– Wandzeitungen für Schüler und Lehrer sind jeder Meinungsäußerung offen, die sich an gewisse Spielregeln hält (keine Beleidigungen, keine Propagierung nazistischer Ideologie ...);

– FDJ-Studienjahr/Pionierzirkel/Thematische Veranstaltungen sind neu zu überdenken (Freizeit!), sollten auch andere als das marxistische Philosophiemodell oder aktuelle Probleme vorstellen, um darüber zu diskutieren;

– Abteilung Volksbildung/Pädagogisches Kabinett/Jugendweiheausschuß müssen überdacht werden: Sind die richtigen Leute am richtigen Platz? Was brauchen wir und wozu?

Mittelfristig

– Klassenleiterplan/Schuljahresarbeitsplan muß von einem Papier für die »höhere« Instanz zum Arbeitspapier für die Kollegen werden – die überflüssige Kontrolle des Klassenleiterplans durch den Direktor entfällt (wozu haben wir denn eigentlich studiert?);

– 8-Klassen-Abgänger muß es mehr als bisher geben; in Absprache mit der Berufsausbildung ist die Bereitstellung von Lehrstellen für diese wesentlich zu erhöhen;

– Beurteilungen sind nach neuen Maßstäben anzufertigen;

– der Pädagogische Rat muß wieder ein pädagogischer Rat werden, in dem wir ohne Aufpasser (alt genug sind wir) unsere eigenen Probleme diskutieren;

– die Schulleitung muß wirklich eine Schule leiten können und nicht Anordnungen nur von oben weiterleiten, also selbständig arbeiten;

– Schulstrafen müssen wieder so gestaltet werden, daß sie beim uneinsichtigen Schüler wirken;

– Begabtenförderung muß rechtzeitig geschehen; in jedem Kreis könnte es, so wie es die Russisch-Klassen gibt, Mathematik-Klassen, Physik-Klassen usw. geben;

– Titel wie »Oberlehrer« können nur Unterrichtende bekommen, und zwar in Abhängigkeit der Dienstjahre (falls keine gravierenden Gründe dagegen sprechen);

– Urlaubsplätze sind so anzubieten, daß sie auch von Lehrern genutzt werden können;

– arbeitsfreier Sonnabend für Lehrer und Schüler.

Langfristig
– Erziehungsziel sollte der hochspezialisierte, allseitig interessierte k r i t i s c h e und damit mündige Staatsbürger sein;
– Schülerzeitschriften, und zwar unzensierte, die sich an bestimmte Spielregeln halten, sollen möglich werden;
– PA-Unterricht muß überdacht werden – dient er wirklich in jedem Fall dazu, Schüler etwas zu lehren?
– Abteilung Jugendhilfe sollte überwiegend in der Hand erfahrener Kollegen liegen;
– Leitende Mitarbeiter der Abteilung Volksbildung bis hin zum Minister sind einer Schule angeschlossen und halten dort einen Tag in der Woche Unterricht; in Drucksituationen hospitieren sie nicht, sondern vertreten Stunden in ihrer Schule;
– Arbeit mit Elternaktiv, Patenbrigaden, Elternbeirat ist neu zu gestalten;
– alle technischen Kräfte einer Schule unterstehen dem Direktor.

E. Schäfer,
Plauen

Wie ist der Standort für eine neue Sicht auf unsere Volksbildung beschaffen? Christa Wolf markiert ihn eindeutig. Eine vierzigjährige Frau bekennt in einer Diskussion: Offen reden, meine Meinung sagen, nichts gegen sein Gewissen tun – das haben wir nicht gelernt. Und Christa Wolf fährt fort, »ein erschütternder Befund [...], erschütternd auch deshalb, weil er von den Leitungen der Volksbildung, die ihn zu einem guten Teil zu verantworten haben, seit vielen Jahren geleugnet [...] wird.« Für mich bezeichnet dieser Befund den oben erfragten Standort, nämlich den Nullpunkt menschlicher Würde.

In einer Erklärung der Akademie der Wissenschaften heißt es unter anderem: »Fehlentwicklungen bedürfen einer gründlichen Analyse.« Diese kann sich nicht auf die Volksbildung allein beschränken. So antwortete Professor Jürgen Kuczynski auf die Fragen: »Wie sind wir auf den Hund gekommen? Wo fangen wir zuerst an?« »Beim alten Stalinismus.«

Für unsere politische und pädagogische Frühentwicklung heißt das unter anderem: das böse Liquidieren der sozialistischen und demokratischen Potenzen, die heute vielerorts wieder beschworen werden und die die einstigen Genossen der Sozialdemokratischen Partei Deutschland in die SED einzubringen bereit waren, wahrheitsgemäß aufzudekken, sich diese Potenzen erneut ins Gedächtnis zu bringen. Die heutige Misere meiner Partei und ihre verfehlte Erziehungspolitik haben nach meinen Erinnerungen und Erfahrungen bereits in den fünfziger Jahren ihre ersten kranken Wurzeln geschlagen. (Man vergleiche Inhalt und Sprache einer Belehrung, die der Staatssekretär Genosse Werner Lorenz 1957, damals Sekretär für Kultur und Erziehung in der Bezirksleitung der SED Karl-Marx-Stadt, vor Kulturfunktionären hielt; »Volksstimme« vom 10. 10. 1957).

Zeichnet sich in den derzeitigen, sich überstürzenden Wortmeldungen, Äußerungen und Erklärungen bereits die Rohform einer besseren, sozialistischen Schule ab? Da gibt es eine Reihe von praktikablen Sofortänderungen, Vorschläge für Lehrplanänderungen usw. Doch keine ließ bisher eine Veränderung der Grundstruktur der bisherigen Allgemeinbildung erkennen. Diese Veränderung halte ich für erforderlich.

Da wird im Aktionsprogramm der SED »Für eine Reform des Bildungswesens« in forscher Sprache verraten, was im »Zentrum« des kommenden Bildungswesens zu stehen habe: Staatsbürgerkunde-, Geschichts- und Deutschunterricht sollen »umgestaltet« werden. Im Ministerium für Volksbildung werden 12 (zwölf) zentrale Arbeitsgruppen gebildet, und eine Bildungskommission soll die zahlreichen Meinungen und Zuschriften auswerten. So weit – so gut?

Was hat die genehmigte pädagogische Wissenschaft in den letzten Jahrzehnten bewirkt? Wie redlich ist (war) ihre wissenschaftliche Objektivität? Von 1969 bis 1989 wurden fünf pädagogische Grundlagen-Werke über Unterrichtsgestaltung und Allgemeinbildung unter der Leitung von Prof. Dr. Gerhard Neuner, Akademie der Pädagogischen Wissenschaften, publiziert. Allen ist der wissenschaftliche Monopolanspruch gemeinsam. Im letzten (1989) Werk erfährt der Leser im Vorwort: »[...] 1000 pädagogische Wissenschaftler sind an dieser Gemeinschaftsarbeit beteiligt.« Soll durch diesen Hinweis auf Quantität mangelhafte wissenschaftliche Qualität ersetzt werden? Eine Reihe von mir befragter Lehrer kannten diese Veröffentlichung wohl, hatten sie aber nicht gelesen. Ob das nicht auch an der unanschaulichen, wissenschaftlich hochgestochenen Sprache der Texte liegt? Nach Erkenntnissen ernstzunehmender (Natur-) Wissenschaftler gibt es zwei Erfahrungs- und Schaffensweisen, zwei Arten »menschlicher Weltbewältigung«: die ästhetisch-imaginative und die des rationalen Denkens. Erstere denkt in Bildern und Tönen, fordert Aktivität der Sinne und der Phantasie, fragt nicht nach Ursache und Wirkung. Von dieser lebendig-schöpferischen Ein-bildung empfängt auch die wissenschaftliche Arbeit starke Anregungen (Einstein oder J. D. Watsen war sie in hohem Maße eigen). Beide Erkenntniswege – von polarer Gegensätzlichkeit – sind Glieder des Humanen. »Wehe dem, der die Bedeutung der einen oder der anderen dieser Gewalten verkennen würde. Eine Bedrohung des Humanen wäre die Folge« (A. Portmann). An dieser existierenden Bedrohung würde auch der Hinweis auf einige kunstvermittelnde Fächer nichts ändern. Die derzeitige pädagogische Theorie verweist diese Erzieher auf die Seite des Hofnarren einer streng wissenschaftlichen Pädagogik. Und es verwundern die spontanen Äußerungen von Schülern der Klassen 7 bis 10 nicht, die, von ihrer Klassenlehrerin befragt, welche Fächer sie jetzt (November 1989) abschaffen würden, riefen: Musik und Kunsterziehung!

Woher sollte die rechte Welt-anschauung, Welt-sicht des »neuen« Staatsbürgers kommen, wenn sie nicht in elementarer, das heißt: ästhetischer Weise in der Schule gelehrt würde?

Was sollte im »Zentrum« eines zu reformierenden, besseren Bildungssystems stehen? Der von geistiger Verkrüppelung bedrohte Jugendliche, unter anderem eine Folge des praktizierten mechanisch-materialistischen Kausaldenkens, braucht neue Grundstrukturen, in denen die zweifellos vorrangigen rationalen, wissenschaftlichen Forderungen zusammen mit den ästhetisch-künstlerischen in ein wirkungsvolleres Verhältnis zu bringen sind. Das gilt für die allgemeinbildende Schule – mehr noch für die Ausbildung der Erzieher und Lehrer. Zu »Wissen und Können« muß die Entwicklung des selbständigen Denkens, des schöpferischen Zweifelns hinzukommen, und der sich herausbildende »musische Mensch« sollte an die Stelle des »berechnenden« treten. In diesem Menschentyp vermag ich, in Umrissen, den neuen, aktiven Staatsbürger unseres Landes zu erkennen.

Ob all die pädagogischen Wissenschaftler, die bisher veröffentlichen durften und deren Bewußtsein möglicherweise durch Auszeichnungen und Orden getrübt ist, in der Lage und willens sind, solche Strukturveränderungen mitzuvollziehen, muß ich bezweifeln. Deshalb sollten die Verantwortlichen nunmehr die Wissenschaftler zu Wort kommen lassen, die bisher für »die Schublade« gearbeitet haben.

K. Martin Richter,
Lehrer von 1949–1981

Nachdenken über die Volksbildung und (auch personelle) Konsequenzen – bis in die untersten Verantwortungsbereiche – sind überfällig. Bezeichnend für unglaubliche Selbstüberschätzung, Realitätsferne und Unfehlbarkeitsanspruch im Volksbildungswesen ist ja auch die weltweit einmalige und mit Recht belächelte Tatsache, daß DDR-Kinder nach Absolvierung des Kindergartens sofort in die Oberschule kommen. Ferner: Ein wie auch immer (man schaue zum Beispiel einmal auf die sprachlogischen, grammatischen, orthographischen Fähigkeiten vieler Kindergärtnerinnen, Lehrer usw.) erworbener pädagogischer Fach- und Hochschulabschluß schließt automatisch den Anspruch auf zusätzliche Altersversorgung (»Intelligenzrente«) ein. Wie viele andere ihrer Kollegen mußte beispielsweise meine Frau, promovierte Wissenschaftlerin an einem (nichtpädagogischen) Universitätsinstitut und unter anderem verantwortliche Redakteurin einer mehrsprachigen internationalen Fachzeitschrift, jahrelang darum betteln!

Zu meiner Person: Über 20 Jahre als Jugend- und Schulpsychiater tätig, könnte ich ein ganzes Buch füllen mit Krankengeschichten von Schülern, die dank inkompetenter, jedoch immer politisch linientreuer Volksbildungsentscheidungen mit psychosozialen/neurotischen Störungen in meiner Sprechstunde vorgestellt werden mußten. Eine jahrelange fruchtbare Zusammenarbeit mit den Pädagogen der über 20 Schulen unseres Kreisgebietes (zum Beispiel Vorträge vor Lehrerkollegien, bei denen ich mich nie scheute, heikle Probleme beim Namen zu nennen) wurde 1983 vom Kreisschulrat unterbunden, indem er die Schuldirektoren anwies, mich nicht mehr einzuladen. Inzwischen haben wir wieder den alten Zustand von vor 15 bis 20 Jahren. Stagnation auf Kosten unserer Kinder!

Michael Krauspe,
Kinderneuropsychologe,
Hoym

Wir sind der Meinung, daß es die Pflicht eines Schriftstellers ist, auf Probleme und Deformationen in der Gesellschaft aufmerksam zu machen. Christa Wolfs Kritik am Zustand des Bildungswesens in unserem Land können wir durch unsere Lebenserfahrung nur bestätigen. Unserem Empfinden nach war in einer Vielzahl von Pädagogenkollektiven Menschlichkeit in den Beziehungen untereinander nicht mehr gefragt. Die große Fluktuation im Bildungswesen ist unter anderem auch darauf zurückzuführen, daß man sich gar nicht erst die Mühe machte, darüber nachzudenken, warum sich der eine oder andere Kollege absonderte, zu viele Tabletten schluckte, Spirituosen in Mengen konsumierte, aggressiv reagierte oder die Sprache ganz verlor und sich in die innere Emigration zurückzog. Andere wiederum traten die Flucht nach vorn an und verhielten sich konform. Ob man das in vielen Jahren unbeschadet ertragen kann? Diese unterschiedlichen Reaktionen zeigen die individuelle Form der inneren Verletztheit an. Sie trugen dazu bei, die Wirklichkeit zu verdrängen.

Alle, die über diese verhängnisvolle Situation nachdachten, waren ohnmächtig und konnten oft nichts mehr oder zu spät bewegen. Ehrlichkeit, Ehrgefühl und Aufrichtigkeit wurden immer kleiner geschrieben. Um nicht unterzugehen, mußte der einzelne mitschwimmen in einem See von Angepaßtheit und Heuchelei. Ja, selbst eine gewisse Existenzangst spielte dabei eine nicht zu unterschätzende Rolle. Entsprach die eigene Lebensauffassung nicht der vorherrschenden, mußte man mit Maßregelungen rechnen.

Von vielen bedeutenden Publizisten und Humanisten wurde in den letzten Wochen darauf aufmerksam gemacht, daß die Einbuße an menschlicher Substanz eine Folge der Deformationen in der Gesellschaft ist. Die Lehrerschaft ist als Teil unserer Gesellschaft Opfer und Schuldner zugleich. Aber man sollte sich auch hier vor Gleichmacherei hüten. In unserem knapp vierzigjährigen Leben lernten wir eine ganze Reihe guter Pädagogen, den humanistischen Traditionen verpflichtet, kennen, die einen positiven Einfluß auf unsere Entwicklung hatten. Sie vertraten sowohl christliche als auch atheistische Positionen. Aber sie hatten in den Strukturen unserer Volksbildung kaum einen nachhaltigen Einfluß. Um aus diesem desolaten Zustand herauszukommen, muß die angekündigte Bildungsreform auch in der kleinsten Bildungsstätte durchgesetzt werden. Was erwarten wir von dieser Reform?
– Alle, die im Bildungs- und Erziehungswesen tätig werden oder sind, müssen eine psychologische Tauglichkeitsprüfung absolvieren. Dann wird es auch nicht passieren, daß Kinder, deren Eltern Führungspositionen bekleiden, bevorzugt behandelt werden.
– Alle kindlichen Persönlichkeiten, gleich welcher Herkunft, werden geachtet, und es wird ihnen eine freie Entwicklung ermöglicht, indem jedes Kind sich nach seinen Fähigkeiten entwickeln kann.
– Es wird dann auch nicht mehr vorkommen, daß Kinder beispielsweise mit physischer Gewalt zum Essen gezwungen werden oder einzelne Kinder als Blitzableiter für ihre Mitschüler herhalten müssen, um die anderen zum Kadavergehorsam zu erziehen.
– Wir erwarten von der Reform weiter, daß jeder offen und frei seine Meinung äußern kann, ohne gleich als »Klassenfeind« abgestempelt zu werden.

Wir hoffen, daß sich in der nächsten Zeit die Volksbildung gründlich ändert, daß sie den Menschen wirklich in den Mittelpunkt stellt und sich nicht zum Diener irgendeiner Ideologie abqualifiziert. Und das alles im Interesse unserer Kinder – sie sind unsere Zukunft.

Ursula und Dieter Sachse,
Lehrerin / Ingenieur, Bernterode

Wenn ich sage, ich bin Musiklehrer, stimmt das nur zu dem Teil, dem ich immer wieder traurig nachhänge – der 15jährigen praktischen Tätigkeit mit Schülern. Der andere Teil wird bestimmt durch meine gegenwärtige Arbeit als Schulfunktionär – zu funktionieren für mein Fach in Berlin, das es hier wie anderswo so nötig hat. Gelernt habe ich dabei immer noch nicht die Zufriedenheit und Freude, wie ich sie oft als Lehrer hatte. Zu vieles scheint noch unüberwindbar an Schwierigkeiten und entzieht sich immer wieder schnell meinem Einfluß: Musiklehrermangel, Überlastung der leistungsfähigen Musiklehrer, zu geringes musikalisches Können mancher, unrealistische Forderungen an den Musikunterricht von seiten der Öffentlichkeit, vieler Leiter usw. Zu lernen, gegen diese nicht kleiner werdenden Schwierigkeiten zu leben, kostet sehr viel Mühe. Fehler bleiben dabei nicht aus.

Deshalb freue ich mich jetzt darauf, daß die öffentliche Diskussion manchen Fehler genauer benennen wird und wir ihn dadurch korrigieren können. Wir, die verändern wollen auch im Bildungswesen, weil es die Erfolge nicht gebracht hat, von denen oft so laut geredet wurde. Bestätigt sind jetzt alle, die vor solchen Reden schon lange gewarnt haben, aber nützlich werden nur die sein, die sich nicht lange bei der Bestätigung aufhalten. Vorschläge sind zu machen oder zu wiederholen, und ich habe die Hoffnung, daß wir besser lernen werden, sie anzunehmen. Schlimm wäre es, wenn wir in diesem Lernprozeß nicht auch zurückweisen dürften, was falsch adressiert ist. Für mich besteht kein Zweifel darüber, daß die durch Sie zitierte vierzigjährige Frau aus Mecklenburg den Preis für das »problemlose Fortkommen« selbst bezahlt hat, und gemacht wurde er durch die Gesellschaft, durch die Eltern, durch sie selbst, möglicherweise auch durch die Schule. Letztere trägt zumindest daran Mitschuld, weil sie das Problem der Anpassung ignorierte. Aber angepaßt hat sich diese Frau selbst und der »Dauerschizophrenie« offenbar nicht entgegengewirkt. Denn es gibt genügend Leute in unserer Gesellschaft, die ihr Gewissen immer einbringen in ihre Entscheidungen, so fern sie eins besitzen. Leicht war das noch nie. Ich weiß nicht, liebe Christa Wolf, wem Sie die Schuld geben würden, hätten Sie zwei Gesichter. Die Schule wäre möglicherweise durch schlechte Lehrer daran beteiligt, der Boden muß doch aber fruchtbar sein, auf dem so etwas wächst.

Diesen Boden für Aufrichtigkeit zu bereiten, für Mut zum eigenen Standpunkt, betrachtete ich als Lehrer als meine ständige Aufgabe. Wie oft sie gelungen ist, entzieht sich meiner Kenntnis – dies erschwert einem Pädagogen immens das Urteil über die eigene Arbeit. Ich nehme an, in den meisten Fällen ist es mir nicht gelungen. Ich hoffe wenigstens, daß es kein Irrtum ist, zu wissen, daß meine beiden Kinder ihr wahres Gesicht überall zeigen. Wäre das nicht der Fall, ich käme nie auf die Idee, den Leitungen der Volksbildung die Verantwortung zu übertragen. Die sollen ihre wahrnehmen – nicht meine. Und ich hoffe sehr, daß in der Zukunft deutlicher wird, wo dies nicht der Fall war.

Mit Verallgemeinerungen und Vereinfachungen allerart, auch wenn deren öffentliche Anerkennung von vornherein einkalkuliert werden kann, sind die Fehler im Schulwesen nicht zu beheben. Da Poeten anerkannte Leute sind in unserem Lande und gehört werden von vielen, sollten sie – wie schon so oft – die Dinge genauer sehen und sensibler.

Erika Schubert,
Berlin

Den Einschätzungen von Christa Wolf möchte ich beipflichten. Vor allem in der Volksbildung ist meines Erachtens großer Schaden angerichtet worden in der Erziehung der Kinder und Jugendlichen. Hier kann ich die Lehrer nicht von Schuld freisprechen. Der größte Teil hat sich als »linientreu« erwiesen, das heißt blind gegenüber den tatsächlichen Zuständen in der Gesellschaft, und jeder, der sich dagegen auflehnte, wurde verfolgt. Einzelne, die aus dem Zwangskorsett ausbrachen, mußten mitunter sehr viel erdulden. Ich möchte das am Beispiel meines Bruders, der auch Lehrer war, verdeutlichen.

Mein Bruder hat die Lehrbefähigung bis zur 12. Klasse erworben. Er war mit vielem, das heute ebenfalls verdammt wird (manchmal von den gleichen verdammt wird, die damals »Hoch« schrien), nicht einverstanden. Der sichtbare Ausdruck war das Aussprechen des Berufsverbotes, vielleicht kann oder darf man es jetzt so sagen, aber damals gab es das nicht in der DDR, sondern nur in der BRD.

Er bekam dieses Berufsverbot zweimal, insgesamt für etwa 8 Jahre. Er arbeitete damals als Kistenmacher und Heizer. Dort stellte er auch den Ausreiseantrag, dem dann stattgegeben wurde. Also Berufsverbot als Ausreisemotivation. Aus meinem Bekanntenkreis weiß ich auch von anderen Lehrern, die die DDR verließen. Zu seinem 50. Geburtstag lud mein Bruder mich in sein neues Zuhause ein. Viermal war ich beim Volkspolizeikreisamt, um zu ihm reisen zu dürfen. Jedesmal wurde der Antrag abgelehnt. Mit fadenscheinigen und oft peinlichen Begründungen. Ich hätte zum Beispiel auf ihn Einfluß nehmen sollen oder: »Er hat die DDR verraten« usw. Nicht die Borniertheit der Lehrerschaft, sondern ich war schuld. So sah die Realität aus!

Damit dies nicht wieder vorkommt, müßten solche Dinge offen dargelegt werden und die Verantwortlichen, an der Spitze der Minister für Volksbildung, konsequent zur Rechenschaft gezogen werden. Aber auch bei der Lehrerschaft genügt kein Hemdenwechsel, um das Vertrauen wiederherzustellen.

Heinz Burger,
Pirna

Christa Wolf greift die Volksbildung zum Teil berechtigt an, wenn sie überspitzte Forderungen an Lehrer und Schüler oder auch Fehleinschätzungen kritisiert. Ich verwahre mich aber entschieden dagegen, daß Menschen, die unsere Schulen und Ausbildungsstätten besuchten, als selbstunsicher, entmündigt usw. bezeichnet werden. Auf Werte, die von diesen angeblich Entmündigten in den 40 Jahren seit Bestehen der DDR geschaffen wurden, sind viele Bürger unseres Landes mit Recht stolz. Wenn Christa Wolf an westlichen Bildschirmen sah, wie die Massen junger Leute leicht und freudig aus unserem Land rannten, dann bestimmt nicht, weil sie entmündigt waren, sondern weil sie glaubten, dort das zu finden, was sie hier nicht hatten, nämlich eine bessere Versorgung mit all den Dingen, die ihnen das Leben erst lebenswert erscheinen läßt, auch Reisefreiheit. Ob die Freude bei den meisten von ihnen lange vorhalten wird, wage ich zu bezweifeln; denn mehr als 2 Millionen Arbeitslose und viele Wohnungssuchende in der BRD werden dafür kein Verständnis haben. Sie sind durch die leicht und freudig Wegrennenden genauso geschädigt wie die Wirtschaft der DDR, ganz zu schweigen von den anderen Problemen, die sich daraus ergeben.

Zur Frage, wann die zur Verantwortung gezogen werden, die befahlen, mit Gewalt gegen junge, gewaltlose Demonstranten und Unbeteiligte vorzugehen, wird die Staatsanwaltschaft Rede und Antwort stehen, doch auch hier vermisse ich die Frage, ob auch jene bestraft werden, die verantwortungslos und mutwillig zerstören, was durch die Arbeit unserer Werktätigen geschaffen wurde, die außerdem Menschen beschimpften und tätlich angriffen, die zum großen Teil nur für Ruhe und Ordnung sorgen wollten.

Nun noch eins: Christa Wolf macht zwar Volksbildung und Elternhaus für alle Schwierigkeiten und Charakterfehlentwicklungen verantwortlich, doch den entscheidenden Faktor, der mit dazu führte, vergißt sie, das ist die Beeinflussung der Jugend durch die Westmedien, die sie nicht abstreiten kann, denn ich bin selbst Mutter und habe über 20 Jahre in Berlin-Prenzlauer Berg als Lehrerin gearbeitet.

Wenn Christa Wolf ihre Überlegungen dahin erweitert, daß sie ihren Lesern auch einmal über positive Entwicklungen und Ereignisse in unserem Land berichtet, wie es Hermann Kant und andere Schriftsteller trotz ihrer Kritik schon vor ihr taten, wird sie den Menschen in der DDR besser helfen als bisher.

Lisa Lobedann (75),
Rentnerin, Berlin

Mit großen Interesse begann ich, den Artikel *Das haben wir nicht gelernt* zu lesen. Sehr verwundert bin ich, daß die Autorin Christa Wolf nicht von der DDR als unserem Land spricht, sondern von diesem Land. Identifiziert sie sich nicht mit uns?

In ihrem Beitrag spricht sie von der Generation der heute knapp Vierzigjährigen, zu der auch ich gehöre. Nach Christa Wolf haben wir nicht gelernt, offen und ehrlich unsere Meinung zu sagen. Tief empört bin ich über solch eine Verallgemeinerung. Ich selbst habe in unserem Land eine hohe Allgemeinbildung genossen und bin seit meinem Hochschulabschluß im Jahre 1975 als Lehrerin für die Fächer Englisch und Deutsch in Karl-Marx-Stadt tätig.

Ich kann sagen, daß ich schon als Kind von meinen Eltern – beide sind Arbeiter – nicht zur Anpassung erzogen wurde. Meine Meinung äußerte ich auch früher, ohne auf »ein problemloses Fortkommen« zu achten. In den letzten Jahren hat sich auch der Lehrplan in Deutsch verändert. Monolog und Dialog spielen in der Stoffeinheit »Kurzvortrag und Diskussion« eine große Rolle. Dabei ist für mich oftmals feststellbar gewesen, daß Bequemlichkeit der Gesprächspartner den Dialog hemmte.

Ich bin selbst Mutter von zwei Kindern, die nicht nach Zensuren drängen, aber zur Achtung unserer Werte erzogen werden. Und das zu Hause oftmals mehr als in der Schule. Ich lehne jedoch ab, wie geringschätzig Christa Wolf von der Arbeit der Lehrer und der Leitungen an den Schulen spricht. Kann sie wirklich einschätzen, was täglich an unseren Bildungseinrichtungen geleistet wird? Ist das Kunst, die nur Auseinandersetzung anregen soll, wenn unermüdliche Arbeit so verunglimpft wird?

Anita Schroth, Karl-Marx-Stadt

Sehr verehrte Christa Wolf, nicht einer Modeerscheinung folgend, sondern aus echter Betroffenheit heraus möchte ich Ihnen auf Ihren Artikel *Das haben wir nicht gelernt* in der »Wochenpost« öffentlich antworten.

Zuerst will ich Ihnen sagen, daß ich voller Hochachtung alle Ihre Werke gelesen habe, vieles mir außerordentlich gefällt, und ich diese Bücher auch in meine Arbeit als Fachlehrer für Deutsch seit Jahren einbeziehe – obwohl es da noch kein Lehrplan wünschte oder forderte. Ich bin seit 17 Jahren – auch heute noch – gern im Schuldienst. Alle Entwicklungsstadien dieser Jahre habe ich also mit meinen Kollegen »in vorderster Front« erlebt.

Ich will nicht rechten, und es steht mir nicht zu, einzuschätzen, wer in den letzten 40 Jahren mehr zu leisten hatte: ein Schriftsteller oder ein Lehrer. Letzterer aber hatte und hat täglich, manchmal auch 24 Stunden ansprechbar zu sein für Schüler, Eltern und viele andere mehr, von den eigentlichen Unterrichtsstunden sogar abgesehen, die eine ständige Forderung durch 20 bis 30 hellwache, müde, kritische, fröhliche oder traurige, gereizte oder enttäuschte junge Menschen bedeuten. Und da gibt es kein Kneifen vor Fragen oder Problemen, und wer da »kniff« – ja, bestimmt hat es auch das gegeben! –, der ist so schnell »erledigt« in den Augen seiner Schüler, wie ein Außenstehender es sich nicht denken kann. Diese »suchenden« Lehrer sind genauso traurig, betroffen und verzweifelt über den Weggang so vieler Jugendlicher. Aber wenigstens kann man diesen den Vorwurf ersparen, in den letzten 20 Jahren sich da am besten verkauft zu haben, wo Honorare und Tantiemen in konvertierbarer Währung eingetrieben wurden. Vielleicht ließe sich der Zwiespalt unserer Jugend vielmehr im Zweifel an solchen Handlungsweisen privilegierter Gruppen als an ihrer Erziehung erklären.

Sie teilen aus Ihrer Sicht in gute und – unterschwellig »Volksbildung« genannte – schlechte Lehrer, und Ihr Artikel klingt, als seien die ersteren an einer Hand zu zählen. Ich erwidere Ihnen: Es gibt in unserem Land Tausende gute Lehrer, die nicht nur »Stoff« vermitteln, sondern ihren Schülern, häufig weit ins Leben hinein, Freund und Helfer sind. Sicher sind wir – alle diese Lehrer – nicht mit allem zufrieden, möchten vieles besser, anders machen. Aber wir konnten unsere Tür nicht schließen, zu Auslandsreisen nach Amerika, Kanada, in die BRD und wohin auch immer unterwegs sein, wenn Not um unsere Schüler war. Und das galt und gilt für sechs – manchmal auch für sieben – Tage in der Woche.

Sicher haben Sie recht: Es gibt auch andere, wie in jeder Berufsgattung. Aber ich erhebe aus meiner Sicht die Frage: Wo sind denn unsere Schriftsteller gewesen – von den »Übersiedlern« einmal abgesehen – mit all der Kritik, die nun gehäuft und sicher größtenteils zu recht, zur Sprache kommt?

Wenn ich an Ihren »Geteilten Himmel« denke, dann war das für uns Lehrer eben die Zeit, in der ein Schüler mit Jeanshose fast ein Staatsfeind war und das Auffinden einer lächerlichen Plaste-Reklametüte kurz nach dem Staatsverbrechen kam. Was soll da also gegenseitiger Vorwurf? Ich denke, daß wir alle unsere Fehler begangen haben, ob nun mehr diktierte oder eigenproduzierte und in allen Ebenen gab es die von Hermann Kant so treffend bezeichneten »bordeigenen Maden im Speck«!

Auch deshalb sollten wir das gegenseitige Beschimpfen und Verunglimpfen lassen, sonst könnte es uns passieren, daß wir, wohl ungewollt, immer schneller in die Rolle der »kleinen alten Männer« aus Ihrem »Sommerstück« geraten, die zwar historische Dimensionen angenommen haben, sie aber doch nicht behalten sollen! Ihnen und uns allen eine besonnene neue Denkweise wünschend

Sunnihild Schmidt,
Fachlehrerin für Deutsch/Englisch,
Schmalkalden

Sehr geehrte Frau Christa Wolf, der Generation angehörend, die »das nicht gelernt haben«, germanistisch-historisches Studium, Pädagogin, Mutter eines 17 1/2jährigen Sohnes, schreibe ich Ihnen, weil ich nicht mit allem einverstanden bin, was Sie da in der »Wochenpost« auf »einer kostbaren Seite« schreiben. Vor allem bin ich mit der Tonart nicht einverstanden, mit dieser teilweise vulgären Stilfärbung, die Gefühle eher erregt, als zum sachlichen Nachdenken und Bessermachen zwingt.

Die Medien befassen sich zur Zeit sehr viel mit Ihnen. Ob das Nachholebedarf ist oder schlechtes Gewissen, wage ich nicht zu beurteilen. Jedenfalls, so las ich es, »klagt sie die Möglichkeit in unserer Wirklichkeit ein. Ihre Art ist dabei eben die Klage, das Fragen in sorgenvoller Gebärde, weil [...] etwas fehlt, was da sein könnte und müßte [...]«. Ja, das gehört zum lange vermißten Dialog, ist sicher auch gut so, aber man sollte dabei nicht überziehen.

Ehe ich Ihnen weiter schreibe, möchte ich betonen, daß ich von »*dieser* Herrschaft« keine Privilegien hatte, aber auch von jenem »anderen deutschen Staat« keine Vorrechte genieße. Ich besitze weder »Westgeld« noch »Westtanten«, lehnte es aber auch ab, Westmedien Interviews zu geben über Dinge, die *hier* geklärt werden müssen. Auch eventuelle geistige Produkte böte ich nicht zuerst in jenem Staat an (siehe Herrn Henrich, den Sie doch gegen Karin Retzlaff in der »Jungen Welt« recht engagiert vertreten). Ich bin seit 24 Jahren SED-Mitglied, damals aus Überzeugung geworden, weil es aufwärts zu gehen schien. Ich gehöre auch jetzt nicht zu denen, die das »Dokument hinlegen«, weil die Partei Fehler gemacht hat, ja Fehler, die einer Arbeiter-und-Bauern-Macht schlecht zu Gesicht stehen.

Trotz dieser Fehler kann ich mich einer »Entideologisierung« der Schule – und darauf scheinen mir Ihre Ausführungen hinauszulaufen – nicht in dem Maße anschließen, so »erschütternd« Sie die Zustände auch finden. (Oder habe ich Sie falsch verstanden, obgleich ich Ihren Beitrag nicht nur einmal las). Ganz ohne Theorie wird es wohl auch künftig nicht gehen. Und wie soll das nun laufen? Jetzt auf alle die »drauf«, die ideologierelevante Fächer geben? Sollen die Schüler ihren Frust an diesen »schlechten« Lehrern abreagieren? Wer bringt der Jugend künftig bei, was Freundschaft ist, was Solidarität, wie sich Frieden erhält, was Faschismus und Neofaschismus bedeuten? Wer vermittelt ihnen, daß eine Gesellschaft ohne Arbeit doch offensichtlich nichts werden kann? Meine Güte, die negativen Beispiele liegen doch »auf der Hand«. Wo sind Ihre Alternativvorschläge zu der bisherigen »Schaumschlägerei«, zu den »Schein-Problemen« oder zu den »gymnastischen Massendressuren«? Daß man künftig nicht mehr nach dem Motto erziehen kann, daß »die Partei immer nur recht zu haben hat«, das stimmt, und das belegt wohl auch (leider!) die Praxis.

Sie unterscheiden zwischen »guten« und »schlechten« Lehrern. Ich wage es an sich nicht, so absolut zwischen »guten« und »schlechten« Schriftstellern zu unterscheiden, von Trivial- und Kolportageliteratur einmal abgesehen. Das Bild ist da arg veränderlich. Aber wenn Schüler selbst »gute« und »schlechte« Lehrer beurteilen sollten, dann käme, da bin ich mir ganz sicher, eine andere Sicht als die Ihre heraus. »Holzhammer-Pädagogen« waren freilich noch nie beliebt. Voll teile ich Ihre Meinung, daß sich nicht nur auf ökonomischem Gebiet etwas ändern muß. Vor allem muß diese Lockerung, muß mehr Meinungsfreiheit glaubhaft sein. Es darf nicht nur »alter Wein in neuen Schläuchen« sein.

Etwas überzogen und nicht für verallgemeinerungswürdig betrachte ich die Darstellung der Mecklenburgerin mit ihrer »Dauerschizophrenie«. Wenn Sie sich der neurologischen oder psychiatrischen Sphäre nähern, dann wissen Sie sicher auch, daß gerade Psychopathen recht selbstunsicher sind beziehungsweise daß sie es *oftmals* sind. Und aus so einem Fall kann man nicht Veränderungen herleiten. Ich finde gerade, daß die »Kinder der DDR« und deren Kinder jetzt doch recht selbstbewußt und gar nicht so ungeschickt ihre Meinung sagen. Das konnten sie auch schon vorher, auch wenn es Tabus gab. Im Deutschunterricht üben sie sich schon rechtzeitig an Kurzvorträgen, in denen sie ihre Meinung zu bestimmten Themen vertreten müssen.

Ich kann hier wieder nur vom persönlich Erlebten ausgehen, aber mein Sohn ist von klein auf diskussionsfreudig erzogen worden. Hier ist auch die Rolle der Elternhäuser zu sehen. Um der Wahrheit die Ehre zu geben, muß ich sagen, daß uns diese »Diskussionsfreude« unseres Sohnes in der POS-Zeit nicht immer nur Angenehmes bescherte.

Und um noch einmal kurz in der privaten Sphäre zu bleiben, so finde ich, daß auch der Freundeskreis meines Sohnes recht aufgeschlossen und selbstbewußt ist. Ihre »selbstunsicheren« Typen zu verallgemeinern, das ist mir zu pathologisch, klingt mir zu sehr nach Fachkrankenhaus. Seit fünf Jahren arbeite ich mit geschädigten Kindern und Jugendlichen. Selbst diese Kinder, die »anders sind«, würde ich nicht als »von den Verhältnissen deformiert« bezeichnen lassen, obwohl auch sie sich freuen, daß jetzt sicher manche Dinge leichter über die Zunge gehen, wobei die Antworten bald wichtiger als die Fragen sind, denke ich.

Sie schreiben, daß große Teile dieser Jugend »leicht und freudig« aus dem Land rennen. Ja, das ist beschämend, aber ob diesen Jugendlichen Weihnachten immer noch »leicht und freudig« ist, wage ich zu bezweifeln. Meine Meinung ist auch, und das nicht aus »Linientreue«, daß es viel leichter ist, sich als Reformer und Kritiker zu geben, wie das manche »Wendehälse« auch in Ihnen nahestehenden Kreisen tun, als Standpunkte beziehungsweise das eigene, klare »Was will ich« zu zeigen. Ich meine Standpunkte, nicht Dogmen!

Ich kann mich noch an meinen Kindeshunger in der Nachkriegszeit erinnern. Am 17. Juni 1953 erlebte ich als Zehnjährige in unserer Straße eingeschlagene Fensterscheiben. Mit 18 stand auch für mich am 13. August die mögliche Kriegsgefahr. 1968 bewarf man in der ČSSR die Autos einiger meiner Lehrerkollegen mit Tomaten und Steinen. Und ich sah in Bild und Ton (des Westfernsehens) in diesen Oktobertagen nicht nur gewaltlose Demonstrationen, Frau Wolf. Ich sah Brandflaschen und Pflastersteine fliegen. Kollegen berichteten von Eisenketten und Latten, die sie bei Jugendlichen sahen, »Rote-Säue-Rufe« in Karl-Marx-Stadt ..., das ließe sich fortsetzen.

Frau Wolf, lassen Sie uns dafür sorgen, daß unsere Ängste, auch um unsere Kinder, um mögliche Entgleisungen, gegenstandslos bleiben. Dazu gehören für meine Begriffe nicht nur Beiträge, die Emotionen aufwühlen, auch nicht nur das Anklagen der Vergangenheit. Von einem Schriftsteller, der sich dem Problem »Jugend« zuwendet, erwarte ich auch, daß er dieser Jugend sagt, daß es zum Sozialismus, wenn man ihn freundlich und lebenswert (das Wort »attraktiv« kann ich nicht mehr hören) gestaltet, keine *friedliche* Alternative gibt.

H. M. (46),
Karl-Marx-Stadt

Die Leserbriefe an Christa Wolf (in »Wochenpost«, Nr. 46, 1989; d. Red.) beweisen, daß immer noch zu viele den zweiten Schritt vor dem ersten tun; sie haben das Denken vor dem Streiten vergessen. Meine Frau und ich, die wir seit 20 Jahren Lehrer sind, glauben nicht, daß jetzt die Zeit ist, beleidigt zu sein wegen bestimmter Formulierungen. Im Gegenteil, uns empört die oberflächliche Betrachtungsweise einiger Kollegen, die zu vergessen scheinen, daß Kritik auch immer Selbstkritik sein muß.

Unsere Würde ist nicht von Christa Wolf, sondern von »Schreibtischpädagogen«, Bürokraten und Ideologen (bei der Marxismus-Leninismus-Weiterbildung) verletzt worden. Haben denn die Lehrer nicht Bewertungen und Beurteilungen für »vorgeführte« politische Haltungen gegeben? Gab es denn nicht im Unterricht oft »Halbwahrheiten« und »Auslassungslügen« (vom Lehrplan meist vorgeschrieben)? Mußten denn nicht auch wir, die denkenden, engagierten Lehrer, unsere politische Integrität ständig beweisen?!

Wenn Herr Kohlsdorf und Frau Justiz das Gesamtwerk von Christa Wolf kennen, wissen sie, um welche Sache es dieser zu jeder Zeit ehrlichen und mutigen Frau geht. Und diese Sache sollte uns verbinden.

Christine und Gerhard Paucker,
Lehrer, Burg

Verehrte Christa Wolf, als Leserin fast aller Ihrer Bücher, angefangen mit »Der geteilte Himmel« bis zu »Kassandra« und »Kindheitsmuster« (oder besser: außer »Störfall« und »Sommerstück«, die zu erwerben mir bisher nicht gelang) bin ich besonders aufmerksam, wenn irgendwo auf dieser (oder jener) Welt Ihre Stimme erklingt. Zuletzt hörte ich Ihre Worte von der gestrigen Veranstaltung in der Berliner Erlöserkirche. Diese Worte waren mir aus dem Herzen, oder besser: aus dem Verstand gesprochen und bestätigten mir, daß meine Gedanken zur Situation bei uns im Lande nicht zu radikal sind. Das Motto »Wider den Schlaf der Vernunft« trifft ja voll auch auf mich zu, denn schliefen wir nicht (fast) alle – allerdings wider Willen und bessere Einsicht!?

Was zu tun ist an diesem so lebenswichtigen Wendepunkt in der Geschichte der DDR, läßt sich kaum in wenigen Sätzen benennen.

Aber es läßt mir keine Ruhe, wie wenig ich von hier aus dazu beitragen kann, wie wenig Stimme eine hat, die fernab in der Provinz sitzt, es raubt mir den Schlaf, und es geht mir wie Heinrich Heine.

Das Geschehen heute läßt wohl niemanden gleichgültig; wir alle müssen dabei aufpassen, bei all den Veränderern und »Wendern«, daß nicht wieder bloß an den Fassaden herumgeputzt wird und dahinter alles beim alten bleibt. Ich bin seit 26 Jahren Lehrerin, und als solche vermisse ich die Stellungnahme sowohl der Volksbildungsministerin Margot Honecker als auch anderer führender für die Volksbildung verantwortlicher Genossen zur Situation und die sich daraus ergebenden persönlichen Konsequenzen! Das zum einen. Zum anderen: Wie soll es weitergehen mit der Erziehung unserer Kinder und Jugendlichen an unseren Bildungseinrichtungen? Die dafür zuständigen Leute schweigen, schweigen schon eine Woche lang. Ob sie Angst haben, sich wie andere Minister und führende Genossen den Fragen der Bevölkerung zu stellen? Hat Margot Honecker Angst? Ich an ihrer Stelle hätte sie – ihr bleibt doch nur eine einzige Konsequenz! Aber das sollte ohne Feigheit geschehen!

Entschuldigen Sie bitte, wenn ich das so ungeschminkt schreibe. Mich bewegt es sehr, daß gerade deshalb so viele junge Menschen unser Land verlassen haben und noch verlassen, weil sie es über hatten, mit doppelten Gesichtern herumzugehen, für die wir, die Lehrer, auf Geheiß von »oben« eine Verantwortung haben.

Wie steht denn der Lehrer jetzt da? Als Schuldiger? Mehr als einmal habe ich das in den letzten Tagen gehört, auch als Selbstanklage (»Wir alle haben etwas falsch gemacht«) wurde es formuliert. Irgendwie kann ich mich nicht damit identifizieren, sitzen doch die Schuldigen woanders!! Was wir im kleinen Kollegenkreis ganz leise und ganz geheim vor 20 Jahren bemerkt und ausgesprochen haben – das verkünden jetzt diese Leute von »ganz oben«, als wäre es das Normalste von der Welt! – Wenn etwas uns schuldig macht, dann die Tatsache, daß wir aufgehört haben, uns zu wehren, zu protestieren, daß letztlich wir nur noch geschwiegen haben, sozusagen wort- und sprachlos wurden, weil es so furchtbar zwecklos war, sich dagegen zu äußern (oder wollten wir nur unsere Ruhe?). Das ist doch eine Tragik!

Wie können wir das überwinden? Wer soll die Geschicke dieses Landes in seine fähigen Hände nehmen und all diese falschen Propheten ersetzen? Wer ist nicht schuldig? Es kann doch keine Wende ohne ein Zur-Verantwortung-Ziehen geben, ohne die daraus sich notwendig ergebende persönliche Konsequenz des Rücktritts führender Genossen. Meine persönliche Schlußfolgerung aus dem Geschehenen kann nur sein: Austritt aus dieser Partei, aus der SED, der ich 21 Jahre angehörte!

Verehrte Christa Wolf, seit einer Woche fühle ich mich nicht mehr allein in diesem unserem Land, ich weiß, daß Tausende so denken wie ich. Hier in der Provinz dauert alles etwas länger, das Festhalten und Verharren in Fehlern hat hier etwas Krampfiges, Verzweifeltes, hoffentlich dringt die Offenheit, Ehrlichkeit auch bald bis hierher. Vertrauen – kann man es je wieder gewinnen? Man hat so viel Kraft gegeben – und es war doch für eine falsche Ideologie, oder was uns dafür ausgegeben wurde. Wegen all dieser Fragen, Sorgen habe ich mich an Sie gewandt. Sie sind gewissermaßen für mich auch Öffentlichkeit, auf Sie hört man, Sie hört man!

Gerda Kreisel, Sportlehrerin, Luckenwalde

In bin 45 Jahre alt, seit 27 Jahren eine halbwegs »gute« Lehrerin, um mit Ihren Worten zu sprechen, und Bürgerin einer kleinen Stadt, in der der »Dialog« erst am 26. Oktober 1989 recht zögernd begonnen hat! Inzwischen ist bei uns die Lage so brisant, daß sich der erste Sekretär der Kreisleitung der SED am Samstag mit seiner Dienstpistole erschossen hat.

Mit ungläubigem Staunen und wachsender Freude habe ich am 4. November drei Stunden vor dem Fernsehapparat gesessen und auf Stefan Heym, den ich sehr schätze, und Sie gewartet. Spätestens seit Ihren Artikeln in der »Jungen Welt« und in der »Wochenpost« habe ich den innigen Wunsch, mit Ihnen in Verbindung zu treten. Es bedrückt mich, daß wir in unserer Kleinstadt so wenig vom wirklichen Leben und von der Kultur in unserer Republik merken.

Mehrmals las ich Ihren Artikel *Das haben wir nicht gelernt*. Ich bin Klassenlehrerin einer 10. Klasse, die mir heute indirekt ähnliche Vorwürfe macht, wie Sie sie beschrieben haben. Ohne ein »Wendehals« zu sein, bemühe ich mich sehr um ein gutes Lehrer-Schüler-Verhältnis. Und ich glaube – mit Erfolg. Oder sagen wir: Ich hoffe es.

Tief erschüttert hat mich gestern die Nachricht vom Selbstmord des ersten Kreissekretärs. Ich kannte ihn nicht persönlich, bin nicht Genossin, habe aber oft über ihn gehört, er sei all die Jahre ein Mensch geblieben. Er war auch der einzige in der Kreisleitung, der sich seit dem 26. Oktober dem inzwischen angestauten Zorn der Bürger stellte. So, wie er allein gelassen wurde, fühlen sich viele Bürger unserer Stadt. Man spürt bei uns keine Wende, kein Vorwärtskommen. Sie glauben gar nicht, wie ich die Bürger Berlins, Dresdens und Leipzigs beneide, die sich artikulieren können und die mitarbeiten dürfen. Ich möchte gern politisch mitarbeiten, sehe aber momentan in unserer verschlafenen Kleinstadt keine Möglichkeiten. Liebe Christa Wolf, schauen Sie auch mal in die kleinen Städte und Dörfer. Auch wir brauchen solche Leute wie Sie.

Frauke Läufer, Köthen

Nun wissen wir es endlich: Der Prügelknabe jeder Gesellschaftsordnung, die Schule, ist auch diesmal einer der Hauptschuldigen für die aktuellen Schwierigkeiten. Gut, daß uns Lehrern wenigstens nicht vorgeworfen wird, die Jugend zur Aggressivität (siehe Fußballfans, Straßenterror bei Demonstrationen, Kindesmißhandlung usw.) erzogen zu haben.

Nun könnte ich mich guten Gewissens zu den Lehrern rechnen, vor denen Frau Wolf »ihren Hut« zieht. Aber das »belustigt« mich bloß. Denn ich meine, daß Frau Wolf sicher weiß, wie leicht es ist, Beifall zu ernten, wenn man etwas auf die Schule schiebt (schließlich hat jeder von uns neben angenehmen Erlebnissen auch einige unangenehme aus seiner Schulzeit. In meinem langen Leben (ich bin reichlich älter als Frau Wolf) habe ich leider erleben müssen, daß bei jedem Systemwechsel die Schule als einer der Hauptschuldigen angesehen wurde (ein »seltsamer« Ruhm). Doch auch die jetzige »Opposition« wird, wenn sie an die Macht kommt, der Schule Vorschriften machen. Der einzelne Lehrer wird auch dann seinen Weg durch die Vorschriften und Verordnungen und Lehrpläne suchen müssen, den ihm sein Gewissen und seine Berufsehre vorschreiben.

Der Name Christa Wolf scheint im Moment Mode zu sein. Doch weder von ihr noch von anderen, die über die Schriftstellerin schreiben, liest man etwas davon, welchen Anteil sie selbst an unserer aktuellen Situation hat. Schriftsteller haben meiner Meinung nach wie die Lehrer einen nicht geringen Einfluß auf die Erziehung der Jugend einer Nation. Wenn viele junge Menschen uns verlassen, ist das eben auch ein Mißerfolg für die sozialistische Schriftstellerin – oder nicht?

Ein Satz im Artikel erregt mich besonders: »Eine kleine Gruppe von Antifaschisten, die das Land regiert, hat ihr Siegesbewußtsein auf die ganze Bevölkerung übertragen.« Im Namen meiner verstorbenen Mutter, die während der Nazizeit inhaftiert war, die eine engagierte Liberale war (Mitglied der LDPD bzw. ihrer Vorgängerinnen seit 1919), die der SED immer kritisch gegenüber stand, die aber noch mit 82 Jahren politisch sehr aktiv war, kann ich diese abwertende Haltung und Verallgemeinerung der Rolle der Antifaschisten in der Geschichte unserer Republik nicht für richtig halten. Auch Frau Wolf sollte, bei aller

Anerkennung ihres Temperaments, daran denken, daß auch ihre Gegner, denen sie so gern Ungerechtigkeit vorwirft, gerechte Ziele verfolgt haben. Ich nehme diese Gewißheit aus meinem Zusammenleben mit alten Antifaschisten, die sehr viel weniger ihr Leben genießen konnten, als das unserer jungen Generation zum Glück heute möglich ist.

Horst Güntzel, Aschersleben

Ihr Beitrag in der »Wochenpost«, Nr. 43, ist aus meiner Sicht Ihrem guten literarischen Leumund mehr ab- als zuträglich. Alles in unserem Lande überschlägt sich, um auf der neuen Welle ganz, ganz oben seinen Platz einnehmen und der Allerklügste sein zu können. Auch Sie versuchen mit Theatralik, Wehleidigkeit, Dramatisierung und Selbstbemitleidung, einen Spitzenplatz zu erkämpfen. Ihr Beispiel von der frustrierten Dame, der Sie auch noch großzügig die Artikelüberschrift widmen, geht so an der Realität vorbei, daß ich Ihnen zu dieser Einäugigkeit nur gratulieren kann. Immer und überall auf der Welt wird es solche introvertierte, gehemmte oder gleichgültig gearteten Menschen geben. Wenn man nicht wüßte, daß Christa Wolf in der DDR lebt (?), würde man ihr dort schlicht einen Studienaufenthalt empfehlen, um das Typische an unseren Menschen zu erkennen. Bei den jungen Menschen, mit denen ich berufsmäßig zusammen bin, und bei meinen eigenen Kindern kann ich eher eine Überportion an Selbstbewußtsein und selbständiger Meinungsartikulierung feststellen als das Gegenteil. Welche Töne hätten Sie wohl angeschlagen, wenn unter den Uniformierten Ihr Sohn gewesen wäre? Wie hätten Sie sich verhalten, wenn er grundlos in rüdester Weise beschimpft, bespuckt, er mit kochendem Wasser überschüttet, mit Steinen beworfen oder niedergestochen worden wäre? Ich möchte deswegen die Betrachtungsweise, wie sie auch die Ihre ist, als demagogisch zurückweisen. In einem demokratischen Rechtsstaat, wohin wir uns ja jetzt bewegen, fordere ich für alle Seiten das gleiche Recht! Jede Rechtsüberschreitung muß geahndet werden!

In dieser Weise bin ich für einen ausgewogenen, aber harten, besonnenen, aber nicht undifferenzierten Umwälzungsprozeß. Ja, ich meine, daß es in den vergangenen Jahrzehnten, gesellschaftlich gesehen, eine Reihe humanistischer Ansätze gegeben hat, denen jetzt im Kontext mit längst fälligen und zeitgemäßen Forderungen zum Durchbruch verholfen werden muß.

Werner Matthäus (57), Berlin,
Lehrer im Hochschuldienst

Offener Brief an einen Kollegen

Werter Kollege Bloch, mein Enkel Andreas Matthes, Schüler der 10. Klasse der Käthe-Kollwitz-Oberschule Bad Freienwalde schilderte mir voller Begeisterung, wie Sie bereits am 28. 10. 1989 im Unterricht auf den am Vortage in der »Wochenpost« von Christa Wolf veröffentlichten Artikel *Das haben wir nicht gelernt* eingegangen sind.

Dieser Artikel bewegt mich als Pädagogen ganz besonders. Setzt er sich doch mit den Mängeln unseres Volksbildungssystems auseinander, die unter anderem viele junge Menschen von uns weggetrieben haben. Wenn Sie als Lehrer heute ohne Anweisung von oben, ohne Auftrag des Direktors und ohne neuen Lehrplan versuchten, unseren Schülern zu helfen, »den aufrechten Gang zu üben« (Zitat Christa Wolf), so ziehe ich vor Ihnen den Hut und wünsche Ihnen in diesem Bemühen viel Erfolg.

Meine eigenen Erfahrungen bestätigen voll den Satz von Christa Wolf, »daß jeder, der auf grundlegende Deformationen bei Zielen und Methoden an unseren Schulen hinwies, politischer Gegnerschaft verdächtigt wurde und womöglich noch wird«. Aus meiner Tätigkeit kenne ich viele prachtvolle junge Menschen, die mir bestätigen, daß unsere Jugend wort- und bilderreiche Schaumschlägerei ablehnt und es auch ablehnt, in der Schule nur die Meinung zu sagen, die man von ihnen erwartet. Pädagogen wie Sie stimmen mich optimistisch in dem Bemühen, »den Sklaven nicht nur tropfen-, sondern literweise aus sich herauszupressen«, um wieder Christa Wolf zu zitieren. Sicherlich wird uns dieses Thema noch länger beschäftigen und für Eltern und Lehrer gleichermaßen von Interesse sein.

Hans-Joachim Mechelke,
Leiter der Station Junger Techniker und Naturforscher,
Bad Freienwalde

Ich glaube, daß ich mich zu denen zählen muß, deren – wie Sie sagen – »untergründig schlechtes Gewissen sie ungeeignet macht, sich den stalinistischen Strukturen und Denkweisen zu widersetzen«. Aber das allein ist es keinesfalls, wenn ich mich zu Ihren Äußerungen in der »Wochenpost« voller Empörung äußere. Der Hauptgrund ist, daß Sie mit der gleichen Selbstherrlichkeit, die Sie anderen so aggressiv anlasten, das Volksbildungssystem der DDR in Bausch und Bogen niedermachen. Ich darf sicher sein, daß dieses Schreiben wohl kaum das einzige sein wird, das Sie als Reaktion auf Ihren Beitrag erreicht. Und so konservativ ich auch mit meinen folgenden Überlegungen nach Ihrer voraussichtlichen Einschätzung eingestuft werde, darf ich genauso sicher sein, daß viele Kollegen Ihnen ob Ihrer Darlegungen Protest zusenden werden.

1933 geboren, gehöre ich zu den Menschen, die nicht unbedingt den »Untertan« gelesen haben müssen, um zu wissen, wie »Volksbildung« im kapitalistischen oder auch faschistischen Deutschland betrieben wurde. Darüber hinaus haben meine Eltern mich bestens über kaiserliche und Weimarer Schulpraktiken informiert. Die Reaktionen meiner »Lehrer« auf meine »Lust zum Widerspruch, zum Übermut, zu Skurrilitäten, zu Verquertheiten und ...« waren noch vom Stock beziehungsweise von durch Bildungsprivilegien bestimmten Methoden oder Nichtachtung und Diskriminierung in meiner Persönlichkeitsentwicklung begleitet, von deren Wirkungen ich mich in meinem Leben nur schwer befreien konnte.

Nun bin ich seit mehr als sechs Jahren selbst Lehrer, nachdem ich 28 Jahre, bis zum 50. Lebensjahr, als Berufssoldat bei den bewaffneten Organen diente. Obwohl als Vater von vier Kindern bereits bewußt verfolgend, lernte ich den riesengroßen Gegensatz zwischen Schulpraktiken damaliger und heutiger Zeit erst seit meiner eigenen Lehrertätigkeit richtig schätzen.

Zweifellos gibt es auch in unserem Volksbildungssystem eine Vielzahl von angestauten Unzulänglichkeiten, wie sie zum gegenwärtigen Zeitpunkt genannt und berechtigt neue Erziehungskonzeptionen gefordert werden und insofern die Ergebnisse des IX. Pädagogischen Kongresses überarbeitenswert sind. Auch ich bin der Meinung, daß beispielsweise das Jugendweihegelöbnis als wesentliche Handlungsgrundlage für den Eintritt ins Erwachsenenalter gründlich verändert werden muß. Unter anderem bin ich auch für Überlegungen zur Veränderung des Aufnahmevorgangs in der Pionier- und FDJ-Organisation, zu früherer Aufnahme in die EOS, zur Optimierung des Umfangs an Allgemeinbildung oder zur intensiveren Förderung von Talenten in größerem Rahmen; aber natürlich bin ich auch gegen das Einbleuen von politischen Ansichten und daraus resultierende Haltungen. Letzteres schließt nicht aus, daß ich, unseren bestimmenden Idealen treu bleibend, immer versuchen werde, überzeugend auf das politische Denken und Verhalten von Schülern Einfluß zu nehmen.

Sie schütten doch aber das Kind mit dem Bade aus, wenn Sie die Schuldzuweisung für das massenhafte Verlassen unserer Republik durch Jugendliche unserem Volksbildungssystem anlasten. Trotz aller Anfechtbarkeit praktizierter Erziehungs- und Bildungsmethoden ist unser sozialistisches Bildungssystem und auch seine funktionierende Praxis eine revolutionierende Errungenschaft in unserem Land, um die uns bekanntermaßen Volksbildungsminister kapitalistischer Länder, noch mehr aber von Entwicklungsländern beneiden.

Sie lassen die Wirkung anderer Erziehungsträger dezent anklingen. Wo bleibt aber die klare Feststellung, daß solche Mitverantwortlichkeit am Erziehungsergebnis das Elternhaus in Abhängigkeit von Parteilichkeit oder Indifferenz zu tragen hat!? Dazu gehört weiter das Westfernsehen, dem unser Fernsehen bei allen dringenden Veränderungsnotwendigkeiten besonders mit Kinder- und Jugendsendungen auch zukünftig nur eine bedingte Alternative entgegenstellen kann. Wir können eben keine Appelle an niedere Instinkte unserer Jugendlichen mit dementsprechenden Filmen und Sendungen zulassen, da Humanismus der entscheidende Ausgangspunkt jeglichen pädagogischen Handelns in unserem Lande war, ist und auch bleiben wird. Und völlig außer acht lassen sie auch die Wirkung auf die Persönlichkeitsentwicklung, wenn unsere Schüler bei Eintritt ins Berufsleben mit der Problemhaftigkeit und Widersprüchlichkeit unserers wirtschaftlichen Lebens konfrontiert werden.

Es ist gut, daß Sie sich anschicken, wie Sie sagen, »die DDR retten zu helfen«. Nur sollten Sie nach meiner Meinung darauf achten, daß Sie bei dieser Rettungsaktion gemeinsam mit dem erwähnten Hilferufer (war es womöglich Biermann?) die richtige Seite der Barrikade finden.

Klaus Burmeister (56),
Diplom-Sportlehrer,
Schulzendorf

Dieser Artikel veranlaßt mich, obwohl ich mir meiner absoluten literarischen Unterlegenheit Christa Wolf gegenüber bewußt bin, mich gegen einige ihrer Aussagen zu wenden.

Aus der Biographie der Frau Wolf entnehme ich, daß sie vor 1945 eine höhere Bildungseinrichtung besuchte. Ihr müßte also aus eigener Erfahrung bekannt sein, daß das Bildungswesen Bestandteil des jeweiligen Staates ist. Im Gegensatz zu den kapitalistischen beziehungsweise imperialistischen Staaten haben wir uns stets zu dieser Erscheinung bekannt. Da mein Start ins Leben in einer einklassigen Dorfschule in Mecklenburg begann, der sich dann auf »höherer Ebene« ab 1942 in einem Gymnasium fortsetzte, darf ich doch auf einige Erfahrungen verweisen. Eine sogenannte »Freistelle« (Erlaß des Schulgeldes) setzte nicht nur gute Leistungen voraus, sie veranlaßte mich als Zehnjährigen, am Religionsunterricht teilzunehmen, weil unser Klassenleiter (und Religionslehrer) es mir sehr empfahl. In einer Klasse von 32 Schülern stammten zwei Kinder aus der Arbeiterklasse. Ich kann mich deshalb so gut erinnern, weil fachlich sehr gute Lehrer, die sich in ihrer Mehrzahl, wenn auch sehr vorsichtig, vom Faschismus distanzierten, und andere mir bewußt machten, daß »Krethi und Plethi« leider Zugang zur Bildung bekämen. Übrigens blieben sie auch nach 1945 bei dieser Haltung, nur warfen sie der antifaschistisch-demokratischen Ordnung und später unserem neugegründeten Staat die Heranbildung eines akademischen Proletariats vor. Ich hege heute keine Verbitterung gegen diese Pädagogen, die sich als bürgerliche Demokraten verstanden. Ich ziehe aber den Schluß, daß diese höheren Bildungseinrichtungen vor 1945 elitären Charakter trugen und ihre Lehrer sich zu diesem Anliegen bekannten. Ein Blick auf das Bildungswesen in der Bundesrepublik zeigt meines Erachtens, daß sich im Prinzip wenig geändert hat.

Der Artikel Christa Wolfs veranlaßt mich deshalb zu der Schlußfolgerung, daß sie bewußt ihr sicherlich ähnliches Wissen negiert beziehungsweise dieser bürgerlich-demokratischen (?) Eliteschule nachtrauert und sie uns empfiehlt.

Zweifellos gibt es Dinge in der DDR und auch im Bildungswesen, die dringend der Veränderung bedürfen. Ich weise aber als langjährig tätiger Lehrer entschieden die Schuldzuweisung zurück, »daß unsere Kinder in der Schule zur Unwahrhaftigkeit erzogen und in ihrem Charakter beschädigt werden« und schließlich »Massen junger Leute, die zumeist leicht und freudig aus dem Land rennen«. Unser Bildungswesen hat schließlich vor allem den Kindern der Arbeiter und Bauern den Weg zur Bildung geebnet. Auch heute halte ich es für soziale Gerechtigkeit, wenn Kindern dieser Klassen und Schichten mehr Hilfe gewährt wird, weil doch das Kind eines Schriftstellers, eines Pfarrers, eines Intellektuellen wesentliche Bildungsvorteile im Elternhaus erfährt. Allerdings habe ich in meiner langen Praxis, zumindest kann ich mich nicht erinnern, kein Kind von Werktätigen aus der Produktion erlebt, das von »kleinauf dazu angehalten wurde, sich anzupassen, ja nicht aus der Reihe zu tanzen, besonders in der Schule sorgfältig die Meinung zu sagen, die man von ihm erwartete, um sich ein problemloses Fortkommen zu sichern«. Christa Wolfs Problem kann sich nach meiner Ansicht nur auf Kreise beziehen, die entweder die akademische Ausbildung ihrer Kinder als Statussymbol betrachten oder ihre Haltung zum Sozialismus tarnen wollten. Für unberechtigt halte ich deshalb ihre Verallgemeinerung.

Nach meiner Ansicht müssen auch inhaltliche Anforderungen in unserem Bildungswesen überdacht werden, beispielsweise die stärkere

Durchsetzung des Leistungsprinzips bei der Heranbildung akademischen Nachwuchses. Nicht zur Diskussion stehen sollte, ob wir allen Kindern unseres Volkes eine umfassende Allgemeinbildung vermitteln. Da ich im wesentlichen im gleichen Wohnbereich über 30 Jahre Lehrer bin, erkenne ich die Fortschritte des Bildungszuwachses, weil ich die zweite, teilweise die dritte Generation erlebe. Allerdings gebe ich zu, daß diese humanitäre Leistung unseres Bildungswesens, Brechung des Bildungsprivilegs der Minderheit und Bildung für alle Kinder des Volkes, nicht von allen Menschen in unserem Lande umfassend gewertet wird. Deshalb möchte ich mich ausnahmsweise auch einmal zur Literatur äußern. Ich bemühe mich, sehr viele Neuerscheinungen zu lesen, auch Bücher von Christa Wolf. Mein Unbehagen über die Art und Weise mancher Darstellungen und manchmal auch zum Inhalt veranlassen mich niemals zu Intoleranz und Verabsolutierung. Aber den Anspruch von Christa Wolf, die Künstler gewissermaßen als die Gralshüter von Freiheit und richtigem Weg darzustellen, halte ich doch für übertrieben. Als Normalverbraucher halte ich Spielräume in der Kunst für legitim, aber es gibt Grenzen. Das Auftreten Wolf Biermanns, als Extremfall, im Westfernsehen hat mich endgültig überzeugt, daß auch Künstler (oder Leute, die sich dafür halten) nicht über der Gesellschaft stehen dürfen, sondern, da sie von ihr leben wollen, folglich auch für sie arbeiten müssen. Auf einen Widerspruch in diesem Artikel möchte ich noch hinweisen. Einmal weist Christa Wolf auf die mangelnden Leistungen in der Erziehung hin, andererseits spricht sie von »gut ausgebildeten Facharbeitern, Sekretärinnen« usw. und zeigt sich beeindruckt von der politischen Reife in den Gesprächen und Diskussionen«. Haben diese Leute das wirklich alles woanders gelernt?

Ich betone abschließend noch einmal, nach meiner Ansicht sind Aussagen wie »Kinder der DDR«, »selbstunsicher, entmündigt«, häufig in »ihrer Würde verletzt, wenig geübt, sich in Konflikten zu behaupten, gegen unerträgliche Zumutungen Widerstand zu leisten« und »Fackelzüge und gymnastische Massenübungen zeigen und vergrößern ein geistiges Vakuum« zumindest übertrieben und nicht verallgemeinerungswürdig. Meine unzureichende Kenntnis der Persönlichkeit Christa Wolfs hindern mich daran, ihr in diesem Artikel Demagogie zu unterstellen, obwohl ihre einseitige Darstellung der »Gewalt gegen junge, gewaltlose Demonstranten« (siehe Aufzeichnungen im Fernsehen, Schäden an Einrichtungen und Gebäuden, geschädigte Angehörige der Sicherheitsorgane) derartiges vermuten läßt. Nach meiner Ansicht sollte der Dialog, zu dem wir uns bekennen, Wege aufzeigen, wie bestimmte Fragen zu lösen sind. Schnelle und leichtfertige Schuldzuwei-

sungen und subjektive Verurteilungen wider besseres Wissen oder aus
mangelnder Sachkenntnis führen mit Sicherheit nicht zur Lösung der
vielen anstehenden Fragen.

Gerhard Behm,
Lehrer, Kritzkow

Ich gehöre zur ersten Neulehrergeneration und bilde und erziehe
schon über 36 Jahre an einer Erweiterten Oberschule. Über das »Ergebnis« meiner Erziehungsarbeit konnte ich – nicht ohne Bitternis – in
einem Artikel von Christa Wolf in der »Wochenpost« nachlesen. Diesem Beitrag – sicher in einer verständlichen Verbitterung geschrieben,
weil die Autorin nicht erhört (!) schon seit langem Mahnungen über
Fehler kundgetan hat – kann ich nur teilweise zustimmen wegen meines Erachtens ungerechtfertigter Schwarzmalerei.

Christa Wolf sollte sich einmal in Klassentreffen derer, die vor 20,
30 Jahren unsere Schule durchlaufen haben, umhören, und sie könnte
erfahren, welche (auch positiven) Wirkungen die Schule auf diese »gestandenen« Leute gehabt hat, die sich durchaus nicht »selbstunsicher,
entmündigt, häufig in ihrer Würde verletzt« (Zitat) sehen beziehungsweise geben. Man hört dies gelegentlich auch lobend von ehemaligen Schülern, die seit längerem, ja seit Jahrzehnten Bundesbürger
sind, wie der folgende Ausschnitt aus einem Brief, den ich kürzlich erhielt, zeigt:

»Ich möchte einfach noch einmal sagen, mir hat das Klassentreffen
(30 Jahre nach dem Abitur; H.-J. Zi.) gefallen. Es hat mich innerlich
ganz schön aufgewühlt, da ich nicht wußte, wie wird man empfangen
und aufgenommen. Ganz ehrlich, bei so mancher längeren Präpara-
tion in der Praxis habe ich mir so manche Situation, die hätte eintreten
können, vorgestellt und mich gefragt, wie reagierst du da. Unser fester
Vorsatz war, sich einfach zu freuen, mit unseren Lehrern und Klassenkameraden ein Wiedersehen zu haben. Die geringe Zeit und die vielen Eindrücke lassen einem sowieso keine Zeit zu tieferen Gesprächen.
Es hätte ja auch in der damaligen Zeit keinen Sinn gehabt.

Auf der anderen Seite hat man einfach das Bedürfnis, einem Lehrer,
der in einer sehr wichtigen Entwicklungsphase einen Menschen mit
prägte, ein herzliches Dankeschön zu sagen. Unsere gemeinsamen
Unternehmungen (Foto-Gruppe, Trecker fahren lernen, Untersuchungen eines Flusses und der daran angesiedelten Industrie, Einsätze in
der Braunkohle oder Ernteeinsätze) werden für uns alle unvergessen
bleiben. Den Einsatz vieler Lehrer, der weit über das normale Stunden-
soll hinausging, weiß man umso mehr zu schätzen, wenn man sich hier

mit Pädagogen und deren Ansichten auseinandersetzt. Somit kann ich Ihnen nur noch einmal versichern, daß das sicherlich keine Höflichkeitsfloskeln waren – statt zu solchen Worten zu greifen, halte ich dann lieber den Mund.«

Oberstudienrat
Hans-Joachim Zimmermann, Flöha

In der »Wochenpost«, Nr. 43, las ich Ihren Artikel *Das haben wir nicht gelernt*. Ehe ich dazu etwas sage, will ich mich kurz vorstellen: 1913 als sechstes Kind einer Arbeiterfrau geboren, 1920/28 Arbeitersport, 1929 SAJ, 1931/32 Mitglied der SAP (Seydewitz), 1927/31 Lehre als Schriftsetzer, dann arbeitslos bis 1935. Wegen illegaler Arbeit Verwahrungshaft, Mißhandlungen, Polizeiaufsicht. Um dem zu entgehen, ab 1938 Berufssoldat und sogar Oberfeldwebel. Aber auch dort habe ich stets meine proletarische Pflicht als Mensch erfüllt. Die VVN hat mir das bestätigt, ohne daß ich eine Rente angefordert habe.

1945 Bauhilfsarbeiter, vier Monate Volkspolizist, dann Neulehrer. Ab September 1945 Mitglied der SPD, ab 1946 SED. Sieben Jahre Fernstudium bei *vollem* Schuldienst, dabei Schulgewerkschaftsfunktionär und 10 Jahre BGL-Mitglied – alles ehrenamtlich, wie stets auch die Arbeit in der Partei. Zehn Jahre stellvertretender Direktor, 15 Jahre Direktor, drei Kinder – davon zwei Lehrer, zwei Enkelsöhne bei der NVA. In allen Funktionen habe ich mich stets bemüht, Kollegen und Schüler zum Mitdenken und Diskutieren anzuregen. Viele haben das gern getan, sie hatten eine *eigene* Meinung, ganz und gar nicht immer meine. Sie litten nicht unter Dauerschizophrenie – das kam ja wohl erst später in Mode. Eine solche Verallgemeinerung in Ihrem Artikel ist deshalb meines Erachtens kaum gerechtfertigt.

Auch das Westfernsehen ist uns seit etwa 1960 ganz und gar nicht unbekannt. Allerdings wußten wir stets, daß dort ein Heer von Journalisten dafür bezahlt wird, unseren Staat zu diffamieren. Und je freundlicher sie mit unseren »Überläufern« waren, desto hellhöriger wurden wir. Als wir dann »besichtigen« konnten, wie »leicht und freudig« unsere jungen Leute wegrannten, wie sie mit Sekt begrüßt wurden, konnten wir das nicht nur auf unsere Fehler schieben. Von der dauernden maßlosen Hetze auf unseren Staat haben Sie vermutlich nichts gehört und gesehen. Brandstiftungen, Vorbereitungen auf den »Tag X«, Menschenhandel, Ostbüro, Morde an unseren Grenzsoldaten, die Schüsse von Wallhausen sind Ihnen vielleicht unbekannt? Dann aber wollen Sie wissen, wer befohlen hat, »mit Gewalt gegen junge gewaltlose Demonstranten vorzugehen«. Daß aber die dreifache Anzahl unserer

Volkspolizisten zum Teil schwer verletzt wurden, interessiert Sie wahrscheinlich nicht. Oder ist nicht Mensch gleich Mensch? Dafür braucht man einen festen Standpunkt.

Weiter: Bevor man fragt, was aus den relegierten Schülern der Carl-von-Ossietzky-Schule in Pankow geworden ist, sollte man sich kundig machen, warum diese Relegierung erfolgte. Es mußte gerade dort die Gewähr für einen normalen Schulbetrieb wieder geschaffen werden. Und wenn Direktor, Elternbeirat, Pädagogischer Rat und FDJ-Grundorganisationen alles untersucht haben, die Relegierung vom Ministerium bestätigt wird, so kann das wohl kaum eine Stellungnahme gegen einen »aufrechten Gang« sein.

Wir wollten stets, daß alle ehrlich und aufrecht gehen. Sie aber schreiben: Die kleine Gruppe von Antifaschisten, die das Land regierte, hat »ihr Siegesbewußtsein zu irgendeinem Zeitpunkt auf die ganze Bevölkerung übertragen«. So klein aber war diese Gruppe gar nicht, viele haben in der Nazizeit nie vergessen, woher sie kamen. Sie waren keine Mitläufer, Verführte und Gläubige der Nazis. Vielleicht Schweigende – nie aber völlig Untätige. Natürlich haben wir Alten nach dem Krieg an *unseren* Sieg geglaubt. Wir wollten auch mit aller Kraft dafür sorgen, daß erst einmal die dringendsten Lebensbedürfnisse befriedigt werden konnten. Vielleicht macht man uns noch den Vorwurf, daß es eben bei uns keine Bettler gibt?! Unseren eigenen Kindern und Schülern haben wir *alles* über unser Leben erzählt, wir konnten ihnen stets in die Augen sehen, hatten nie ein untergründig schlechtes Gewissen. Wenn wir lesen, daß wir endlich zuhören sollen und »daß Fackelumzüge und gymnastische Massendressuren« ein geistiges Vakuum anzeigen, können wir einfach nicht glauben, daß eine DDR-Schriftstellerin so etwas formuliert hat. Das haben wir schon von feindlicher Seite genauso sagen hören! Wir haben aus vielen Quellen gelernt, aber ob die Reformen in Polen und Ungarn überzeugen?

Wir sind doch sehr betroffen, wie viele jetzt so schnell unsere Vergangenheit in den Dreck ziehen – bisher schwiegen sie. Fehler abstellen, dafür sind wir alle. Wir haben auch schon früher an *richtigen* Stellen offen unsere Meinung gesagt und nicht immer Dank geerntet. Aber wir haben mitgearbeitet und unseren Sozialismus mitaufgebaut. Viele haben ihn nur genossen. Zum Schluß möchten wir Lenin zitieren: »Genug nun der Selbstbespeiung, die bei uns nur die Selbstkritik ersetzen soll« (Lenin an Gorki, 13./14. 12. 1913). Finden Sie das nicht sehr zeitnah?

Ilse und Albert Rausch, Rentner,
Leipzig

Nach dem Lesen des Artikels *Das haben wir nicht gelernt* brennt mir förmlich der Stift unter den Fingern. Ich habe das Gefühl, wir laufen fast über vor Mitteilungsbedürfnis; zu lange sind uns nicht nur Worte, sondern sogar Gedanken verboten worden. Ich habe aber auch noch konkrete Gründe, weswegen ich mich an Euch wende. Ich bin eine ehemalige Lehrerin, habe das Babyjahr, das ich für meine damals noch studierende Tochter in Anspruch nehmen durfte, zum Anlaß genommen, aus dem Berufsleben auszusteigen. So alt bin ich noch nicht, aber ich ertrug den Zwang und die Bevormundung durch Stellen und Leute nicht mehr, die weder Ahnung von meiner Arbeit als Lehrerin hatten noch sich überhaupt dafür interessierten. Ganz konkret und nur ein Beispiel von vielen: Da mischt sich der zweite Sekretär der SED-Kreisleitung in eine FDJ-Wahlveranstaltung ein, ohne sich vorher informiert, ohne vorher auch nur jemanden nach der konkreten Situation dieser 10. Klasse gefragt zu haben, greift Schüler an, die jahrelang mitgeschleppt werden mußten (nicht zum Vergnügen oder auch nur zum Vorteil dieser Schüler), greift sie an, weil sie sich das für sie kaum realisierbare Ziel gestellt hatten, die Abschlußprüfung der 10. Klasse mit »befriedigend« zu absolvieren. Greift sie an mit der Phrase »Das ist doch Mittelmaß«, weil irgend jemand »von oben« dieses Wort als neuen »Slogan« verbreitet hatte.

So, wie dieses Beispiel zeigt, ging es uns Lehrern, solange ich gearbeitet habe. Nicht vorstellbar, was wir schlucken mußten. Da wurden unsinnige Parolen herausgegeben, die wir unbesehen zu vertreten hatten – zum Beispiel »Überholen ohne einzuholen«. Da durften Schüler keine Plastetüten oder Kleidungsstücke mit »Westpropaganda« tragen – heute läuft jeder Spitzensportler der DDR für »adidas« Reklame. Da durfte kein Wort über das Westfernsehen fallen. Letzteres ist wahrscheinlich einer der größten Fehler, denn man kann logischerweise nur das beeinflussen, was man kennt und worüber man auch spricht! Jawohl, wir haben die Schüler dazu angehalten, nicht aus der Reihe zu tanzen, nicht ihre wahre, sondern die erwartete Meinung zu sagen. Aber durften wir anders? In jeder Elternversammlung saß ein Beauftragter von Direktion/Elternbeirat/Partei und protokollierte alles fein säuberlich mit. Schüler wurden regelmäßig zum Direktor bestellt und über ihre Lehrer ausgehorcht.

In jeder Versammlung – und das waren nicht wenige – wurden vorbereitete und linientreue Diskussionsbeiträge erwartet und der niedergemacht, der es wagte, eine andere Meinung zu äußern. Wir wurden genauso zur Unwahrheit und Unehrlichkeit gezwungen, wie wir es mit den Schülern zu machen hatten. Das fing mit den Zensuren an und endete noch lange nicht bei so wichtigen Entscheidungen wie der Delegierung von Schülern an die EOS. Da durften zum Beispiel Schüler die EOS nicht besuchen, nur weil sie als Pfarrerskinder nicht in der FDJ waren, auch wenn sie die besten Voraussetzungen hatten und mehr gesellschaftliche Arbeit nachweisen konnten als andere »Arbeiter«-Kinder, die auch keine waren.

Die Unehrlichkeit ging weiter in den Beurteilungen. Da war ein Schüler nicht »faul« (solche Beurteilungen wurden uns nicht abgenommen!!), sondern da hatte es zu heißen – »er könnte noch mehr, noch besser, noch effektiver ...« usw. Was man nicht alles machen kann mit dem Wörtchen »noch mehr«! Gelacht haben die Schüler über solche Beurteilungen. Sitzenbleiber? Gab es kaum. Der Lehrer war ja daran schuld, und warum soll man sich eine Schuld aufladen, wenn sich das nach bekanntem Muster vermeiden läßt? Sie wurden durchgeschleppt, so daß dann in der 10. Klasse ein Wissensgefälle herrschte von sechs bis sieben Unterrichtsjahren. Und dabei hatten wir noch Talente zu fördern! Versucht das mal unter solchen Bedingungen!

Auch die Lehrpläne sollten kompetente Leute mal unter die Lupe nehmen! Ist schon mal aufgefallen, daß unsere Schüler keine Grundkenntnisse in den wichtigsten Fächern besitzen? Aber höhere Mengenlehre in der 6. Klasse oder zwei Fremdsprachen, wo sie nicht einmal ihre Muttersprache beherrschen! Wozu um alles in der Welt muß jedes Kind sich mit Russisch quälen? Das kann doch nicht Sinn unseres Bildungssystem sein, damit auf dem Papier steht, daß alle Kinder gleiche Bildungschancen haben. Ist es da ein Wunder, wenn Nobelpreisträger grundsätzlich aus westlichen Ländern kommen?

Es wäre noch viel zu sagen nötig. Nur eine Bitte habe ich noch: Die Kritik am Bildungssystem kann meiner Ansicht nach nicht auf die Lehrer abgewälzt werden. Die Lehrer waren bisher nur ausführende Organe all dessen, was »von oben« kam. Wär' schön – sie dürften in Zukunft auch ihren Kopf gebrauchen, ohne gleich eine drüber zu kriegen! Was meint die Öffentlichkeit übrigens zu dem Ausspruch der Ministerin für Volksbildung auf dem letzten Pädagogischen Kongreß: »Und wenn uns unsere Schüler fragen, habt ihr uns die Wahrheit gesagt über unsere sozialistischen Bruderländer, so können wir ihnen antworten – ja, wir haben euch die Wahrheit gesagt« (Zitat aus dem Referat von M. H.).

Ich bitte, auf meine Unterschrift zu verzichten. Ich habe Angst vor Repressalien, die meine Kinder treffen könnten.

Ich habe Ihren Artikel in der »Wochenpost« gelesen, und da ich seit 1963 Lehrer bin, sehr aufmerksam. Wir haben in der Schule im Kollegium darüber gestritten, ob Recht oder Unrecht, ob das Gesagte stimmt oder nicht – leider haben Sie recht. Nur in einem Punkt stimme ich nicht mehr mit Ihnen überein: dem Drang nach guten Zensuren! Er besteht kaum noch, denn unsere Jugend bekam konfliktlos einen Beruf, wenn auch nicht immer den Wunschberuf, und ganz gleich, wo man arbeitete, »das Geld stimmte«. Weshalb soll sich da noch ein Schüler für gute Zensuren anstrengen? Zurücklassen, damit er in Ruhe das Schuljahr wiederholen kann, um dann besser zu lernen – das geht nur unter Schwierigkeiten. Und die Schüler wissen das und nützen diesen Umstand natürlich aus.

Es wird höchste Zeit, daß wir Lehrer Hilfe bekommen. Indem man die Leistungen und die Ausbildung des Facharbeiters, Ingenieurs, Akademikers leistungsabhängig und ausbildungsabhängig bewertet (und bezahlt), wird unter unseren Schülern die Einsicht kommen, daß es sich lohnt, für gute Zensuren zu arbeiten, dann wird »der Drang nach guten Zensuren« zu einer optimalen Leistungsentwicklung, zu einem freimütigen Unterrichtsgespräch, zu später mündigen Menschen führen. Hoffentlich dauert diese Entwicklung nicht mehr zu lange.

H. M.

Mit Nachdenklichkeit, Erschrockenheit, aber auch Widerspruch haben wir Ihre Auffassung zu wesentlichen Erziehungsfragen gelesen und diskutiert. Mit Nachdenklichkeit deshalb, weil wir über einige angesprochene Fehlhaltungen und ihre Ursache in der Praxis bereits diskutierten, wenn vielleicht auch manchmal nicht konsequent oder nicht tiefgründig genug. Das betrifft zum Beispiel die Gefahr der Gängelei bis hin zur Bevormundung unserer Schüler, speziell in ihrer Tätigkeit in der Kinder- und Jugendorganisation. Doch sollte man nicht auch nach tieferliegenden Ursachen fragen? Wir wollten den Kindern helfen, alles »richtig« zu machen, sie vor Fehlern zu bewahren (wie übrigens viele Eltern auch). Dabei haben wir aus den Augen verloren, daß gerade die Kinder und Jugendlichen nicht nur von fremden Erfahrungen lernen können, daß sie ein »Recht auf Fehler« haben, wobei ein Mindestmaß an Bevormundung wohl in jeder Erziehung vorhanden sein muß. Erschrocken sind wir über den sehr hohen Grad der Verallgemeinerung in Ihrem Artikel, den wir dadurch für nicht konstruktiv, für entmutigend und zum Teil sogar für unrichtig halten. Wieso mußten »Lehrer oft nahe der Verzweiflung versuchen, ihren Schülern einen Raum zu schaffen, in dem sie frei denken und sich entwickeln konnten«?

Wir Pädagogen der Moskauer Schule bei der Botschaft der DDR in der UdSSR (unsere Schule unterscheidet sich weder in der Größe noch in den Zielstellungen von einer durchschnittlichen Schule in der DDR) kommen von einer Vielzahl von Schulen, Kreisen und Bezirken, verfügen also auch über eine Vielzahl von Erfahrungen in der Praxis der Bildungs- und Erziehungsarbeit. Lehrer, die von ihren Kindern vorgegebene Meinungen abverlangten, sich auf Schwarz-Weiß-Malerei beschränkten, eigenes Denken und Kreativität unterdrückten oder gar bestraften, sind nach unseren Erfahrungen Ausnahmen. Vorwerfen müssen wir uns, uns mit denen nicht konsequent genug auseinandergesetzt zu haben. Hier scheinen uns die Proportionen zwischen Ihrem »Schema« und den »Abweichungen«, zwischen dem Typischen und den Ausnahmen in ihr Gegenteil verkehrt zu sein. Auch wir empfinden es nicht als Wunder, daß viele junge Leute, und nicht nur in den letzten Wochen, mit ihrem »Ernst, ihrer Standhaftigkeit, ihrem Humor, ihrem Einfallsreichtum, ihrer Phantasie, ihrer Einsatzbereitschaft und ihrer politischen Reife« beeindrucken. Diese Jugendlichen sind ebenso durch unsere Schule gegangen wie diejenigen, die unser Land verlassen haben. Und unser Anteil daran sollte doch nicht nur auf die negativen Erscheinungen reduziert werden.

Außer Nachdenklichkeit, Erschrockenheit und auch Widerspruch bewegt uns jedoch noch ein Problem, das in seiner Bedeutung bisher wohl unterschätzt, in vielen Diskussionen wie auch in Ihrem Artikel vernachlässigt wurde. Werden unsere Kinder und Jugendlichen nur von der Schule erzogen? Wer bekennt sich hier zu seiner Verantwortung? Welchen Anteil sahen und sehen Vertreter der Kunst und Kultur an der Erziehung?

Wir haben uns sehr bemüht, uns kurz zu fassen, hätten noch mancherlei Einsprüche zu Ihren Gedanken. Wir wünschen uns sachlichere Annäherungen und Wortmeldungen an das und zum Thema »Jugend« – von Ihnen, aber auch öffentlich von Jugendforschern, von Pädagogen, von Antifaschisten, denen es gewiß nicht um die »pragmatische« Übertragung eines »Siegesbewußtseins« ging, und vor allem von Jugendlichen selbst.

27 Pädagogen der Moskauer Schule
bei der Botschaft der DDR

Mit dem Artikel der Schriftstellerin Christa Wolf *Das haben wir nicht gelernt* kann ich als denkender Mensch, Genosse und Mittvierziger nicht einverstanden sein. Im Jahre 1959 habe ich die 10. Klasse abgeschlossen, danach drei Jahre gelernt, drei Jahre in der NVA gedient und danach ein Lehrerstudium absolviert. Seit 20 Jahren arbeite ich in der Volksbildung. Eine Dauerschizophrenie habe ich nur bei solchen Menschen kennengelernt, die egoistisches, überhebliches und herzloses Verhalten an den Tag gelegt hatten. Bei der Mehrheit der Jugendlichen hat die Volksbildung den Grundstein gelegt für ein brauchbares Wissen, für Fähigkeiten und Fertigkeiten.

Mit solchen Äußerungen lösen wir unsere Probleme in der gesellschaftlichen Entwicklung nicht. So werden Tausende von Lehrern vor den Kopf gestoßen. Jetzt kommt es darauf an, *die* Menschen zu erziehen und zu bilden, die ihre Zukunft verantwortungsbewußt mitgestalten. Darin sehe ich und die meisten meiner Genossen und Kollegen gegenwärtig die wichtigste Aufgabe der Pädagogen.

Volkmar Fiedler,
Berlin

Es hat mich als Lehrer – und nicht nur mich allein – betroffen gemacht, mit welcher Absolutheit eine Schriftstellerin von diesem Format über die Volksbildung bei uns Gericht hält. Wie jedes Ding hat auch unsere Volksbildung zwei Seiten. Warum aber schildert Christa Wolf nur die eine – nennen wir sie ruhig ganz offen die Kehrseite – in den allerschwärzesten Farben? Frau Wolf hat sicher viel Grund zur Verbitterung, und ich bezeuge ihre große Achtung, daß sie trotz allem zu den »Hiergebliebenen« gehört. Außerdem: Zu einem guten Teil hat sie ja leider recht mit ihren Vorwürfen. Ich meine aber, daß vor allem von bequemen Stundenhaltern und Gehaltsempfängern solche bösen Dinge hervorgebracht wurden wie Zensurenhascherei und Verunsicherungen. Leider bot unser Volksbildungswesen die Möglichkeit dazu. Der weitaus größte Teil der Lehrer aber hat sich – gemäß den Forderungen der Volksbildung und aus eigener Überzeugung – um jedes Kind, um jeden Jugendlichen mit großem Aufwand an Zeit und Kraft bemüht. Wie sonst könnten solche »selbstunsicheren, entmündigten, in ihrer Würde verletzten« jungen Menschen mit einem Male so viel »Ernst, Standhaftigkeit, Humor, Einfallsreichtum, Phantasie, Bereitschaft, sich einzusetzen« eine Christa Wolf mit »politischer Reife beeindrucken«?

Die Autorin sucht die Antwort darauf fast gänzlich außerhalb der Volksbildung. In dieser begann sich übrigens seit über einem Jahr schon einiges zu ändern – zu langsam und nicht gründlich genug. Das muß und wird sich wohl jetzt beschleunigen und vertiefen. Alles, was falsch war, tut mir persönlich weh. Ich darf mir zugute halten, den Mund aufgemacht zu haben, wo immer es angebracht schien (das heißt: vor allem gegenüber Vorgesetzten), und ich schelte mich gleichzeitig wegen jeder verpaßten Gelegenheit. Deshalb eben verwahre ich mich gegen eine solche Darstellung in Schwarz-Weiß. Es gibt da zum Beispiel noch die wohlstandsgeschädigten, maßlos verwöhnten jungen Leute, Kinder, die ihren Eltern »auf dem Kopf herumtanzen«, wofür dann solche Eltern die Ursachen grundsätzlich außerhalb der Familie suchen. Und es gibt die Vernachlässigten, denen jede häusliche Wärme und Geborgenheit fehlt. Solche jungen Leute können sehr aggressiv und gewalttätig werden. Sie wollen »frühe Zeichen setzen«, »Kommunisten aufhängen« und veranlassen einen gewissen Schönhuber, sich Hoffnung auf Einfluß bei uns zu machen!

Das Gros der Jugendlichen aber tritt ruhig, gewaltlos, aber auch sicher und selbstbewußt auf. Noch eine Bemerkung zum allgemeinen Disput: War es falsch, bis Anfang Oktober Ursachen im eigenen Lande nicht auszusprechen, so wäre es ebenso falsch, sie jetzt ausschließlich in unserem Lande zu suchen.

Roland Kummerlöw,
Lehrer,
Karl-Marx-Stadt

Als ehemalige Lehrerin hat mich der Artikel von Christa Wolf sehr bewegt. Seit 1946 38 Jahre im Schuldienst tätig, mußte man etliche Volksbildungsminister über sich ergehen lassen. Eines hatten alle gemeinsam, daß vom Ministerium Lehrern – und damit auch den Schülern – immer neue und mehr Zwänge auferlegt wurden, der Lehrer in seiner schöpferischen Tätigkeit eingeengt wurde. Der administrative Führungsstil übertrug sich leider auch auf die unmittelbaren Vorgesetzten, deren Willkürmaßnahmen man oft genug ausgesetzt war.

Den Schülern im Unterricht Freiraum zu lassen, zum Beispiel im Literaturunterricht, war noch möglich, aber wie sollten sie sich freimütig, bei schriftlichen und mündlichen Prüfungen äußern, ohne Gefahr zu laufen, dafür eine schlechte Note zu bekommen? Oft genug bemerkte man als Lehrer im Unterricht die fehlende Resonanz bei den Schülern, sie schwiegen sich aus oder sagten das, was der Lehrer laut Lehrplan hören wollte (oder mußte!). Das führte letzten Endes bei sensiblen Lehrern zu Konfliktsituationen, die auch an der Nervensubstanz nagten. Viele Disziplinschwierigkeiten, starke Fluktuation der Lehrer in andere Berufe, Überbelegung mancher Nervenklinik mit Lehrern und anderes mehr resultierten daraus.

Der Minister für Volksbildung, Margot Honecker, als Hauptverantwortliche für dieses Dilemma und für die Charakterschädigung junger

Menschen, fand aber bei ihrer Ablösung kein Wort der Selbstkritik. Ihr wurde vom Ministerrat für »ihre verantwortungsbewußte Arbeit« auch noch der Dank ausgesprochen. Dank wofür? Daß sie ihren Beitrag geleistet hat für den Ausreisewillen Tausender Jugendlicher?? Mich hat diese Haltung des Ministerrates empört. Nach meinem Rechtsempfinden müßten die Verursacher unserer Misere in der Volksbildung schonungslos zur Verantwortung gezogen werden.

Käte Sandow,
Birkenwerder

Liebe Christa Wolf, als der Artikel über Rolf Henrich in der »Jungen Welt« erschien, war ich gefühlsmäßig unangenehm berührt, konnte es aber nicht in Worte fassen. Als Ihr Gegenbrief dazu erschien, war es mir, als ob meine Seele spricht. Leider kann ich mich nicht so gut ausdrücken. Vor einigen Tagen las ich Ihren Artikel *Das haben wir nicht gelernt* in der »Wochenpost«. Mir kamen die Tränen, und seitdem bin ich so aufgewühlt und so sprachlos, denn ich habe mich hier wiedererkannt. Also muß es doch vielen Menschen so ergangen sein. Ich kann es kaum fassen. Mir ist, als ob ich schon lange krank bin, und auf einmal sagt einem jemand, woran. Ich bin durch diese Dauerschizophrenie nicht nur ausgehöhlt, ich bin so krank davon geworden, daß mein Herz gebrochen ist, und ich weiß nicht, ob ich jemals wieder gesund werde.

Ich bin 37 Jahre alt und arbeite seit 17 Jahren als Horterzieherin. Diesen Beruf liebe ich sehr. Es macht mir soviel Freude, in dieser Form mit Kindern zu arbeiten. Mein Herz ist voll von Liebe, Freundlichkeit, Güte und auch Achtung vor diesen kleinen Persönlichkeiten. Ein wenig bekam ich auch ab und zu zurück (auch von meinen eigenen Kindern), und das machte mich glücklich. Auch den Eltern habe ich zu verstehen gegeben, daß ich versuche, ihre Kinder zu harmonischen Menschen heranzubilden. Mehr vermochte ich nicht, denn verdorben haben diese schöne Aufgabe die Erscheinungen, die Sie in Ihrem Artikel beschrieben haben.

In meinen ganzen Dienstjahren hatte ich immer so ein dumpfes Gefühl, daß etwas nicht stimmt. Die Schuld gab ich aber mir, weil ich glaubte, die »Obrigkeit« der Gesellschaft muß ja recht haben. Am meisten litt ich unter unserem Direktor, der seit fünf Jahren an unserer Schule ist. Ich war oft verzweifelt, bis hin zu Selbstmordgedanken. Aber meine beiden Kinder gaben mir Halt. Dieser Direktor ist ein Mensch ohne Anstand, ohne Achtung vor anderen. Er hat es geschafft, an unserer Schule eine Atmosphäre des ständigen Mißtrauens zu schaffen. Jeder Kollege mißtraut fast jedem. Wer die Ansichten des Direktors nicht teilt, wird entweder offen oder auf raffinierte Weise diskriminiert und schikaniert. Andersdenkende oder unbequeme Kollegen taugen dann plötzlich nichts mehr, sind »keine guten Lehrer« oder ähnliches. Er schart Leute um sich, die ihm zu Munde reden und ihm »Erhorchtes« zutragen. Er brachte es sogar fertig, zu sagen: »Ich habe meine Spione überall!« Eine vertraute und kluge Kollegin meinte zu mir: »Eigentlich ist er ein bedauernswerter, dummer Mensch.« Leider ist diese Kollegin nicht mehr an unserer Schule, und seitdem bin ich sehr hilflos, denn ich bin nicht mutig. Dann kam auch noch hinzu, daß der Direktor zum 40. Jahrestag eine hohe Auszeichnung erhielt. Nun kann er sogar staatlich sanktioniert sein »Unwesen« treiben! Für mich ist es entsetzlich, zuzusehen, wie Kinder in so einem Klima gebildet und erzogen werden. Nach diesem Schuljahr werde ich der Volksbildung den Rücken kehren, wenn ich die Kraft habe, durch die »Mühlen« zu gehen, die man bei einer Kündigung auf sich nimmt.

Bitte verzeihen Sie mir, wenn ich so weit ausgeholt habe, aber es ist nur die Spitze vom Eisberg. Wie soll sich so etwas ändern? Wie kann man gegen solche Ungerechtigkeit vorgehen? Es hängt doch so viel daran, weitreichende Entscheidungen. Wenn es Ihre kostbare Zeit erlaubt, bitte schreiben Sie mir ein Wort des Trostes, denn ich habe keine Hoffnung mehr.

P.S. Ich möchte auf Angaben zu meiner Person verzichten. Meine Tochter muß noch ein Jahr an dieser Schule bleiben.

Ihr Beitrag *Das haben wir nicht gelernt* brachte für mich vieles auf den Punkt. Ich bin Ihnen, nicht zum erstenmal, dankbar für treffende Formulierungen, für die Zusammenfassung auch meiner (unsortierten) Gedanken. Ihr Artikel half mir auch, Antwort zu finden auf die Frage: »Wie konnte das so gehen?« Unter Mängeln in unserem Lande habe ich dann richtig gelitten, wenn mein Denken eingezwängt wurde.

Inzwischen bin ich kein Lehrer mehr. Mein Körper wehrte sich, indem er mich mit schlimmsten Magenschmerzen auf etwas nicht Funktionierendes hinwies. *Was* das war, erlernte ich in einem mühsamen Prozeß im Krankenhaus. Als Konsequenz schied ich nach 21 Jahren aus der Volksbildung aus. Trotz allem – das ist schwer, noch schwerer, etwas Neues zu finden. Genau meine Erziehung, wie die von Ihnen beschriebene, machte aus mir den gelernten, angepaßten DDR-Bürger, dessen Funktionstüchtigkeit durch Schulzwänge (im weitesten Sinne) noch perfektioniert wurde. Ich war ein williges Objekt, wenngleich ich mich zu wehren versuchte. Ich scheiterte an unserer gesellschaftlichen

Umwelt, die für mich beim Direktor begann. Resignation und Depression als »Spätfolgen«. Was nunmehr schmerzlich ist für mich: Der Widerspruch zwischen Erkanntem und der Durchsetzung dessen. Es tut weh zu wissen: Ich darf mit Selbstverständlichkeit »Ich« sagen, darf Wünsche haben und Ansprüche stellen, darf »Nein« sagen, aber es geht in der Praxis nicht so richtig. Zumindest ist Bewußtwerden dieser Tatsache schon mal besser als Nichtwissen, der erste Schritt sozusagen. Nun, ich »trainiere«.

C. W.,
Leipzig

Befreiung und Besorgnis, Zustimmung und Ablehnung, Hoffnung und Enttäuschung – wer wird in diesen Tagen nicht die Skala aller Regungen durchleben, wenn er auch nur einiges Empfinden in sich trägt für die Belange unseres Landes. Vorwürfe an unsere Regierung, an unsere Partei- und Gewerkschaftsführung, Vorwürfe auch an die Schule, an uns Lehrer. Alles zusammen ist eigentlich kaum noch zu ertragen.

Ja, auch ich werde zornig, denke ich nur daran, wie viele Menschen zur Schönfärberei verführt, wie viele Menschen gelähmt wurden durch eine falschverstandene, ja falsch anerzogene Disziplin. Das zum Selbstverständnis.

Wer bin ich denn, daß ich Christa Wolf entgegne, deren Wort im Lande etwas zählt, die ich selber hoch schätze! Ich bin Lehrerin, und Sie äußern sich zu Dingen, für die ich mich nach 25 Berufsjahren kompetent fühle.

Ja, die Wertigkeiten in unserer Arbeit waren mitunter arg verschoben, aber uns hat noch nie jemand daran gehindert, phantasievoll zu unterrichten und Kreativität der Schüler zu fördern. Wie in allen Berufen ist Schöpfertum auch eine Fähigkeit des einzelnen. Ja, der Lehrer wird von Aktion zu Aktion getrieben, wo Aktivität für sein Fach angebrachter wäre. Ja, der Lehrer wünscht sich, nicht der älteste und aktivste FDJler in der Schule sein zu müssen – aber keinem wurde untersagt, seine Schüler zu Selbständigkeit auch in der Jugendarbeit anzuhalten. Wie überall ist eine pauschale Aburteilung fehl am Platze.

Wovon träumen Lehrer? Ich zum Beispiel davon, daß Wort und Tat in der ganzen Gesellschaft übereinstimmen! Daß nach Ihrer Meinung »Kinder in der Schule zur Unwahrheit erzogen und in ihrem Charakter beschädigt werden«, hat mich tief betroffen gemacht. Welchen Anteil hat die Familienerziehung? Welchen die Gesellschaft, über deren Deformierung wir uns zur Zeit alle sorgen? Wir alle sollten uns vor solchen Verallgemeinerungen hüten. Wenn so undifferenziert und unwidersprochen die Schule zum Prügelknaben gemacht wird, wird die ehrliche, ja aufopferungsvolle Arbeit vieler meiner Kollegen öffentlich mißachtet, und wir würden wieder am Wesen der Sache vorbeigehen.

Seien Sie versichert, verehrte Christa Wolf, Ihr Brief gab genügend Anstoß, und das im positivsten Sinne. *Das haben wir nicht gelernt,* überschreiben Sie Ihren Artikel – das stimmt! Aber seinen Beruf auch in dieser Zeit vor Diskriminierung zu verteidigen, das kann mir niemand verwehren. Schade, daß das bis jetzt in der öffentlichen Diskussion kaum eine Rolle spielte. Ich jedenfalls werde weiterhin aufmerksam und selbstkritisch dabei sein, wenn es darum geht, unsere Schule zu verbessern. In diesem Sinne verstehe ich Ihre Gedanken.

Rosemarie Koppetsch,
Lehrerin, Berlin

Einerseits war ich überrascht und erfreut, daß dieser Artikel veröffentlicht wurde, zeigt sich doch daran auch ein Stück Glaubhaftigkeit der »Wende«. Andererseits fühlte ich mich beim ersten Lesen unberechtigt stark angegriffen, bin ich doch selbst – und das mit Herz und Verstand – seit elf Jahren Lehrer, habe ich mich in dieser Zeit mit all meiner Kraft um die bestmögliche Entwicklung der mir anvertrauten Kinder und Jugendlichen mitbemüht. Und ich kenne eine Vielzahl Lehrer, auf die das ebenso zutrifft – ich verstehe mich also nicht als Teil einer elitären Minderheit unter den Pädagogen. Insofern trifft es mich hart, wenn »der Schule« »Erziehung zur Unwahrhaftigkeit, Beschädigung des Charakters, Gängelei, Entmündigung, Entmutigung und bilderreiche Schaumschlägerei« vorgeworfen wird. Das waren nie meine Erziehungsziele!

Beim zweiten Lesen des Artikels gewann ich bereits einen anderen Eindruck – bezog die Meinungsäußerung auf das von oben durchgesetzte System der Volksbildung, in dem der Lehrer am unteren Ende stand, wie zum Beispiel der einzelne Journalist innerhalb unserer Presselandschaft und unseres Informationssystems usw. Ich denke also, daß Sie als Schriftstellerin, die es gewohnt ist, mit dem Wort und seiner Wirkung zu arbeiten, exakter differenzieren müssen, was die Verantwortlichkeit für das vorliegende Ergebnis betrifft. Die in Klammern gesetzte Einschränkung auf einen Teil der Lehrer bezogen reicht mir hier nicht, ich gehe nämlich davon aus, daß gegenwärtig nicht jeder die Zeit hat, jeden Artikel zwei- bis dreimal zu lesen, um zu verstehen, wie er gemeint ist. Und ich habe in Diskussionen in meiner Schule gespürt, daß viele Lehrer ebenso wie ich nach dem ersten Lesen empfanden.

Eine weitere Bemerkung: Die Schule/Volksbildung ist Bestandteil des gesellschaftlichen Überbaus, sie kann also nicht besser sein als die ganze Gesellschaft. Und vieles, was Sie der Schule zuschreiben, ist meines Erachtens das Ergebnis der Entwicklung der gesamten Gesellschaft. So kann ich als Lehrer auch nur innerhalb eines gegebenen Systems von Gesetzen, Verordnungen, Anordnungen, Weisungen usw. arbeiten und muß dort versuchen, alle verbleibenden Möglichkeiten zu nutzen – das ist nicht immer viel –, um eigene Vorstellungen zu verwirklichen. Und ich kann noch so viel eigene Meinungsäußerung, eigenverantwortliches Handeln, Ehrlichkeit ... der Schüler verlangen – solange sie von der Gesellschaft vorgeführt bekommen, daß sie dadurch zum Teil massive Nachteile in Kauf nehmen müssen, stehe ich auf verlorenem Posten.

Sicher kann man auch die Frage stellen, warum wir Lehrer nicht gegen bestimmte Zustände Sturm gelaufen sind? Da wissen Sie sicher selbst, daß das mit Konsequenzen – bis hin zum Verlust des Arbeitsplatzes – verbunden gewesen wäre. Ich bin aber zu gern Lehrer, als daß ich das in Kauf nehmen wollte; Möglichkeiten, wie Schriftsteller sie zum Teil haben, habe ich als Lehrer nicht. Entweder bin ich hier in unserer Schule Lehrer – oder ich bin *kein* Lehrer. Und so habe ich vieles, was neu und gründlich durchdacht und verändert werden muß, mitgetragen und mitgemacht – vieles mit Unbehagen, vieles auch in ehrlicher Überzeugung.

Und ein dritter überdenkenswerter Aspekt: Sie schreiben, »daß unsere Kinder in der Schule zur Unwahrhaftigkeit erzogen und in ihrem Charakter beschädigt werden, daß sie gegängelt, entmündigt und entmutigt werden«, und bescheinigen unserer Jugend zuletzt »Ernst, Standhaftigkeit, Humor, Einfallsreichtum, Phantasie, Bereitschaft, sich einzusetzen, politische Reife in Gesprächen und Diskussionen«. Nein – das paßt nicht zusammen. Ich bin der Meinung, daß »die Schule« auch zur Ausprägung dieser Eigenschaften und Fähigkeiten einen wichtigen Beitrag geleistet hat. Nicht alles, was wir in der Volksbildung gemacht haben, ist negativ. Vieles müssen wir durchdenken, verändern – das Lehrerkollektiv unserer Schule hat sich mit einer Reihe von Vorschlägen an das Ministerium für Volksbildung gewandt –, viele gute Bildungs- und Erziehungsergebnisse haben wir aber auch mit erreicht. Über die hier dargelegte Meinung, die die Meinung vieler Lehrer meiner Schule ist, würden wir gern in eine öffentliche Diskussion kommen.

Jörg Wöstenfeld,
Lehrer, Berlin

Das haben wir gelernt! Erlauben Sie, werte Christa Wolf, die Überschrift Ihres Artikels in meinem Sinn zu variieren. Ich gehöre zum Kreis der Menschen, denen Sie eine »Dauerschizophrenie« zur Last legen, die »unsere Kinder zur Unwahrheit erzogen und ihren Charakter beschädigt« haben, ja Sie verallgemeinern sogar, daß »die Eltern ihren Kindern keine Werte vermitteln konnten, an denen sie sich orientieren konnten«.

Ich bin Tochter und Mutter von Genossen, habe Werte erhalten und vermittelt! Ich bin auch Lehrerin für Marxismus-Leninismus und habe seit 20 Jahren Staatsbürgerkunde in der Berufsausbildung und Marxismus/Leninismus in einer Medizinischen Fachschule unterrichtet. Da ich seit 38 Jahren Genossin bin und somit zur ersten Generation gehöre, die mit der SED und FDJ – und durch sie – aufgewachsen ist, Erfahrungen und Rückschläge, Erfolge und Niederlagen sammeln konnte und mußte, glaube ich kompetent genug zu sein, um einiges dazu zu sagen. Das haben wir gelernt: Sozialismus ist die Heimat des Humanismus, der Solidarität und der Achtung und gleichen Rechte aller Rassen und Nationalitäten, ist unvereinbar mit Krieg, Faschismus, Gewalt und Drogensucht, mit Obdachlosigkeit und Menschenverachtung.

Haben wir das Falsche gelernt und gelehrt? Haben wir nicht gefordert und versucht anzuerziehen: Mitdenken – Mitarbeiten – Mitregieren?

Leider standen der Verwirklichung dieser Ziele Wände entgegen! Diese abzutragen ist notwendig, richtig und sicher auch schmerzlich für viele und vieles. Aber glauben Sie nicht, daß es unzählige Lehrer (und andere Berufsgruppen) gibt, die in voller Verantwortung und Befähigung ihren gesellschaftlichen Auftrag erfüllt haben, ohne »Sklaven« zu erziehen? Und wenn es schon Ihrer Meinung nach »Sklaven« sind, dann muß ich aber sagen: Es sind recht gut gebildete und selbstbewußte »Sklaven«!!

Ich halte nichts von den vielen Rückziehern und Entschuldigungen, die schon fast zum guten Ton gehören. Wer seine Aufgaben im Sinne des Sozialismus und seiner Ziele ernst genommen und ehrliche, saubere Arbeit geleistet hat, der hat dazu keinen Grund! Ich stehe zu jedem Wort, das ich meinen Schülern und Studenten in den vielen Jahren vermittelt habe, zu jeder Stunde offener Streitgespräche, die wir schon immer kannten – nicht erst seit sie »Dialog« heißen.

Noch eine Stelle aus Ihrer Wortmeldung möchte ich erwähnen, nämlich, daß »Fackelzüge und gymnastische Massendressuren ein geistiges Vakuum anzeigen«! Woher nehmen Sie die Sicherheit, all den jungen Menschen, die daran beteiligt waren, Freude, Spaß und Begeisterung abzusprechen und sie in ein »geistiges Vakuum« zu delegieren? Ich war einige Male selbst Teilnehmer und kann deshalb diese Meinung nicht teilen. Dabei steht hier nicht zur Debatte, ob derartige Veranstaltungen notwendig, ökonomisch und politisch vertretbar sind.

Ich bin als Mutter, Genossin und Pädagogin zornig über Verallgemeinerungen und Nichtachtung der geschaffenen materiellen und geistigen Werte, ohne die Augen vor den großen und ernsten Problemen und notwendigen Lernprozessen zu verschließen. Meine Hochachtung vor sachlichen und fachlichen Meinungen zum Beispiel solcher Menschen wie Dr. Lutz Renner und den Mitstreitern seiner Gesprächsrunden.

Werte Frau Wolf! Ich hoffe, daß ich mich Ihnen −trotz beteiligter Emotionen − verständlich machen konnte und Sie mir nicht nur in Form Ihrer Literatur in meinem Bücherschrank vertraut bleiben!

Susanne Lemm (56),
Lehrerin, Dresden

Werte Frau Wolf, wir achten Ihre große Lebenserfahrung. Viele von uns haben auch Ihre Bücher gelesen und stimmen mit Ihnen überein, daß wir die freie Entwicklung eines jeden anstreben müssen. Sie schreiben, daß Sie sich voll Zorn und Trauer dem Thema Jugend und Erziehung nähern. Wir haben über Ihre Worte mit großem Ernst in unserem Pädagogenkollektiv gesprochen und an uns geprüft. Da fließt selbstverständlich Gegenwärtiges und Vergangenes mit ein, da an unserer Schule jüngste, ältere und auch solche Lehrer tätig sind, die schon 30 Jahre lang arbeiten. Keiner von uns hat die Republik verlassen, wir sind fast alle in der freien Meinungsäußerung geübt und haben uns aneinander gerieben. So mancher Gedanke der heutigen »Veränderung« wurde in der Vergangenheit diskutiert und an unsere Leitungen weitergegeben. Uns ist nicht bewußt, krumm oder an Krücken gegangen zu sein.

Wir fühlen uns durch Ihre Worte in unserer Würde verletzt, wenn wir nur Menschen erzogen haben sollen, die sich lediglich angepaßt oder bis zum heutigen Tag in ihrem Leben keine eigene Meinung haben oder sie nicht artikulieren können. Meinen Sie, daß die heutigen Erscheinungsbilder − zum Beispiel das Auftreten der FDJ-Fraktion in der Volkskammer, das Auftreten der Studenten an den Universitäten oder vieler junger Menschen auf Demonstrationen − nur dem heutigen Lernprozeß geschuldet sind? Erziehung zur freien Meinungsäußerung ist wie jeder andere Prozeß auch ein lang anhaltender.

Wir verneinen nicht, daß solche Erscheinungen der Entmündigung und verletzter Würde existieren und es manche in ihrem Leben nicht lernten, ihre Meinung zu äußern oder aufgrund der Bedingungen nicht lernen konnten. Es ist für uns doch eine ethische Frage, daß wir immer versuchen, das Denken unserer Schüler, ihre Bestrebungen, ihre Träume und ihr soziales Umfeld zu erfassen. Viele von uns sprechen mit ihren Schülern über Probleme, auch unter vier Augen. Handelten wir nicht so, würden unsere Kinder wie Seismographen reagieren. Sie beobachten sehr genau und spiegeln in ihrem Verhalten Unzulänglichkeiten der Schule oder auch von zu Hause wider. Meist artikulieren sie sie auch. Eine ziemlich große Gruppe unserer Schüler besitzt sehr geringe Scheu, ihre Probleme zu benennen, Forderungen zu stellen oder Fragen zu unserer gesellschaftlichen Entwicklung aufzuwerfen. Wir müssen tagtäglich sehr differenzierte Antworten finden, und keiner käme auf den Gedanken, zu sagen, es gibt nur eine Meinung.

Wir wissen ebenso, daß wir im Unterricht oder auch außerhalb nicht jeden erreichen, nicht jedes Problem klären und es Schüler gibt, die sich anpassen. Was glauben Sie, was aus einem Kind wird, das zu Hause gesagt bekommt, »darüber sprichst du in der Schule nicht«. Oder die Eltern orientieren ihre Kinder mit Hilfe oder auch ohne Westfernsehen auf die Werte des reicheren Nachbarlandes und lehnen alles, was in unserer Gesellschaft existiert, ab. Solche sind auch unter den Ausreisenden, nicht nur solche, denen es nicht gelang, ihr kritisches Bewußtsein im Streit mit anderen Auffassungen zu schärfen.

Außerdem ist und wird unsere Erziehung nicht wertfrei sein. Das leistet sich keine Gesellschaftsordnung. Wir sind, wir betonen es nochmals, einverstanden, daß sich junge Menschen in ihrer Entwicklung nicht gehemmt fühlen und sich frei äußern sollen. Das heißt doch aber auch, sich mit sozialistischem Ideengut auseinanderzusetzen. Es ist ein Leichtes für Sie, rhetorisch so zu arbeiten, daß die Massen Ihre Worte lesen oder Ihnen zuhören. Im Namen vieler Eltern weisen wir Ihre Behauptung zurück, daß Eltern in unserem Lande außer dem Drang nach guten Noten, keine Werte vermittelten. Meinen Sie, daß die jungen Leute, die heute an vielen Orten unserer Republik fleißig arbeiten und noch vieles mehr tun, nichts von ihren Eltern mitbekommen haben als Zensurenhascherei? Wir haben diesen Brief geschrieben, weil uns heute pauschale Urteile nicht weiterhelfen, sondern nur die genaue und konkrete Analyse.

Pädagogen der 4. POS Berlin-Hohenschönhausen

Ich gehöre zu den knapp Vierzigjährigen in unserem Land, denen Christa Wolf erschüttert Dauerschizophrenie in der Persönlichkeitsentwicklung, angepaßte Meinungsäußerung zum Zwecke problemlosen Vorankommens und Unvermögen zur eigenen Meinungsbildung bescheinigt. Ihr Artikel hat mich dazu gebracht, mich zu fragen: »Bist du denn wirklich so?« Ich überschaue wichtige Entscheidungssituationen meines Lebens: Ich war meinen Lehrern immer eine unbequeme Schülerin. Das führte zwar dazu, daß mir auf meinem Abitur-Zeugnis bescheinigt wurde, ich »neigte zeitweilig zu übertriebener Eigenwilligkeit«, aber darauf bin ich noch heute stolz, und es hat mir auch nichts geschadet. Gegen den Willen meiner Eltern habe ich als knapp 18jährige noch während der EOS-Zeit geheiratet, trotz vieler Warnungen während des Studiums auch mein zweites Kind ausgetragen, trotz »persönlicher Gespräche« bin ich weder in der Schul-, noch in der Studienzeit Genossin geworden – und hatte keine Nachteile deshalb. Als ich es dann als junge Lehrerin an der 82. Oberschule wurde, geschah das gegen den Willen zweier Genossinnen, die meinten, daß eine Lehrerin, die wegen Krankheit ihrer Kinder so oft fehlt, nicht würdig ist, Mitglied der SED zu werden.

Ich kann also ehrlichen Herzens sagen: Nein, ich war nicht so! Ich war auch als Lehrerin nicht angepaßt und kann jedem ins Gesicht sehen, wenn ich behaupte: Meine Schüler brauchten bei mir nicht mit zwei Zungen zu reden. Ich unterrichtete Russisch, Englisch, Geschichte, Staatsbürgerkunde und war Klassenlehrerin von achten und zehnten Klassen. Ehrlichkeit zwischen Lehrer und Schüler war mir immer das Wichtigste. Mein Kontakt zu den Schülern erstreckte sich weit über den Unterricht hinaus, mein Haus stand ihnen offen. Und sie haben diese Offenheit weidlich genutzt, besonders in der kalten Jahreszeit, wenn sie einen Ort suchten, wo sie quatschen oder mit der Seele baumeln konnten, wo sie Platten hörten, politisch stritten und ihre neuesten »Kirschen« präsentierten. Und sie haben auch meine eigenen beiden Bengel gebadet, gefüttert und mit mir die Kinderzimmertür gestrichen. Wir hatten uns gern, und die Sympathie war eine gute Brücke für Ideologie. Ich weiß mich in diesem Handeln eins mit sehr, sehr vielen Kollegen. Es ist nichts Besonderes!

Aber – ich wäre unehrlich, wenn ich hier aufhörte mit meinem Nachdenken. Zwei Dinge müssen genannt werden, auch wenn die Einsicht in sie für mich persönlich sehr schmerzhaft war. Erstens: Ich bin als Kind von Genossen erzogen worden, in einer heilen Welt, unter dem Motto: »Die Partei hat immer recht«. Weltanschauliche Gewissenskonflikte waren mir fremd – bis etwa September 1989. Zweitens:

Im Kreise meiner Genossen und Kollegen spreche ich mich seit langem schon für breite gesellschaftliche Polemik aus. Nur – was habe ich denn darunter verstanden? Ich wollte, daß jeder seine Fragen zu gesellschaftlichen Entwicklungsprozessen stellt. Und ich wollte sie ihm überzeugend als Genossin beantworten. Für mich war klar, daß die Partei auf jede Frage antworten muß und auch, daß nur wir, die Partei, die richtige Antwort parat haben. Das Monopol der Wahrheit nahm ich mit größter Selbstverständlichkeit für meine Partei und damit auch für mich in Anspruch. Und weder die Gesellschaft insgesamt noch die Blockparteien und Massenorganisationen belehrten mich resolut eines anderen, besseren. Und in diesem Sinne muß ich, wenn auch übernächtigt, zähneknirschend und mit verheultem Gesicht Christa Wolf recht geben. Und ich muß mich täglich, zähe alte Gewohnheiten abschüttelnd, neu zu dieser *Erkenntnis bekennen*!

Darum halte ich die jetzt in Kreisen der Volksbildung oft gebrauchten Wendungen »Andersdenkende« und »Angriffe auf die Volksbildung« für falsch, weil sie für mich noch dem alten Denken entspringen. Wer sind sie denn, die Anders-denkenden? Die, die nicht so denken wie wir Genossen? Sind es gar »Falsch-Denkende«?! Und warum denn »Angriffe«. Schließt dieses Wort nicht schon »Abwehr« ein?

Ich darf und will nicht wieder in alte Fehler verfallen, wenn ich gemeinsam mit meinen Genossen Selbstverherrlichung und Arroganz in meiner Partei überwinden will. Und, das sage ich jedem unmißverständlich, es ist und bleibt meine Partei. Ich bin überzeugt, daß ihre Führungsrolle gesetzmäßig ist! Aber diese Gesetzmäßigkeit müssen wir Genossen durchsetzen – *ohne* Anspruch auf Monopole! Wir Genossen haben weder das Monopol der Führung noch das der Wahrheit in der entwickelten sozialistischen Gesellschaft! Es ist meine (noch junge) Überzeugung, daß sich Erziehungsarbeit besonders in den Gesellschaftswissenschaften im Disput, im Widerstreit der Meinungen und verschiedenen Weltsichten vollziehen muß. Ich schlage deshalb vor, den Geschichtsunterricht zu überprüfen und den Staatsbürgerkundeunterricht radikal zu ändern. Staatsbürgerkunde muß die Schüler befähigen, im Rahmen *ihrer* Weltsicht und *ihrer* Gesinnung als Staatsbürger zu denken, die eigene Position zu überprüfen und zu handeln. Inhalte sollten deshalb sein die Verfassung der DDR in ihrer ganzen Breite, Ziele und Programme *aller* Parteien, Selbstverständnis und Rolle der Kirche in unserem Land und moralisch-ethische Fragen wie zum Beispiel Sinn des Lebens, Heldentum, Vorbilder, Freundschaft, Liebe, Sexualität, menschliches Miteinander.

Liane Biehl,
Lehrerin, Dresden

Christa Wolf, der ich meinen Respekt bezeuge für ihre aufrechte und kritische Haltung in den vergangenen Jahren, beklagt in ihrem Artikel den Zustand der Volksbildung und der Erziehung in unserer Republik insgesamt.

Ohne sagen zu wollen, daß sich in der Volksbildung nichts verändern müsse, bin ich jedoch der Meinung, daß sie in ihrem Aufsatz die Dinge sehr überzogen hat. Wenn jemand heute behauptet, er könne nicht seine Meinung sagen, weil er es nicht gelernt habe, ist er nicht ehrlich, oder er hat eine miserable Schule besucht, die ich mir nicht vorstellen kann. Unsere Tätigkeit als Lehrer war mindestens in dem Bereich, den ich überblicke, immer darauf gerichtet, von den Schülern eine klare Meinung zu verlangen, weil wir selbst eine nicht mit unserer übereinstimmende Meinung für besser halten als indifferentes Schweigen. Zum anderen sind wir ja nur in der Lage zu reagieren, wenn wir Meinungen und Stimmungen genau kennen. Wenn Schüler in der Vergangenheit nichts gesagt haben oder nur das, was sie glaubten sagen zu dürfen, ist das in den meisten Fällen dem Einfluß der Eltern zu »danken«, die – möglicherweise aus schlechten Erfahrungen im Betrieb – ihre Kinder mit solchen Ratschlägen versehen haben. Dafür gibt es jetzt auch klare Eingeständnisse von Eltern.

Natürlich verlangen wir auch heute noch, daß eine Meinung begründet, daß nicht ein unreifes oder aufgeschnapptes Vorurteil kolportiert wird, wenn Schüler zum Beispiel beginnen, Marx, Engels und Lenin ohne Sachkenntnis »aus dem Handgelenk heraus« zu widerlegen usw. Unsere Kinder werden seit Jahren im freien Sprechen geübt und lernen, wenn sie wollen, einen Diskussionsbeitrag aufzubauen, lernen zu argumentieren, werden angehalten, einen Standpunkt zu aufgeworfenen Fragen zu äußern, wobei wir ihnen jederzeit das Recht auf einen Irrtum einräumen, weil sie bestimmte Erfahrungen, die die Älteren bereits gemacht haben, noch erwerben müssen. Die grundlegenden Deformationen, die Christa Wolf sieht, können wir mindestens mit diesem absoluten Anspruch nicht sehen, wie es natürlich auch *die* Lehrer und *die* Jugend nicht gibt, weil es immer um konkrete Menschen geht.

Unsere Hauptmethode in der Erziehung waren immer Vorbild, Überzeugung, Übertragung von Verantwortung, wobei man einräumen muß, daß das möglicherweise nicht überall voll durchgesetzt war. Und Feindbilder haben wir in unserem Bereich mindestens seit dem Erscheinen des gemeinsamen Dokuments SED/SPD weiter präzisiert und abgebaut.

Nach meiner Auffassung sind wir mit unserem Vorgehen bei den

Schülern bis zur 10. Klasse gut zurechtgekommen. Ohne den Jugendlichen Oberflächlichkeit unterschieben zu wollen, darf man sagen, daß viele unserer großen Schüler zufrieden sind, wenn das Taschengeld stimmt, das Moped läuft und genügend Diskoveranstaltungen stattfinden. Möglicherweise hat sich dieser oder jener auch in eine »Binnenwelt« zurückgezogen aus einer gewissen Protesthaltung heraus. Viele Schüler, gerade der oberen Klassen, zeigten sich oft zu unserem Bedauern wenig politisch informiert. Allerdings gab es in Fragen der Friedenssicherung und Abrüstung in den letzten Jahren einen großen Konsens. So gesehen sind unsere Schüler nicht sehr unterschieden von den Schülern anderer Länder. Wir haben ständig die Gefahr von rechts verdeutlicht, haben sie im streng antifaschistischen Sinn erzogen und sind froh, daß wir nicht wie bundesrepublikanische Schulen das Drogenproblem haben, wenngleich nicht zu übersehen ist, daß Alkohol immer mehr bei Schülern oberer Klassen in der Freizeit eine Rolle spielt. Hätten wir etwa Gedanken der antiautoritären Erziehung aufgreifen sollen, damit sich jeder nach Herzenslust ausleben kann?

Schöpfertum und Kreativität sind von uns immer gefordert, und wenn möglich, auch gefördert worden. Leider sind sie bisher nicht eine Massenerscheinung geworden, wobei Kreativität Freiraum benötigt und nicht staatlich verordnet werden kann. Wir haben beispielsweise in der Literatur Interpretationen gewünscht und erwartet, die von der des Lehrers abweichen – ohne nennenswerte Resonanz –, und wir wären auch froh, wenn unsere Schüler ihre Intelligenz bei bedeutsamen gesellschaftlichen Tätigkeiten beweisen würden. Leider ist das Interesse der Jugendlichen hieran auch sehr gering, wobei die Ursachen sicher komplexer Art sind und nicht den Lehrern angelastet werden können, die sich bemüht haben, trotz aller Bevormundung und Widerwärtigkeiten aus der gegebenen Situation noch das Beste zu machen.

Bei allem, was zu dieser Problematik noch zu sagen wäre, sollten wir auch überdenken, daß unsere Schulen nur ein Teil der Gesellschaft sind und nicht besser sein können als die Umwelt, die sie umgibt. Die da unsere Heimat verlassen haben und sich westlichen Kameras stellten, scheinen nicht selbstunsicher, konnten sich in Konflikten behaupten – wie sich zeigte – und sind nach meiner Überzeugung zum großen Teil nicht aus Protest gegen fehlende Freiheit und Unterdrückung gegangen, sondern um teilzuhaben am materiellen Wohlstand der westlichen Welt.

Wir wollen nicht den Eindruck erwecken, als sei in unserem Bereich alles in Ordnung. Zu reden ist über manches, zum Beispiel über die Durchsetzung des Leistungsprinzips auch in der Schule, über die Handhabung der führenden Rolle des Lehrers, über die Überwindung des Dirigismus, über Verantwortlichkeiten, über Eingriffe vorgesetzter Organe in die Leitungstätigkeit von Direktoren, über die Durchsetzung des Prinzips der Freiwilligkeit in der außerunterrichtlichen Tätigkeit und vieles andere mehr. Aber klar sein sollte auch, wie es die Leitung unseres Ministeriums in ihrer ersten Stellungnahme zum Ausdruck gebracht hat, daß nicht alle ungelösten Probleme der Schule und den Lehrern angelastet werden können.

Dr. Hans J. Kühne,
Direktor einer POS, Hoym

Die Erziehung in den Schulen unseres Landes, die, wie Christa Wolf schreibt, zur »Dauerschizophrenie« führte, ist gewiß eine der ganz entscheidenden Wurzeln der heutigen Krise. Der Versuch der partiellen Paralysierung kritischen Denkens und Auseinandersetzens muß bei jedem Menschen, besonders aber bei Kindern und Jugendlichen zum Absterben von Kreativität, Phantasie und Freude am Lernen führen. Die so von der Volksbildung »aufbereiteten« Schüler kommen dann zu uns an die Hochschulen und stehen ihren Hochschullehrern stumm und voller Mißtrauen gegenüber, und nicht immer zu Unrecht.

Aus einem sklavisch folgsamen Staatsbürger kann kein schöpferischer, erfolgreicher Wissenschaftler werden. Diese Misere schlägt sich nun schmerzlich in Wissenschaft und Wirtschaft nieder, und konkrete Personen sind dafür verantwortlich. Es gibt aus meiner Sicht nur eine Konsequenz: den Rücktritt aus ihren Ämtern.

Dr. Edith Zuhrt,
Mathematikerin, Schildow

Ich gehöre nicht zu denen, die sich jemals mit dem Gedanken getragen haben, unser Land zu verlassen. Ich bin 46 Jahre alt, alleinstehend, wie man so sagt, habe eine 21 jährige Tochter. Seit meinem 17. Lebensjahr bin ich Mitglied der SED, also fast 30 Jahre! Erzogen in dieser und von dieser Partei ... Ich gehörte von Anfang an zu den Ungeduldigen, die nicht nur mit originellen Ideen aufwarten, sondern sie selbst auch durchsetzen. Ich bin Optimistin geblieben – bis zum letzten Montag (6. November 1989).

Um zu verstehen, müssen Sie wissen: Ich unterrichte an einer Berliner Sportschule die Fächer Staatsbürgerkunde und Russisch. Sie kennen vielleicht die Dispute um diese beiden Fächer in unserer Gesellschaft. Lange schon sah ich den Streit darum voraus. Aber nicht der entfachte Streit beunruhigt mich in erster Linie, sondern vielmehr die Tatsache, wie wir Lehrer angegriffen werden und jetzt von staatlichen Leitungen, von eigenen Kollegen mit all unseren Problemen alleingelassen werden. Gewiß, jeder, speziell ein Staatsbürgerkundelehrer, muß vor sich, seinen Schülern, den Eltern usw. selbst Rechenschaft ablegen, muß mit sich ins Gericht gehen. Und so gesehen, empfinde ich die Prüfung meiner Person durch zahlreiche meiner Kollegen nicht so strafend, wie manch anderer Fachkollege es empfinden müßte. Ich denke, mein Unterricht war stets getragen von Lebensverbundenheit. Unruhe muß ich wohl vor allem bei Leitungen ausgelöst haben, wenn ich mir mit den Schülern »Extravaganzen« einfallen ließ und lasse: Russischunterricht mit sowjetischen Bürgern, auf sowjetischen Schiffen in Wismar, langfristige Aufträge mit »Untersuchungen« in der Praxis für Staatsbürgerkunde, Besuch von Kreistagssitzungen mit anschließender Auswertung, Betriebsbesichtigungen zu ökonomischen Problemen. Das alles und mehr in der Zeit meines Parteiauftrages von scheinbarer Lebenslänglichkeit, im Kreis Grevesmühlen/Westgrenze wirken zu müssen (ich stamme aus dem Erzgebirge).

1985/86 wagte ich es, endgültig einmal über mich selbst verfügen zu dürfen, es glückte meine Versetzung, besser gesagt der Umzug nach Berlin, nachdem ich vorher aus meiner Funktion als stellvertretender Direktor abberufen worden war. Was mich immer wieder neu motiviert, »Großes« oder »Kleines« zu probieren, an Brennpunkten des Lebens zu bestehen, ist wahrscheinlich mein Entwicklungsweg, auf den ich unendlich stolz bin: drittes Kind einer Bergarbeiterfamilie, Abschluß der 8. Klasse mit »gut«, eine nicht geradlinig verlaufene Berufsausbildung mit schließlich ein paar Erfahrungen in der materiellen Produktion – Erfahrungen, die mir sehr teuer sind, von denen ich immer noch zehre. Es folgte 1960, dank meiner Genossen, mein erstes Direktstudium. Es forderte mir alles ab. Noch während des Studiums bat ich darum (die Zensuren waren zu der Zeit nicht für eine Auswahl »von oben«), mir die Chance zu geben für ein weiteres, drittes Jahr Intensivstudium Russisch, weil Lehrer in dieser Fachrichtung gebraucht wurden. Mein erster Besuch in der Sowjetunion (zum 45. Jahrestag der Oktoberrevolution) beeinflußte meinen weiteren Lebensweg maßgeblich.

Es folgte die Zeit der berühmten »Selbstverpflichtungen«: »Ich erkläre mich bereit, nach Abschluß meines Studiums dort tätig zu sein, wo Partei und Staat mich brauchen.« Als »kaderpolitisch einwandfrei« eingestuft, kam es für mich nach einer menschenverachtenden Tortur zum Einsatz in der »Sperrzone« (Westgrenze bei Lübeck), obgleich ein ärztliches Gutachten existierte, wonach man empfahl, mich als schwer Asthma-Kranke, wenn schon im Norden, dann im Kreis Bad Doberan einzusetzen.

Gegen ein amtliches Attest des Kreisarztes mußte ich nach einem einjährigen Direktstudium an der Bezirksparteischule Rostock 1971/72 (was ich nicht missen möchte) ein weiteres Fernstudium, diesmal Staatsbürgerkunde, aufnehmen (ein fünfjähriges Fernstudium für Russisch hatte ich in Güstrow als werdende Mutter abgeschlossen). Dank verständnisvoller Genossen an der Pädagogischen Hochschule Leipzig glückte mir auch das Diplom zum Fachlehrer für Staatsbürgerkunde. Seit 1968 alles und immer mit meiner Tochter an der Seite! Nichts ist mir in den Schoß gefallen. Ich bin nach wie vor Lehrer – nicht Oberlehrer, oder was es da alles gibt. Ich teile mein Schicksal gewiß mit vielen anderen Kollegen dieses Landes. Befördert wurden für gleiche Abschlußergebnisse oder »geradlinige Entwicklung« alle diejenigen, die bei den Abteilungen Volksbildung, in den Kreisleitungen der SED usw. tätig waren (oder sind?) beziehungsweise Schulräte und ähnliche Personen »gut kannten«. Zu selten war bisher ein »Lehrer-Kämpfer« für den Sozialismus darunter, den Sie, liebe Christa Wolf, und Tausende anderer ehrlicher Menschen unseres Landes erträumen.

Verraten und alleingelassen, hintergangen, vielleicht sogar als Spinner bezeichnet, sehe ich mich durch meine jetzige Partei- und Schulleitung. Nach zweijähriger »Anpassungszeit« an die Gepflogenheiten einer Kinder- und Jugendsportschule (ein Staat im Staate) begann ich mich stärker als bislang durch meine Arbeit zu wehren, fand zunehmend bei Schülern und Eltern Zustimmung. Ich machte unter anderem auch Aufzeichnungen von Massenmedien der BRD und setzte sie im Unterricht ein (Sie selbst wissen es besser als ich, daß Inhalte von BRD-Medien ebenfalls einer differenzierten, sachlichen Betrachtung bedürfen). Ich war mit meinen Schülern vor dem 12. Oktober auch in der Gethsemane-Kirche, um zu eigener Urteilsfindung zu gelangen. Wir hatten einen in der »Jungen Welt« vorgestellten Arbeiter von »Elektrokohle« bei uns zu Gast. Ich trug mit meinen Schülern am 28. 10. 89 beim Zentralrat der FDJ das Problem der Abschaffung der Zensierung im Staatsbürgerkundeunterricht (so wie sie bislang gelehrt werden sollte) vor, es ist ja sofort aufgegriffen worden ...

Als DSF-Vorsitzende an meiner Einrichtung unterstütze ich alle Veranstaltungen mit Dr. Ralf Schröder, um Klarheit in die Köpfe solcher und solcher Kollegen zu tragen betreffs des Stalinismus, aber ich gehöre auch zu denen, die gestern abend mit dem »Kommunistischen Manifest« in der geballten Faust vor dem ZK-Gebäude standen und von zahlreichen westlichen Journalisten gefilmt, fotografiert, auch gelobt wurden. Ich war zu dieser Kundgebung gegangen (hatte unmittelbar vor Egon Krenz bereits am Mikrofon das Wort erhalten, trat dann aber, ohne mein Anliegen vorgetragen zu haben, zurück, um ihm Gelegenheit zu geben ...), ich war also unter diesen Tausenden, um mich für das Neue einzubringen. Und hätte ich zu Ende sprechen dürfen oder können – ? –, ich hätte es nicht verschwiegen, daß meine Parteileitung mich nahezu für einen Denunzianten gehalten hat, als ich sie aufforderte, mit mir zu dieser Kundgebung zu gehen. Einer der Genossen, ein ganz junger, beschwichtigte mich – nein, wollte mich beschwichtigen, es hätte doch gar nichts im »Neuen Deutschland« gestanden ...

Selbstbesinnung, wie schwer, wie lange wird es dauern bis zum sichtbaren, spürbaren, hörbaren, so nötigen Erfolg! Ich weiß, ich muß, um noch besser mitzureißen, vielleicht ruhiger, freundlicher meine Überzeugung an die Genossen Leiter und Funktionäre herantragen, aber es gelingt mir einfach nicht, die stille Art zu finden, mit »Viertelkommunisten« und »geschäftigen Jammermarxisten« umzugehen. Aber warum auch sanft mit ihnen sein?

Freunde gaben mir die Kraft, in dieser Partei zu bleiben, die ich am eingangs erwähnten Montag zu verlassen beabsichtigt hatte. Ich will für meinen Teil auch weiterhin all meine Kraft, meine Erfahrungen, mein Wissen, mein Herz einbringen für die Bildung und Erziehung einer Jugend, die vor mir nicht weglaufen muß.

Margitta Rudolf, Berlin

Nachsatz vom 19. 1. 1990: Seit meinem Brief an Christa Wolf überschlagen sich die politischen Ereignisse. Aus meiner Verantwortungswilligkeit heraus habe ich mit vielfältigsten Mitteln versucht, zu bedenken zu geben, zu verändern, zu helfen, kurz: für unser Land zu tun, was in meiner Kraft steht. Inzwischen stehe ich vor der Frage: Wie weiter in meinem Beruf, für den ich mich doch so sehr engagiert habe. Ich komme mir von der Partei, in der ich 30 Jahre aus tiefster Überzeugung wirkte, verlassen vor. Quälende Wochen, schlaflose Nächte, bittere Tränen. Ich bleibe der Sache, für die ich immer kämpfte, treu – aber ich verlasse heute die Organisation mit ihrer Sprachlosigkeit, ihrer Zwiespältigkeit, ihren vermoderten Strukturen. Ich verlasse mit tiefem Bedauern eine Organisation, die auch *mein* Vertrauen mißbrauchte, indem sie das eine sagte, aber, wie ich zunehmend begreifen muß, oft etwas anderes meinte.

Sollten jemals ehemalige Schüler von mir diesen Brief lesen, so bitte ich sie auf diesem Wege aufrichtig um Verzeihung.   M. R.

Ich muß meine Meinung hier wohl sehr komprimiert sagen, auch wenn das die Gefahr von Mißverständnissen birgt. Trotzdem: Der Artikel von Christa Wolf war nach meinem Empfinden unmißverständlich. Ich setze meine Meinung dagegen:

Viele Lehrer an den Schulen unseres Landes betrachteten die Ergebnisse ihrer Arbeit durchaus kritisch. Und nicht erst seit diesem Artikel. Ich bin auch überzeugt, dem Ministerium für Volksbildung liegen seit langem Vorschläge aus Schulen zu unterschiedlichen Bereichen pädagogischer Arbeit auf dem Tisch. Nein, nicht *auf* dem Tisch. Leider müssen wir aber zugeben, daß wir nicht so viel Zivilcourage aufbrachten wie Christa Wolf.

Wir wissen also sehr wohl, um nur ein Beispiel zu nennen, daß die Befähigung zu freier Rede oder gar zu kontroversen Auseinandersetzungen ungenügend entwickelt wurde. An welchen Gegenständen hätte man das auch entwickeln sollen? Aber kann man daraus den Schluß ableiten, die Jugend als von der Schule zur Unwahrheit erzogen, entmündigt, entmutigt darzustellen? Offenbar ist Christa Wolf der Meinung, daß überall im Land die Kinder und Jugendlichen als Heuchler oder mit Bewußtseinsspaltung umhergelaufen sind; ob ihnen das nun bewußt ist oder nicht.

Einige Sätze empfinde ich wirklich als beleidigend – nicht nur für Lehrer. Ihr Nebensatz von den »guten Lehrern« relativiert nach meinem Empfinden nicht den insgesamt eher vernichtenden Tenor des Artikels. An vielen Schulen – und ich kenne einige – werden die Kinder *er*mutigt, wird behutsam gefördert und auch gefordert (trotz der in einigen Fächern unbefriedigenden Bildungsinhalte, die verändert werden müssen). Kennt Frau Wolf so viele Schulen, daß sie so stark verallgemeinert? Und die vielen, vielen Lehrer, bei denen *jedes* Kind in guten Händen ist, die kein Kind jemals beschädigt haben? Wie gesagt, der Nebensatz von den guten Lehrern kann Frau Wolf nicht den Vorwurf ersparen, aus persönlich schlechten Erfahrungen unstatthaft zu verallgemeinern. Für all das Beschämende zum Beispiel an der Carl-von-Ossietzky-EOS (Berlin-Pankow, d. Red.), schämen wir Lehrer uns sowieso mit.

Aber durch diesen Artikel werden, vielleicht unbeabsichtigt, Leute bestärkt, die oberflächlich und tendenziös auf der einen Seite die Ausreiser, Randalierer, Faulpelze und Lügner der Schule zuschreiben, die Klugen, Mutigen, Fleißigen, von deren politischer Reife die Autorin so beeindruckt ist, aber der Erziehung durch die Eltern oder »durch sich selbst«.

Das als Einstieg gewählte Beispiel der vierzigjährigen Mecklenburgerin scheint mir angesichts der vielen klugen Gedanken, die allerorten vorgetragen werden, nicht glücklich gewählt. Wenn jemand seine Unfähigkeit, sich zu artikulieren, auf die Schule schiebt, die er vor mehr als 20 Jahren verlassen hat, dann wäre es doch angebracht, sich selbst kritisch zu befragen, statt wehleidig auf die Gesellschaft zu zeigen. Es eignet sich als künstlerisches Mittel – gewiß. Aber es gibt sicher bessere Beispiele, wenn man nicht gerade eine weitverbreitete Dauerschizophrenie beweisen will. Vom Romançier und Essayisten wird ja literarische Zuspitzung erwartet. Politische Auseinandersetzung ist etwas anderes, denke ich. Vielleicht wird der »Professor Unrat« des 20. Jahrhunderts noch geschrieben werden. Aber in der Tagespolemik heute tut Sachlichkeit not, um aus dem quälenden Nachdenken heraus einen neuen Weg zu finden. Und dabei helfen mir eher die Bücher der Christa Wolf mit ihrer ganz diffizil dargestellten Kunstwahrheit.

Die Wende habe *ich* leider nicht oder kaum mit herbeigeführt, im Gegensatz zu Christa Wolf. Aber vielleicht doch manche unserer klugen, mutigen Schüler? In einem bin ich mir mit Christa Wolf sicher einig: in dem Wunsch, daß überall kompetente Leute an die richtige Stelle kommen; daß die Tribünen abgeschafft werden, wo »die da unten« denen »da oben« zuwinken, und daß keine größenwahnsinnigen Objekte mehr gebaut und keine ebensolchen Feste mehr gefeiert werden.

Ursula Klemm,
Eisenhüttenstadt

Der Artikel *Das haben wir nicht gelernt* war für uns Anlaß, mit Schülern und Lehrern nochmals über unsere Arbeit zu diskutieren. Einerseits sind wir dankbar für die Überlegungen der Schriftstellerin Christa Wolf, andererseits möchten wir aber auch unseren Widerspruch äußern. Wir, das sind die Pädagogen und Mitarbeiter der Etkar-André-Oberschule in der mecklenburgischen Kleinstadt Parchim. Unsere Schule ist keine Musterschule, und wir leben nicht auf einer Insel. Wir lehnen Lobhudelei ab, freuen uns über Erfolge, wissen aber auch um unsere Probleme.

Wir sind der Meinung, daß die Auffassung, »daß unsere Kinder in der Schule zur Unwahrheit erzogen und in ihrem Charakter beschädigt werden«, nicht den Tatsachen entspricht. Unehrlichkeit, zwei Gesichter sind eher Ausdruck des Widerspruchs zwischen Elternhaus und Schule. Wir beobachten: Oftmals haben Eltern keine Zeit für ihre Kinder, Fernsehen ist die beliebteste Freizeitbeschäftigung, persönliche Interessen der Eltern treten vor die der Kinder. Materielles Denken – Denken in Zensuren – Verwöhnen werden im Elternhaus anerzogen, Herzensbildung aber wenig.

Wir haben gelernt, den Charakter eines Schülers nicht nur an Zensuren zu messen. Wir bemühen uns, alle unsere Schüler zu achten, haben ein gutes Verhältnis zueinander. Sie sind nicht »selbstunsicher, entmündigt, häufig in ihrer Würde verletzt«. Unsere Arbeit ist darauf gerichtet, sie zur Achtung vor der Arbeit, zur Kameradschaftlichkeit, Hilfsbereitschaft, aber auch zu Ordnung und Disziplin zu erziehen. Oder gehört das nicht mehr zu unserer Gesellschaft? Auch Lernen und Arbeiten muß man lernen.

Wir stimmen dem zu, was Christa Wolf über die politische Reife unserer jungen Menschen in gegenwärtigen Gesprächen sagt. Sie zeugen auch davon, daß junge Menschen das Denken von *vielen* guten Lehrern gelernt haben. Nachrichten westlicher Massenmedien sind unserer Meinung weniger dazu angetan. Unsere Arbeit als Lehrer wird nur dann Früchte tragen, wenn sie von der Gesellschaft anerkannt und unterstützt wird. Das betrifft neben den Eltern besonders den Jugendverband und unter anderem auch die Kunst.

Man sagt uns nach, wir wären empfindlich gegenüber Kritik. Ja, wir müssen das Zuhören besser lernen und nicht gleich auf jede Frage oder Standpunkt eine Entgegnung parat haben. Wir wollen gerne mehr Zeit der eigentlichen Arbeit mit den Schülern widmen. Wir wissen um unsere Probleme, sprechen sie ehrlich aus und klären sie mit denen, die sie angehen. Wir wünschen uns nicht eine Diskussion über uns, sondern mit uns Lehrern und Schülern. Und wir sind gerne bereit,

Sie, Frau Wolf, bei Ihren »Annäherungen an das Thema Jugend« zu unterstützen. Grundvoraussetzung für ein gutes Leben in unserem Land ist unserer Meinung nach fleißige, ehrliche Arbeit. Und so wollen wir es halten.

Pädagogen der Etkar-André-Oberschule,
Parchim

Ich habe lange gebraucht, um diese Anschuldigungen zu verarbeiten, die aus den »Überlegungen der Schriftstellerin Christa Wolf« herausklingen. Nach ihren Worten laufen heute bei uns nur gebückte Menschen herum, haben Hunderttausende von Lehrern umsonst gearbeitet, ja umsonst gelebt. Ich fühlte mich in meiner Würde tief verletzt und bezweifle, daß Frau Wolf all diese Dinge gut durchdacht hat. Bisher habe ich Christa Wolf geschätzt und fast schon verehrt, doch damit hat sie mich ungeheuer enttäuscht.

Ich bin seit 40 Jahren Lehrer und war bisher der Meinung, alles, was in mir steckt an menschlichen Werten, den Kindern vermittelt zu haben. Doch nun muß ich hören, daß ich, im Gegenteil, meine Schüler zur Unwahrheit erzogen habe, daß ich ihren Charakter schädigte, sie gegängelt und entmutigt habe. Wäre ich ein labiler Charakter würde ich mir ob meiner Schlechtigkeit und meiner menschlichen Unfähigkeit das Leben nehmen, denn es wäre sinnlos gewesen.

Natürlich gebe ich zu, meine vielen Schüler nicht zu solchen Gewalttaten, wie sie im und am Dresdner Hauptbahnhof geschahen (nicht durch die Sicherheitsorgane wurde der Bahnhof fast seiner gesamten Scheiben beraubt, und nicht die Lehrer trieben ihre Kinder auf die Gleise, um Züge zu stoppen), erzogen zu haben, doch gegen viele ihrer Behauptungen möchte ich mich verwahren. Denn eins steht fest, unser ganzes Streben ging dahin, die Kinder für friedliches Mit- und Nebeneinander ermutigt zu haben. Christa Wolf möge sich die Selbstunsicherheit, die Entmündigung (ein neues Schlagwort) und die verletzte Würde der »Kinder der DDR« unvoreingenommen in den meisten Schulen ansehen. Frau Wolf hat eins erreicht – die Entwürdigung des Lehrers und damit die Selbstunsicherheit in dieser Berufsgruppe. Sie hat erreicht, daß Eltern und Schülern zu den Lehrern sagen, daß alle Erziehung und Bildung von seiten der Schulen nur schädlich war und damit auch keine Notwendigkeit der Achtung der Arbeit des Lehrers bestünde. Vielen Dank für die Erschwernis und das Infragestellen unserer wahrlich nicht immer leichten und erfreulichen Arbeit.

Manfred Lehmann,
Lehrer, Leipzig

Mit Erschütterung las ich das Echo, das Christa Wolfs Ansichten zur Situation in der Volksbildung in Lehrerkreisen ausgelöst haben. Da ich selbst Lehrer bin, ergreifen mich Scham und Mutlosigkeit über das Unverständnis, das so viele meiner Kollegen für Christa Wolfs Gedanken aufbringen.

Was an der Carl-von-Ossietzky-EOS geschehen ist, wäre an jeder anderen derartigen Institution unseres Landes bis vor kurzem ebenso abgelaufen, und was in den Lehrerbriefen aus der »Wochenpost«, Nr. 46, an Beschönigendem und Konservativem zum Ausdruck kommt, zeigt nur, daß es höchste Zeit ist, etwas für unsere Kinder zu tun. Der Konsens, den ein Lehrer in seinem Verhältnis zu seinen Schülern zu finden vermochte, beruhte doch auf der stillschweigenden Übereinkunft, zu manchem Problem seine Gedanken besser nicht einzubringen.

In Anbetracht des für die meisten Kinder Unwiederbringlichen, das ihnen an unseren Schulen, insbesondere auf den Gebieten von Philosophie und Geisteswissenschaften bisher vorenthalten wurde, ist es höchste Zeit, gerade in unserer Berufsgruppe Positionen kritisch zu überdenken und gute und kompetente Ratschläge zur rechten Zeit dankbar entgegenzunehmen, statt gekränkt und selbstzufrieden zu reagieren. Derartige Leserbriefe können doch nur bestätigen, daß wir auch in der Lehrerausbildung eine unproduktive geistige Enge überwinden müssen.

Burkhart Hämmerlein,
Lehrer für Mathematik/Physik, Gera

Liane Biehl und Elke Wallenhauer, Lehrerinnen wie ich, haben sich gewiß längst ob ihrer Reaktionen auf Christa Wolfs Überlegungen (»Wochenpost«, Nr. 46; d. Red.) geärgert. Ich denke, beide sind Lehrerinnen, die Rechtfertigungen dieser Art nicht nötig haben. So darf man Christa Wolf nicht verstehen! Sie hat sehr deutlich allen Lehrern gedankt, die ihre Schüler haben denken lassen! Jeder muß mit sich selbst »abrechnen«.

Es geht doch, und hier sollten wir uns alle einbringen, um die grundsätzliche Abschaffung von Einschränkungen (es gab derlei viele!), die dem Erreichen von freien, verantwortungsbewußten, in Charakter und Individualität nicht deformierten Jugendlichen im Wege standen. Nur ein Beispiel: Unter den Jugendlichen wuchs eine sehr gefährliche Art von Opposition – der Neofaschismus! Und das seit Jahren! Wir wollten und wir durften diese Tendenzen nicht wahrhaben. Lief man doch selbst Gefahr, zu jenen Leuten gerechnet zu werden, wollte man eine derartige Diskussion entfachen. Sie wären so wichtig gewesen! Aber ohne grundlegende Veränderungen unseres gesellschaftlichen Lebens eben auch erfolglos. Auf daß alle Lehrer, die im Dienst bleiben (bleiben wollen), fähig zum freien Denken und Handeln sind beziehungsweise werden!

Ruth Neukirch (41),
Lehrerin für Deutsche Sprache und Literatur, Freiberg

Werte Frau Christa Wolf, Ihren Beitrag in der »Wochenpost«, Nr. 43, habe ich wie alle mir zugänglichen Wortmeldungen zu den in Gang gekommenen gesellschaftlichen Prozessen in unserem Land sehr begierig gelesen. Es war mir einfach wichtig zu wissen, mit welcher Courage und mit welchen Argumenten Menschen wie Sie in die Mediendiskussion eingreifen.

Ich bin seit 34 Jahren als Lehrer tätig, stehe seit 13 Jahren als Direktor einer Schule vor, war zwischenzeitlich sechs Jahre im Ausland tätig und hatte verschiedene andere Funktionen im Schulwesen inne – da ist man schon ansprechbar, wenn es ums Lernen geht. Ich teile Ihre Sorge, die Sie sich um den Aderlaß machen, von dem unser Land betroffen ist, insbesondere darüber, daß uns auch so viele junge Menschen den Rücken kehrten, und ich akzeptiere auch einige der von Ihnen genannten Gründe. Dennoch habe ich nicht zu allen aufgeworfenen Problemen den gleichen Standpunkt.

Sie heben den Ernst und Einfallsreichtum der Jugend hervor, loben ihre Standhaftigkeit und den Humor, ihre Phantasie und Bereitschaft. Diese Einstufung der Jugend gefällt mir, obwohl ich sie beinahe ein bißchen für zu positiv halte, denn der Grad der Ausprägung dieser Eigenschaften ist ja doch sehr unterschiedlich. Mir scheint aber, daß Sie diese Entdeckung erst in jüngster Zeit gemacht haben; jedenfalls folgere ich das aus der in Ihrem Beitrag folgenden Klammerbemerkung. Ich könnte Ihnen viele Beispiele aufführen, die eindeutig belegen, daß die genannten Eigenschaften keine Ergebnisse der Dialogpolitik sind, sondern schon vorher ausgeprägt waren.

Sie sind beeindruckt von der politischen Reife unserer Jugend. Auch ich stelle jedesmal nach Diskussionen den Vergleich mit früheren Schülergenerationen an und bestätige Ihnen, daß es beträchtliche Fortschritte gibt. Ich stimme Ihnen auch zu, daß die aktive Mitverantwortung der Jugendlichen für die Gesellschaft als starkes Motiv für Heimattreue wirkt, und ich füge hinzu, daß in dieser Hinsicht beträchtliche Reserven noch brachliegen, vor allem deshalb, weil wir nicht immer die dazu nötigen organisatorischen Fragen beherrschen.

Ihre Urteile zum Schulwesen und dessen Anteil an der Erziehung unserer Kinder und Jugendlichen haben mich dagegen enttäuscht, ja eigentlich empört. Sie gehen von einer Frau um die 40 aus, die ganz zufällig Ihre Veranstaltung besucht und nicht einmal ihre eigene Meinung ganz genau kennt. Ich gestehe, daß ich beim ersten Lesen den Verdacht hatte, daß es sich um ein konstruiertes Fallbeispiel handelt, an dem sich die Meinung über die Volksbildung für den Leser eindrucksvoll abspulen läßt. Die Generation der heute Vierzigjährigen hat zwar 10 Jahre lang die Schule besucht, sie hat aber auch ca. 20 Jahre lang im Bedingungsgefüge der elterlichen Familie gelebt und möglicherweise 20 Jahre eine eigene Familie geführt. Auch das nach Jahrzehnten zählende Berufsleben soll nicht unerwähnt bleiben. Und da finden Sie keine anderen Ursachen, als alles auf ein Versagen der Schule abzuwälzen?! Ich bin sehr verwundert, daß sie es sich so leicht machen! Fühlen Sie sich wirklich so kompetent, daß Sie sich in Ihrer Beurteilung des Schulwesens den gewiß nicht schmeichelhaften Begriff »Dauerschizophrenie« leisten? (Ich bin doch richtig in der Annahme, daß Sie Ihr Beispiel von der Frau, die da »leise und traurig« eingestand, daß sie ihr Leben lang gegängelt wurde und bis heute ihre eigene Meinung nicht kennt, als repräsentativ betrachten?) Wissen Sie wirklich genügend um die Bemühungen der Lehrer – nicht nur der wenigen, die Sie im zweiten Absatz aussparen – um einen lebensverbundenen Unterricht? Haben Sie wirklich soviel Einblick in den Schulalltag, um unsere mit viel Engagement geleistete Arbeit als Schaumschlägerei zu bezeichnen? Ich muß Ihnen sagen, daß Ihre Schriftstellerkollegen, die in unserem Kollektiv zu Gast waren, bei Meinungsverschiedenheiten doch entschieden feiner behandelt wurden.

Vielleicht beruhigt es Sie, wenn ich Ihnen versichere, daß weder in meinem jetzigen Wirkungsbereich noch in früheren jemals ein Kind geknebelt wurde, nur weil es eine andere Meinung zu den Dingen hatte, die gerade im Gespräch waren. Und auch ich persönlich habe als EOS-Schüler Anfang der fünfziger Jahre, in einer, wie Sie wissen, ebenfalls brisanten Zeit, niemals eine solche Erfahrung machen müssen, obwohl ich als streitbarer Charakter mit der öffentlichen Meinung so manches Mal nicht in Übereinstimmung war. Im Gegenteil, wir Lehrer wünschen den Meinungsstreit, provozieren ihn manchmal, wenn er nicht von allein entsteht, weil der Erwerb von Fähigkeiten im Argumentieren eine bedeutende Etüde für das Leben ist, auf daß es unseren Schülern nicht so ergehe wie jener Frau aus dem Mecklenburgischen.

Ich will nicht ausschließen, daß es hier und da die von Ihnen skizzierten Beispiele gegeben hat, und ich gebe freimütig zu, daß wir im Volksbildungswesen so manchen »Schlenker« durchgemacht und Überhöhungen und Unterlassungen zu verzeichnen hatten. (Ich sehe da übrigens ganz deutlich eine Parallele auch zu Ihrer Berufsgruppe.) Aber eine Bevormundung, Entmündigung und Entmutigung unserer Schüler im Sinne einer gewollten Absicht hat es zu keiner Zeit, jedenfalls nicht in meinem Beobachtungsradius, gegeben!! Glauben Sie wirklich, daß wir unsere öffentlichen Diskussionen in unseren Fachzeitschriften zu allen pädagogischen und didaktischen Fragen mit viel Aufwand deshalb führen, um unsere Kinder in ihrer Entwicklung zu hemmen, wie Sie im zweiten Abschnitt feststellen?

Ich hätte es lieber gesehen, wenn Sie solche Unzulänglichkeiten aufgespießt an den Pranger gestellt hätten, mit denen wir uns tagtäglich herumschlagen müssen und die unsere Investitionen in die Schüler erheblich belasten. Da wäre das leidige Problem der Busverspätungen im Schülertransport zu nennen, von dem Sie in der Hauptstadt keine Ahnung haben, da ist die Tatsache, daß es erst einer bezirklichen Kommission bedurfte, um nun endlich die Alu-Bestecke in unserer Schulspeisung abzulösen, und die Wünsche vieler Eltern nach Englischunterricht für ihre Kinder als Alternative zu Französisch konnten noch nicht erfüllt werden. Auch in der Forderung vieler Direktoren, eine vernünftige Koordinierung aller Freizeitangebote unserer Partner für die Schüler im Sinne einer angemessenen Dosierung endlich einmal zu erreichen, sind wir keinen Schritt vorangekommen. Und bei so mancher administrativen Entscheidung sind wir in den Clinchzustand geraten!

Uns bleibt bei allen Unzulänglichkeiten auf dem zuletzt genannten Gebiet jedoch der Optimismus, daß diese Angelegenheiten, die nun nicht mehr in der Versenkung, sondern im Lichte der Öffentlichkeit behandelt werden, baldmöglichst gelöst werden. Sie unternahmen, wie Sie schreiben, die erste Annäherung an das Thema »Jugend«. Ich hoffe, Sie setzen sie fort.

Ich halte es für notwendig!

Studienrat
Helmut Hoppe,
Gardelegen

Selten hat mich ein Artikel so empört wie der der Christa Wolf in der »Wochenpost«, Nr. 43, aber ebenfalls selten war ich so befriedigt und erfreut, wie über die Antworten der Leser in Nr. 46. Ich will nichts wiederholen, könnte aber jedes der entgegneten Worte bekräftigen.

Einige Fragen bleiben für mich jedoch noch offen. Ich bin heute über 70 Jahre alt. 1949 kehrte ich nach 12jähriger Abwesenheit nach Hause zurück. Um mein Medizinstudium fortzusetzen, fehlten mir damals Geld und Protektion. Wenn Christa Wolf in diesen Jahren studieren konnte, soll sie sehr glücklich darüber sein. Ich frage aber, was tat sie in den weiteren 40 Jahren? Darüber sollte sie schreiben und sich nicht zum Sprecher einer – nach ihrer Meinung – unmündigen Menschenmasse machen.

Ich war Lehrer mit Leib und Seele, wie man so schön sagt (in der vierten Generation), und ich kann ihr versichern, daß Tausende von Lehrern oft verbittert und hartnäckig ihre Schüler »auf das Leben, wie es wirklich war« vorbereiteten. Die Resonanz spüre ich heute täglich im Zusammentreffen mit meinen Schülern. Wir konnten nicht freischaffend von Ost nach West reisen, sondern von Montag bis Sonnabend an die Schule gebunden, kämpften wir um die Verwirklichung unserer Erziehungs- und Bildungsvorstellungen, und vieles von dem finde ich heute in den »neuen« Bildungskonzeptionen wieder. Oft wurde man zurückgestoßen, an die Kandarre genommen und, was meine Frau und mich selber betrifft, auch bestraft. Trotzdem haben wir nicht aufgegeben. (Wie Sie sehen, auch als Rentner nicht.) Zum Ergebnis dieser Arbeit zählen wohl auch die Antworten der Leser aus Nr. 46. Das ist unser schönster Lohn.

Völlig falsch ist die Einschätzung von Frau Wolf, daß die Älteren den jungen Menschen nichts oder zu wenig von ihrer Kindheit und Jugend erzählt hätten. Mit einem ganzen Band selbsterlebter typischer Begebenheiten, die ich mir zusammengestellt hatte, unterrichtete ich unter anderem im Geschichtsunterricht der Klasse 9. Dabei brachten die Schüler oft eigene Beiträge ein, die sie von ihren Eltern wußten. Diese Art zu unterrichten war die Ursache einer erfolgreichen Arbeit im Geschichtsunterricht und auch dessen Beliebtheit. Das kann ich heute mit gutem Gewissen sagen. Als ich jedoch diese »Geschichten« dem Pädagogischen Kreiskabinett vorlegte, wurden sie mit fadenscheinigen Gründen abgelehnt, was mich bei unserem damaligen Kreisschulamt nicht wunderte, aber verbitterte.

Zurück zum Artikel von Frau Wolf. Einen guten Rat möchte ich ihrer ganzen Berufsmannschaft sagen. Viele und auch sie selbst sollten ihre Überheblichkeit ablegen. Sie sollen für sich sprechen. Wir brauchen keine Vorbeter und vertreten unsere Angelegenheiten am besten selber. Und wenn am Schluß des Artikels die Rede ist von (anscheinend sehr vielen) Journalisten, Soziologen, Psychologen, Gesellschaftswissenschaftlern, Philosophen, dann möchte ich bei allem Respekt vor ihrer Arbeit sagen, daß wir im Augenblick Arbeiter aller Berufe, Posthelfer, Helfer im Gesundheitswesen, Kraftfahrer, Helfer bei der Reichsbahn usw. – wie gesagt im Augenblick – dringender brauchen als den ewigen Dialog dieser Kreise. Die einfachen Menschen führen ihn schon richtig weiter, und danach kann man ihn analysieren und wissenschaftlich verarbeiten.

Oberlehrer Günther Zaeske

Ich bin seit 30 Jahren im Schuldienst, habe viele Lehrer, Leiter und Schulfunktionäre kennengelernt, aber auch Eltern der Schüler, vor allem aber die Schulwirklichkeit, wie sie sich von innen und nicht bloß von außen im Leben darstellte. So glaube ich also auch ein wenig »kompetent« zu sein, wenn es um »die« Schule geht, die jetzt von verschiedenen Seiten kritisiert wird, darunter auch von Lehrern selbst, die heute glauben, sich von ihr distanzieren zu müssen. Insbesondere aber hat mich berührt, was Schriftsteller wie Juri Brězan in der Sächsischen Zeitung und Christa Wolf in der »Wochenpost« geschrieben haben. Diesen letzten Artikel habe ich mehrmals gelesen und, ich muß sagen, mit widersprüchlichen, wechselnden Gefühlen. Widersprüchlich, weil Christa Wolf manches ausdrückte, was auch ich vertrete und gefühlt habe, weil sie manches ansprach, was unbedingt zu Nachdenken und gründlichem Durchdenken Anlaß gibt – ihr Artikel zugleich aber Aussagen enthält, die nach meinen Erfahrungen und meinem Erleben nur die halbe Wahrheit sind, die, wenn sie so im Raum stehen bleiben, sich sehr leicht zu einer neuen Unwahrheit entwickeln können. Und als solche sind sie dazu angetan, die von vielen gewollte Veränderung gleich von Anfang an zu belasten. Zu ersterem gehört auch die von ihr doch indirekt angesprochene Frage, ob so viele uns geläufige Traditionen und Formen des schulischen und außerschulischen Lebens, die aus Zeiten stammen, die für die heutige Jugend bereits Geschichte sind, die anderen Verhältnisse und Kampfbedingungen entsprachen und zu denen die junge Generation nur noch schwer Zugang findet, oft bis zum Überdruß weiter fortgeführt werden müssen, verbunden mit der Gefahr der Veräußerlichung. Dazu gehört die Frage, ob nicht die, die sich anschicken, selbst Geschichte zu machen, auch die Formen hervorbringen müssen, die der neuen Wirklichkeit und ihrem Lebenssinn darin entsprechen.

Was aber meinen Einspruch hervorruft, ist die pauschale Behauptung, der jetzt viele Beifall zollen, daß wir als Schule, als ihre Lehrer bisher schlicht zur Standpunktlosigkeit und -unfähigkeit erzogen hätten, nicht zu Menschen »mit aufrechtem Gang«, zu Menschen, die nicht ihre wahre Meinung sagen durften. Diese Jacke kann und will ich mir nicht anziehen, und ich weiß, daß sie für viele Lehrer, die ich kenne, einer Beleidigung gleichkommt. Es sind dies auch nicht nur einige, denen Christa Wolf ihre Hochachtung bezeugt. Die Frage ist dabei doch, wo und wann bilden sich bei Menschen und auch bei Schülern Standpunkte heraus? Meine Erfahrung ist, daß es dazu nicht ausreicht, bloß über alles, »über Tod und die Welt« diskutieren zu können – das muß ohne Zweifel auch sein – und dann im Unverbindlichen steckenzubleiben, sondern sie müssen spüren, daß ihr Lehrer selbst, als Persönlichkeit und nicht bloß als Mitläufer, einen Standpunkt hat. Und den habe ich als Mitglied der SED meinen Schülern nicht verhehlt, auch denen gegenüber, die (beziehungsweise deren Eltern) anders dachten als ich. Und ich denke, auch viele Lehrer, die nicht Genossen waren und sind, haben bei allen realen Problemen in wichtigen bleibenden(!) geistigen Grundpositionen unseres Staatswesens wie Antifaschismus, Völkerfreundschaft, Solidarität, auch im Punkt Übereinstimmung von Wort und Tat unzweideutige Haltungen eingenommen und vorgelebt.

Kinder werden allerdings nicht nur vom Lehrervorbild, sondern auch vom Elternvorbild, von Freunden und vielen anderen Einflüssen geprägt, womit ich die Lehrerverantwortung nicht wegdelegieren möchte. Die diesbezüglichen Widersprüche unserer Gesellschaft, die sich in keiner ihrer Entwicklungsphasen wegzaubern ließen, blieben und bleiben nicht außerhalb der Schule. Und widerspruchsfreie Situationen, die auch Zuspitzungen und Widersprüche beinhalten, die bis ins tiefste Innere jedes Menschen gehen können, wird es auch künftig nicht geben. Damit muß jeder Genosse und jeder Lehrer leben und sich auseinandersetzen. Ich bin hier für Toleranz gegenüber weltanschaulich Andersdenkenden, die wie ich den Sozialismus wollen, und habe diesbezüglich auch keine andere Orientierung von meiner Partei kennengelernt. Ich bin selbst für Toleranz denen gegenüber, deren Ideal nicht im Sozialismus liegt, solange sie nicht von Haß getrieben daran gehen, ihn gewaltsam und mit demagogischen Lügen zu beseitigen.

Dinge und Entscheidungen, mit denen auch ich nicht einverstanden war, die gab es, und jene schwerwiegenden Erscheinungen, deren Fehlerhaftigkeit heute öffentlich und stark emotional diskutiert und politisch verurteilt werden, haben – dessen bin ich gewiß – die Überzeugungskraft meiner Argumente den Schülern gegenüber eingeschränkt. Ich habe dazu vor meinen Schülern aus meinem Herzen nie eine Mördergrube gemacht und sicher auch nicht immer alles richtig bewertet. Sie kannten dennoch meine grundsätzliche Position und haben mich so (sicher nicht alle) akzeptiert. Ich hatte niemals die Illusion oder den falschen Ehrgeiz, alle zu überzeugten Marxisten »erziehen« zu können. Und so, denke ich, haben Tausende gewirkt, darunter auch Funktionäre übergeordneter Ebenen, und dazu hat mich auch kein Schulministerium gezwungen oder zwingen müssen.

Die Probleme, die es gab und die ich sehe, lagen für mich woanders. Sie bestanden darin, daß manche Leiter »oben«, auch manche Wissenschaftler der Akademie der Pädagogischen Wissenschaften, oft sehr wirklichkeitsfremde Vorstellungen von der Schule hatten und vom Lehrer, ganz besonders vom Klassenlehrer, zwar etwas theoretisch durchaus Richtiges forderten, nämlich vor allem guten, zeitgemäßen Unterricht und klassenmäßige Erziehung im Sinne der Ideale des Sozialismus, aber »übersahen«, daß durch eine Vielzahl von Einzelanforderungen, durch überdetaillierte, überfrachtete und zu starre Lehrplanwerke das Leben in der Schule so in ein starres Korsett gezwungen wurde. Das führte dazu, daß dem Lehrer, besonders wenn er Klassenlehrer war, oft die Zeit genommen wurde, sich dieser proklamierten Hauptaufgabe einerseits voll widmen zu können und andererseits auch noch Zeit zur physischen Regeneration zu finden. Die gerade bei Lehrern, insbesondere bei Lehrerinnen, immer wieder auftretenden großen Ausfälle bei periodischen Spitzenbelastungen sprechen für sich und sind offenbar nie gründlich in Hinblick auf die Ursachen ausgewertet worden.

Pionier- und FDJ-Organisation wurden aus meiner Sicht ganz unzureichend von den dafür bezahlten Leitern angeleitet und geleitet, so daß der engagierte Klassenleiter, um die Dinge nicht dem Selbstlauf zu überlassen, »mehr« machte, solche Aufgaben mit übernahm und dies mit der Zeit als ganz normal und selbstverständlich empfunden wurde, so daß der Zustand, daß der Klassenlehrer oft für die ganze außerschulische Tätigkeit verantwortlich zeichnete, sich als quasi »selbstverständliche Norm« einbürgerte.

Dabei sollten jene, denen pauschale kritische Urteile in bezug auf die Schule und Lehrer so leicht von den Lippen gehen, doch sehen und verstehen, daß auch Demokratie und selbst das Handhaben ihrer einfachsten Spielregeln, zum Beispiel beim Leiten einer Versammlung und dem Kundtun von Meinungen und Standpunkten, die möglichst auf Sachkenntnis beruhen, Eigenschaften sind, die den jungen Leuten nicht bereits in die Wiege gelegt wurden. Hilfestellung dabei ist noch keine Gängelei. Daß dabei oft zu viel »Unterstützung« zu einer gewohnten Praxis wurde, weil viele sich scheuten, den Schülern die »Freiheit« zu gewähren, selbst Fehler zu machen, und Fehlermachen sowie das Lernen aus eigenen Fehlern als Methode pädagogischer Praxis bei vielen nicht anerkannt war, ist sicher richtig.

Wenn jetzt Bürger sagen, »das haben wir nicht gelernt«, so mag das in vielen Fällen zutreffen. Aber pauschal generalisieren läßt es sich nicht. Jeder Lehrer kennt wohl diese Antwort von Schülern. So unmündig und ohne Selbstbewußtsein hat unsere Schule ihre jungen Leute nicht ins Leben entlassen, sonst würden viele auch nicht so auftreten, wie es heute geschieht. Und daß das Leben uns dann oft vor Entscheidungen stellt, für die es kein »Schulbeispiel« gibt, kennzeichnet das Leben, wenn man es ohne Brille in all seinen Widersprüchen und Konflikten sieht.

Richtig aber ist auch, daß die Schule nicht eine ideale Wirklichkeit darstellt, die besser ist als die Gesellschaft, in der sie wirkt. Und so habe ich neben Lehrern, die ich verteidige und die für mich repräsentativ für »unsere Schule« sind, auch solche kennengelernt, die – nicht anders als in anderen Einrichtungen – nach oben glänzen wollten und die Erwartungshaltung nach »guten Berichten«, wie sie sich vielerorts in den letzten Jahren breit machte, befriedigten (auch die Lauen und Bequemen gibt es), auch Lehrer und Direktoren, die sich scheuten, einen Schüler nicht zu versetzen, der es nach seiner Leistung, besser Nichtleistung, verdient hätte.

Nackenschläge auch durch »Machtmißbrauch« habe ich selbst erfahren, und wenn ich ehrlich bin, so haben mein Mut, meine Zuversicht und mein Optimismus dadurch auch gelitten. Und es gab Direktoren, die ein ganzes Kollegium einschüchterten. Den Vorwurf, gegen solche Dinge nicht rechtzeitig radikal vorgegangen zu sein, den Keim moralisch-politischer Zersetzung darin nicht als solchen erkannt zu haben, den mache ich allerdings manchen, die in höherer Verantwortung standen. Aber daß solche bösen Praktiken schlechthin »unsere Schule« gewesen sein sollen, das ist nicht die ganze Wahrheit, und gegen solche Behauptungen wehre ich mich ganz entschieden.

Elfriede Wilde,
Lehrerin für Mathematik/Physik,
Dresden

Ihr »Wochenpost«-Artikel *Das haben wir nicht gelernt* war auch mir voll aus dem Herzen gesprochen. Ich, Friedrich Erler, 1945 geboren, im 21. Jahr Lehrer, fand den Artikel haargenau zutreffend. Ich empfahl ihn meinen Kollegen zum Lesen – und habe nur zustimmende Meinungen dazu gehört. Um so mehr war ich erstaunt, daß es Leute gibt, die ernstlich konträr diskutieren.

Solche Argumente wie »Ich kann für mich selbst sprechen« erinnern mich an folgende Begebenheit: Vor mehr als 10 Jahren saß ich in einer FDGB-Versammlung und die Leitung schlug damals vor, den Soli-Beitrag auf 50 % (später auf 100 %) zu erhöhen. Da meldete sich eine ältere Frau zu Wort und sagte: »Das trifft doch nicht etwa für uns zu!« Der Leiter stutzte kurz, dann sagte er etwa: »Nein, natürlich nicht«. Die Frau war beruflich eine unentbehrliche Schreibkraft!! Also war die Soli-Erhöhung wieder mal nur für pädagogische Mitarbeiter, die es mit gesenkten Köpfen hinnahmen …

Oder »Das sollten auch Wolf und Konsorten nicht vergessen«. Ein ziemlich brauner Argumentationsstil, kann mir dies aber unter Lehrern gut vorstellen. Es gibt (gab?) genug Lehrer, Direktoren, Kreisschulräte usw., die zu den geforderten Aufträgen – zur Hebung ihres eigenen Ansehens – noch einiges dazufügten und so sich zum eigenen Vorteil – oft auch zu Lasten anderer Lehrer und nicht zuletzt auch zu Lasten der Jugend – Wohlwollen, Gunst bei der nächsthöheren Stelle verschafft haben. Eine Gratwanderung haben diese Leute nie gemacht. Noch vor Wochen hätten sie selbst, mit »Konsorten« angesprochen, sofort mit disziplinarischen Maßnahmen oder gar mit dem Staatsanwalt reagiert.

Es gäbe noch mehr zu sagen, aber man soll sich kurz fassen. Lassen Sie sich nicht beirren, liebe Frau Wolf. Der Volksmund sagt dazu: »Getroffene Hunde bellen«.

Friedrich Erler (44),
Limbach

Für mich gibt es keinen Widerstreit mit Christa Wolf. Ich bin 50 Jahre alt, fast 30 Jahre lang Genosse und weiß als Lehrer nur zu gut, wie auch im Bereich Volksbildung gearbeitet wurde und wird. Ich kann nur voll und ganz bestätigen, was Christa Wolf schrieb. Erst jetzt, mit dem vom Volk erwirkten Aufbruch zum Umbruch, beginnen wir, die verhängnisvollen Folgen des Stalinismus zu überwinden. An dem, was als Sozialismus ausgegeben wurde, war vieles zu formal, plakativ – die Theorie mußte eben stimmen. Und der Mensch war nicht Subjekt, sondern ein gegängeltes, entmutigtes und entmündigtes Objekt. Ja, eine Handvoll ehemaliger Antifaschisten hat die Diktatur des Proletariats, die wir ja eigentlich wollten, wieder zur Diktatur über das Proletariat gemacht! Das Volk hatte zu bestimmten Anlässen auf Plakaten die bekannten bärtigen Köpfe umherzutragen und der Obrigkeit der ewigen Wahrheiten zu huldigen. Und natürlich Vertrauen zur Partei und Arbeit als Kulisse, Rituale »Wachaufzug am Mahnmal für die Opfer ...«, »Ehrendes Gedenken ...«, »Vermächtnis ... erfüllt« usw., als sozialistisches Image. Und diese »Sieger der Geschichte« haben unser Land wirtschaftlich, gesellschaftspolitisch und ökologisch an den Abgrund gefahren. Das haben solche Leser wie Frau Justiz, Frau Wallenhauer und andere noch gar nicht begriffen und erkannt. Bedenklich und empörend die Formulierung von Frau Justiz »Republik ... verraten«. Diese Leser sollten einmal die Reden von Krenz und anderen lesen, um zu verstehen, warum so viele sich nicht mit dieser Republik identifiziert haben, warum andere aus dem Lande getrieben wurden. Und sie sollten sich mit einem Schicksal wie dem von Walter Janka und seinem Buch *Schwierigkeiten mit der Wahrheit* befassen. Das führt zu vielen Fragen, auch nach der der eigenen Ehrlichkeit, um immer noch bestehendes Unrecht und einen geistig-moralischen Notstand im Lande zu überwinden. Warum war so etwas wie der Fall Janka möglich geworden? Wie konnten Verleumdungen und falsche, ja absurde Anschuldigungen die Oberhand gewinnen über reale Einschätzungen und offene Ehrlichkeit? Eine solche Geschichtslektion hat auch Frau Wallenhauer nötig. Was ist sie nur für eine Pädagogin, wenn sie sich durch Wahrheiten in ihrer Würde verletzt fühlt?

Das, was jüngere Generationen über die Zeit erfahren, als an Walter Janka ein Exempel statuiert wurde, gab ihnen ein falsches Bild von den damaligen Ereignissen, Wirrnissen, Zweifeln, Hoffnungen und Kämpfen aufrichtiger Menschen in diesem Land. Jahrzehntelang, bis jetzt, war ja die Unwahrheit durch die zu erreichenden Bildungs- und Erziehungsziele der Lehrpläne verbindlich für jeden Lehrer. Schon mich hat man als Schüler belügen müssen. Nur ein kleines Beispiel dazu: Geschichte, Klasse 8, Thema »Volksdemokratien« – Tito ein Verräter des jugoslawischen Volkes, ein Agent des amerikanischen Imperialismus usw. Ja, auch die Volksbildung hat ihren Anteil am erreichten Stand dieser Gesellschaft. Natürlich hatten auch die Schüler ihre eigene Meinung, aber diese haben sie nie öffentlich, vor der Klasse oder zur Prüfung bekundet. Angepaßtsein, Heuchelei, »Parteilichkeit« wurde gezeigt, und daran wurden ja letztlich von den Direktoren die erreichten Erziehungsergebnisse gemessen. Und wie war es bei den Pädagogen selbst? Die im Parteilehrjahr, bei Hospitationen und anderswo mit eigenen Worten die Phrasen und ewigen Wahrheiten wiederkäuen konnten, wurden als die bewußtesten Lehrer anerkannt und gewürdigt.

Die ganzen Bedingungen in der Gesellschaft führten überall dazu, daß Menschen zwei Gesichter hatten: eines in Betrieb und Schule und ein privates. Wie aufschlußreich, was schon vor reichlich einem dreiviertel Jahr in einer Glosse der »Tribüne« stand: »Schon in der Schule bekommen wir unsere Meinung gesagt!« Die meisten Pädagogen sind wie andere auch durch die Umstände schuldlos schuldig geworden. Ehrliche Kritik, freie Meinungsäußerung wurde als Meckerei, als staats- und sozialismusfeindlich verunglimpft.

Auch ich war leider zu lange Zeit immer von der Richtigkeit politischer Entscheidungen überzeugt, hatte trotz eigener innerer Zweifel an manchem Schritt der Entwicklung unseres Landes wie an der Lauterkeit der Partei- und Staatsführung nicht gezweifelt. Wie viele ehrliche Genossen, die, ohne sich zu schonen, jahrzehntelang Parteiarbeit geleistet haben, stehe ich heute vor den Trümmern dessen, was wir eigentlich wollten.

Am schwersten wird es in der Volksbildung sein, den Stalinismus zu überwinden, wie das jüngste Beispiel im Kreis Werdau zeigt: In Ruppertsgrün mußte die Klassenleiterin einer 1. Klasse auf Weisung der Direktorin und des Parteisekretärs einem bereits ins Elternaktiv gewählten Pfarrer mitteilen, daß man auf seine Mitarbeit keinen Wert legt ... Ob in der Zwischenzeit eine Änderung eingetreten ist, kann ich im Moment nicht sagen. Unverschämt und die wahren Ursachen ignorierend der Beitrag der Frau Wendlandt (»Wochenpost«, Nr. 46, 1989; d. Red.).

Hans-Jürgen Theuring (50),
Crimmitschau

Zu den Äußerungen von Lesern in bezug auf den Beitrag Christa Wolfs *(Das haben wir nicht gelernt)* kann und will ich nicht schweigen, zumal ich der hochgeachteten Schriftstellerin schon gleich nach dem ersten Lesen ihres Artikels meine begeisterte Zustimmung mitteilen wollte, neben auch etwas sachlich-kritischen Bemerkungen. Vieles reizt mich zum Widerspruch, insbesondere der Grundtenor der Lesermeinungen, man hätte doch eigentlich immer frei seine Meinung artikulieren und verteidigen dürfen. Gerade letztere Behauptung entspricht am wenigsten der Wahrheit. Warum zum Beispiel Roswitta Hendrich oder Elke Wallenhauer Christa Wolfs Bemerkungen betreffs der »Dauerschizophrenie« so scharf (direkt oder indirekt) attackieren oder ihr auch anderswie ein Urteilsrecht absprechen wollen, wenn sie behaupten, sie hätten jederzeit ihre Meinung äußern dürfen, so sind sie vielleicht noch nicht alt genug!? Alt genug, jene Zeiten miterlebt zu haben, in denen ein »falscher Satz« ... Monate Haft einbrachte.

Wenn jedoch Eva Justiz (57) und Betty Wendlandt (60) Christa Wolf so bedingungslos verurteilen, so kann ich das kaum verstehen. Ich kann es mir eigentlich nur damit erklären, daß sie damals, in den fünfziger und sechziger Jahren – während unseres DDR-Stalinismus – auf einer friedlichen Insel lebten. Wenn Sie, liebe Frau Wendlandt »immer Kraft und Rückgrat« hatten, »um unsere Probleme selbst zu lösen«, so sind Sie sehr zu bewundern, und alle jene Tausende, denen das Rückgrat durch Dogmatismus, Selbstherrlichkeit, durch geistige Entmündigung (ja – es gab sie!), auch durch Strafen gebrochen wurde, wären demnach schlichtweg also Versager, Außenseiter gewesen, zum Beispiel Stefan Heym, Frank Beyer (Regisseur »Spur der Steine«), Erwin Stranka … und 'zig Tausende ohne klangvolle Namen!? Es fehlten nicht der Wille und die Kraft, es war nicht Gleichgültigkeit; es war oftmals Resignation nach endlosem Kampf (ohne Hoffnung), und es war ein Beugen vor der Gewalt!

Noch eine Bemerkung: Elke Wallenhauer verweist auf ihre Literaturkenntnisse (bei gleichzeitiger scharfer Kritik an Christa Wolf), und Betty Wendlandt sagt gar bissig: »Wenn heute Schriftsteller glauben, für uns sprechen zu müssen – wir haben sie nicht darum gebeten!« Da sträuben sich mir doch die Haare; das kann ich nicht ohne Kommentar hinnehmen. Schriftsteller haben fast immer für uns gesprochen, und es stellt sich nun ja wohl deutlich genug heraus, wie viele von ihnen nach einer traurigen Parteikonferenz (!) verteufelt worden waren und nun rehabilitiert werden müssen.

Wo würden wir heute stehen, wenn nicht Hermann Kant und Christa Wolf die Massenbewegung der Straße so eindringlich – sozusagen als Gewissen der Nation – unterstützt hätten? Wer möchte denn heute noch behaupten wollen, daß Literatur und bildende Kunst (auch das Filmschaffen) die Realität fotografisch kopieren sollten? Kunst ist immer verbunden mit sensibler Überhöhung. Schon seit jeher waren die Künstler »Vordenker« (natürlich nicht alle). Schauen wir uns nur einmal aufmerksam um, wie aktuell jetzt Heinrich Heine ist, der zu Lebzeiten unendlich viel Kritik einstecken mußte. In den schlimmen Tagen des verhängnisvollen Schweigens Anfang Oktober 1989 haben mir eigentlich nur die Schriftsteller Mut gemacht zum Weiterleben!

Abschließend noch einige Bemerkungen in »eigener Sache«: Ich bin selbst 30 Jahre lang Lehrer und 25 Jahre Genosse, gehöre also auch zu einer zur Zeit doppelt in Verruf geratenen Menschengruppe in der DDR, fühle mich aber – in aller Bescheidenheit – auch als einer derjenigen, vor denen Christa Wolf den Hut zu ziehen bereit ist, wenngleich ich auf diesem Weg auch viele Fehler gemacht habe. Und als doch etwas erfahrener Lehrer bestätige ich, daß tatsächlich Bürger der DDR jahrelang entmündigt wurden, daß geistige Potentiale gefesselt und somit nicht nutzbar waren, daß sich tiefe schmerzhafte Spuren in Seelen eingegraben haben. Christa Wolf zeichnete ein, meines Erachtens, fast völlig zutreffendes Psychogramm (ja Psychodrama) eines typischen DDR-Bürgers.

Aber nun zwei Einsprüche: 1. Die – auch allgemein verbreitete – Überbetonung einiger physischer Gewaltakte der jüngsten Vergangenheit verschiebt ganz bedrohlich die Relationen – vor allem gegenüber jenen, die durch Jahrzehnte moralischer und geistiger Demütigung ungleich stärker gelitten haben. Darüber nachzudenken, lohnt sich! 2. Christa Wolf spricht immer von einer kulturvollen, psychisch und intellektuell hochentwickelten Jugend. Nun gut. Gegenargument: Sie beziehen, liebe Frau Wolf, diese Erkenntnisse vermutlich aus Ihren vielen Lesungen, zu denen natürlich (fast) nur solche jungen Leute kommen. Gehen Sie bitte mal in eine ganz normale Schule, möglichst in der großen Pause, lassen Sie sich von einem Vertreter der weniger kulturvollen Jugend hart anrempeln, oder lauschen Sie auch nur ein wenig den Reden der Jugendlichen – vielleicht wird dann klar, worauf ich mit meinem zweiten Einspruch verweisen möchte!?

Bernd Steiner,
Werklehrer, Zepernick

Werte Frau Wolf, meine Frau und ich, wir sind seit 29 Jahren als Lehrer tätig. Wir können Ihnen nur versichern, Ihr Beitrag in der »Wochenpost« ist uns aus dem Herzen geschrieben. All das, was Sie nennen, ist uns in irgendeiner Art und Weise in unserem Beruf, den wir lieben, weil wir gern mit Kindern arbeiten, passiert. Es hat sie gegeben, die Fachberater, die nicht Stunden ausgewertet haben, sondern den Abbruch der Beziehungen zu Verwandten in der BRD gefordert haben. Wir kennen Schüler, die wegen ihres Glaubens nicht zum Abitur und zum Studium zugelassen wurden. Wie oft wurden Kritik und offene Fragen mit den »Bewußtseins«-Parolen im Keime erstickt. Selbst davor sind einige, für die wir uns schämen, nicht zurückgeschreckt: Sie haben Fernsehuhren zeichnen lassen, um zu erfahren, welcher Sender im Elternhaus gesehen wird. Hundertfach ist das Leistungsprinzip gebeugt worden, wenn es um Auszeichnungen ging. Selbst die Kreisleitung der SED hat sich in diesen Fragen gegen die Abteilung Volksbildung durchgesetzt. Es ließen sich noch unzählige Beispiele anführen. Doch wozu unnötige Bitterkeit erzeugen! Gefragt sind doch jetzt die Kollegen, die sich in vielen Jahren immer wieder Mut gemacht haben und den Schülern echte Partner waren, die Fachberater, die wirklich Helfer und Berater waren und sind, und die vielen tausend Kollegen, die trotz vieler Unannehmlichkeiten ihrem Beruf treu geblieben sind.

Sollte es wirklich Kollegen geben, die all die negativen Tendenzen nicht erlebt haben, so können sie sich glücklich schätzen. An diesen Aussagen haben wir echte Zweifel. Wir hoffen, daß wir noch einige Jahre am Erlernen des aufrechten Gangs teilhaben können. Ihnen wünschen wir weiterhin viel Schaffenskraft und Offenheit.

Peter und Peggy Stockmann, Lenzen

Sehr geehrte, verehrte Christa Wolf, ja, »es tut weh zu wissen«. Ich las zuerst die Zuschriften der Leser in Nr. 46, war verwundert, bestürzt, aufgeschreckt, erst danach Ihren Beitrag in Nr. 43. Alle, die auf Ihre Gedanken *Das haben wir nicht gelernt* reagierten, haben irgendwie recht. Ich bewundere, Frau Wolf, Ihren Mut, Ihre Weitsicht, Ihre Klugheit, Ihre Menschenkenntnis, Ihre Wahrheitsliebe, die Sie seit Jahrzehnten kundtun. Sie sind seit jeher eine Mahnerin. Dieses Mal wandten Sie sich an das Volk. Ich würde gern seitenlang meine Meinung äußern, aber die Zeit reicht gegenwärtig nicht mal zum Alles-Lesen. Ich mache es kurz und bündig, und dadurch klingt es hart: Es ist sehr schwer, die Wahrheit zu sagen. Es ist noch viel, viel schwerer, die Wahrheit zu ertragen. Alle »Oberlehrer« innerhalb und außerhalb der Volksbildung werden nie zugeben, daß sie etwas falsch gemacht haben. Sie haben immer nur das Beste gewollt. Das stimmt. Und es stimmt eben nicht, weil »das Beste« oft nicht mal das Gute war.

Herbert Lehmann,
Torgau
(seit über 30 Jahren Lehrer, sogar Oberlehrer)

Verehrte Christa Wolf, mit Ihren Büchern sind Sie mir seit Erscheinen des *Geteilten Himmels* bekannt, mit *Kassandra* und *Störfall* gaben Sie mir ganz wichtige Denkanstöße, und seit Ihrem Auftreten bei der Demonstration in Berlin und Ihrem Artikel in der »Wochenpost« sind Sie mir sehr vertraut.

Ich bin Lehrerin für Staatsbürgerkunde/Deutsch, schon 19 Jahre lang, und seit über 20 Jahren Mitglied der SED. Schon seit langem überlegte ich, welch anderen Beruf ich ausüben könnte, da ich mich zur Lehrerin nicht tauglich fühlte und in den letzten Jahren der Zwiespalt zwischen Gewissen und Unterrichtsstoff im Fach Staatsbürgerkunde hinzukam. Doch fehlten Mut und Courage, einfach zu gehen.

Ich gehöre zu der Generation »geradlinig« erzogener Menschen, der es nicht beigebracht wurde, vom Wege abzuweichen, die gläubig sich einordnen ließ.

Es waren die Dichter und Schriftsteller unseres Landes, die mir in den vergangenen Jahren Lebenshilfe gaben, nicht meine Genossen mit »Neuem Deutschland« und Parteilehrjahr! Nicht umsonst hat Jürgen Kuczynski geschrieben, und ich glaube, es steht auch in Ihrer *Kassandra*, daß bisher die Belletristik die Gegenwart realistisch widerspiegelte, und nicht die Tagespresse oder andere publizistische Veröffentlichungen. Deshalb begreife ich Leute nicht, die Ihnen von »Ausfällen der Schriftsteller« geschrieben haben oder davon, daß jetzt auf einmal sich Künstler als »Gralshüter der Freiheit« aufspielten. Welch dumme Ansicht von Menschen, die scheinbar nicht gelesen haben!

Für mich und viele meiner Kolleginnen steht fest, daß die Künstler und Schriftsteller seit Jahren wichtige Zeichen setzten und mit vorbereitet haben, was jetzt an Umwandlung sich im Lande vollzieht. (Zum Beispiel Maxie Wander, Brigitte Reimann, Volker Braun, Christoph Hein, Markus Wolf, Heinz Kahlau und andere.) Für mich war das Auftreten unserer Schriftsteller und Künstler am 4. November oder auch auf anderen Veranstaltungen der letzten Zeit etwas ganz Großartiges. Falls mir solch ein Gefühl überhaupt zusteht, so war es das des Stolzes. Als Deutschlehrer war ich erinnert an das Eingreifen in die Zeitauseinandersetzungen solcher Schriftsteller wie Erich Weinert oder Friedrich Wolf. Schade, daß unser Deutschlehrplan so unaktuell ist, aber auch das wird sich bestimmt ändern!

Das Wunderbare für mich persönlich ist, daß ich seit diesen Tagen auf einmal spüre, daß ich Lehrerin sein kann. Ich las, sah, hörte, dachte, schlief kaum, ging zum Friedensgebet in unsere Kirche, besuchte Demos, erklärte auch dem ersten Kreissekretär der SED auf einer Kulturbundveranstaltung, wie enttäuscht ich von der Haltung unserer Funktionäre sei, kurz: Ich habe mich mündig gemacht! Seitdem stehe ich mit dem Gesicht zu meinen Schülern, bin rückhaltlos offen und ehrlich, kann viel selbstbewußter auftreten und werde mehr anerkannt. Es ist erstaunlich, daß ich nun das problematische Fach auch ohne Zensuren und ohne Lehrplan unterrichten kann! Ich stelle bei mir bisher ungeahnte Kreativität fest und Mut zu neuen Ideen und Wegen. Es ist wie eine Art Befreiung, tatsächlich wohl ein Sich-frei-Machen von Bevormundung, die so eingeengt hat. Ich fand die Kraft, die Auseinandersetzung mit meiner Partei zu führen, stellte Forderungen und Fragen, die ich beantwortet haben möchte, bevor ich wieder Beitrag zahlen werde!

Ihren ersten Artikel in der »Wochenpost« las ich bei uns im Kollegium vor. Er löste Betroffenheit aus, bei manchen auch Zorn und Beleidigtsein. Doch war vielleicht Betroffenheit notwendig, um sich selbst das Ausmaß des Schadens einzugestehen, den eine gegängelte und administrative Bildung und Erziehung angerichtet hat. Es war wichtig für die Erkenntnis von Schuld und damit für die Möglichkeit, für eine andere Bildung und Erziehung eintreten zu können.

Unsere Kollegen arbeiten in verschiedenen Arbeitsgruppen mit, die unter Leitung des »Neuen Forum« Veränderungen im Bildungswesen diskutieren und konzipieren und an das Volksbildungsministerium weiterleiten. Ich plane einen Leseabend für unsere Kollegen, auf dem ich Texte obengenannter Schriftsteller vorstellen möchte, damit sie ebenfalls Einblick erhalten in eine Literatur, die hellsichtig und hellhörig macht. Ihnen, verehrte Frau Wolf, wünsche ich, daß der Aufbruch in unserem Land viel Kraft zum Schreiben verleiht und ich hoffen kann, noch viel Gutes von Ihnen zu lesen.

Ursula Reinhold,
Lehrerin für Staatsbürgerkunde/Deutsch,
Eisenach

Am Anfang der siebziger Jahre habe ich an einer zentralen Weiterbildung der Fachschullehrer für Deutsch in Halle teilgenommen. Ein Dozent der Martin-Luther-Universität erzählte, er sei Christa Wolf persönlich begegnet anläßlich einer Diskussion mit SED-Funktionären der hohen Leitungsebene. Christa Wolf habe den Genossen vorgeworfen, sie hätten sich schon so weit vom Volk entfernt, daß sie gar nicht mehr nachvollziehen könnten, wie die DDR-Bürger den realen Sozialismus erleben und was sie von ihrer Arbeiterpartei denken müßten. Er habe große Lust gehabt, der Dame Wolf die ihr gebührende Abfuhr zu erteilen mit einem Beitrag in der SED-Monatsschrift »Einheit«, aber das sei ihm von ganz oben untersagt worden. Er fügte wörtlich hinzu: »Im Moment ist in der DDR Schonzeit für Schriftsteller.« Es hat mich große Selbstbeherrschung gekostet, den Herrn Professor nicht zu fragen, ob er sich das Ende der Schonzeit wünsche, um zur Hetzjagd auf DDR-Schriftsteller blasen zu können, aber als über vierzigjährige Frau, die schon 1960 wegen Mangel an Parteilichkeit für die Arbeiterklasse fristlos aus dem Schuldienst entlassen worden war, konnte ich ein solches Risiko kein zweites Mal eingehen.

Ich habe Christa Wolfs Bücher gelesen und auch ihren Beitrag zu einer Demonstration in Berlin gehört, und ich zweifle nicht daran, daß diese Frau sich für ein wünschenswertes Leben im Sozialismus enga-

giert. Christa Wolfs Haltung ist allerdings nicht Ausdruck jener Parteilichkeit, die die SED-Führung nicht nur von jedem Parteimitglied gefordert hat, sondern als Staatsmacht auch jedem anderen DDR-Bürger
aufzwingen wollte.

Brigitta Pegenau,
Sömmerda

Liebe Christa Wolf, seit Erscheinen der »Wochenpost« Nr. 47 mit Ihrem
Artikel »Es tut weh zu wissen«, trage ich mich mit dem Gedanken, Ihnen zu schreiben. Vieles hat sich, seit meiner kurzen Wortmeldung am
2. November abends in der Akademie der Künste (vom Rang oben,
welch ein »Lampenfieber« hatte ich! Auch konnte ich nur schwer die
»Sklavensprache« ablegen) ereignet! Ich stecke als Lehrerin in unserer
stark politisierten Welt ständig »mittendrin«. Und ich habe mich dem
nie entzogen, mich den Tagesaufgaben (und ein bißchen darüber hinaus) gestellt. Um so mehr sprachen mir Ihre beiden »Wochenpost«-Ar-
tikel, die erste sozialistische (genehmigte) Protestdemonstration in
Berlin am 4. November 1989 und natürlich die andauernden Leipziger
Dialoge und Demonstrationen aus vollem Herzen. Wer, wenn nicht
die *ehrlich* arbeitenden Menschen, zu denen ich auch die Intelligenz
zähle, in unserem Lande hätten ein Recht, *ihre* Bürgerrechte einzuklagen, die Menschenwürde des einzelnen zu verteidigen? Ich danke Ihnen und vielen anderen Menschen, die in dieser so schweren Stunde
unserer deutschen (und europäischen) Geschichte der Wahrheit zum
Durchbruch verhalfen und weiterhin verhelfen werden. (»Es setzt sich
nur soviel Wahrheit durch, wie *wir* durchsetzen!«)

Als gebürtige Berlinerin und nun auch (nach Absolventenzeit in
Mecklenburg) seit 25 Jahren in Berlin tätige Lehrerin (inzwischen
meine achte oder neunte Schule, an der ich tätig bin!) war ich (bin es
noch) tief beeindruckt, gerührt, von den Ereignissen der Reisefreiheit
aller DDR-Bürger (quasi über Nacht). Wie nötig – lange überfällig –
dieser Beschluß war, zeigen die Bilder, die um die ganze Welt gingen.
Trotzdem teile ich mit vielen (aber genügend vielen?) Mitbürgern die
Sorge, ob die Mehrheit des Volkes dadurch nicht von den eigentlichen
Zielen der begonnenen Wende (Revolution?) abgehalten wurde und
wird? Irre ich darin – oder andere?

Ein seit 1. 9. 1989 mir übertragenes postgraduales Zusatzstudium
(Rehabilitationspädagogik) läßt es leider nicht zu, meine mir noch zur
Verfügung stehende Kraft und Zeit nur auf eine Aufgabe zu konzen-
trieren. So lebe ich weiter unter inneren Spannungen, mit dem Widerspruch, ob ich woanders nicht notwendiger gebraucht werde. Das in-

meinen derzeitigen Kräften Stehende werde ich tun, um unser ehrlich gemeintes Ziel – die »Vision vom demokratischen (humanistischen) Sozialismus« (oder wie in Zukunft die erstrebte menschliche Gesellschaft heißen wird) zu erstreiten (möglichst mit recht wenigen »Trittbrettfahrern« und »Wendehälsen«!) helfen.

Ich habe vor, am 5. 12. 1989 das öffentliche Konzert für die Opfer des Stalinismus im Schauspielhaus Berlin zu besuchen. Ein oft gehegter Menschheitstraum ginge endlich in Erfüllung, wenn alle Menschen die edle, humanistische Botschaft der IX. Sinfonie Ludwig van Beethovens verstehen und für deren Realisierung eintreten würden, wenn vor allem in dieser so kritischen Zeit alle Deutschen, in Ost und West, Nord und Süd, sie verstehen würden und ohne Vorurteile und Vorbehalte sich einigen könnten. Wenn doch endlich bei allen Funktionären (auf allen Ebenen), Politikern, Journalisten ... Gorkis Worte: »Ein *Mensch* – wie stolz das klingt«, oberste Maxime ihres Denkens und Handelns wären! Mögen nach allen Umbruchsetappen letzten Endes der Frieden und die Freiheit des Denkens siegen!

Ihnen, uns allen, wünsche ich gutes Gelingen, all denjenigen, die schon immer den »aufrechten Gang« besaßen, daß sie ihn behalten, und denjenigen, die ihn verloren haben, daß sie ihn durch »Rehabilitation« wiedererlangen. Ja, liebe Frau Wolf, vieles gäbe es noch einzuklagen. Wir haben alle genügend zu tun, wünschen wir uns allen, die dazu angetreten sind, im Sinne des Fortschritts für die Ideale der Menschheit einzutreten, Kraft und Geduld für den langen Weg, »damit die Sonne schön wie nie über Deutschland scheint«.

P.S. Soeben höre ich in der »Aktuellen Kamera« den Aufruf an die Bürger der DDR, verlesen von Stefan Heym. Ich unterstütze diesen Aufruf.

Ch. H.
Lehrerin,
Berlin

Derzeit unterziehe ich mich in Jena einer stationären therapeutischen Behandlung. So ist der Kontakt zur Außenwelt begreiflicherweise eingeschränkt und Informationen über die gesellschaftlichen Veränderungen fließen spärlich. Trotzdem – oder gerade deshalb – möchte ich mich in die gegenwärtige Diskussion einbringen. Ursachen für meine derzeitige gesundheitliche Situation liegen meines Erachtens zu einem großen Teil in der bisherigen Theorie und Praxis unseres Bildungswesens begründet. Meine diesbezüglichen Erfahrungen als Lehrer im Kreis Pößneck und insbesondere mit einer ganzen Reihe von

Hemmnissen, wie ich sie an den Schulen erlebte, sprechen hier für sich.

Ich gehöre zu den Lehrern an unserer Schule, die stets bemüht waren, die Schüler zum kritischen Denken und Auseinandersetzen mit der gesellschaftlichen Realität zu erziehen. Diesen Standpunkt vertrat ich auch regelmäßig innerhalb der schulischen Veranstaltungen und mußte mir hier von seiten der Abteilung Volksbildung, jedoch auch der Schulleitung, insbesondere aber von der Parteisekretärin, manch herbe Schelte und Kritik gefallen lassen, immer frei nach der Devise: Nicht sein kann, was nicht sein darf. Kritisches Denken, Infragestellen, das pädagogische Experiment, die offensive Auseinandersetzung mit der uns so bedrückenden, den Atem nehmenden politisch-ideologischen, aber auch fachlichen Engstirnigkeit des Schulalltags wurden als gegen die staatlichen Interessen gerichtet eingestuft. Was heute diskutiert wird, wurde mir noch vor sechs Wochen schärfstens vorgeworfen und aufs entschiedenste verurteilt.

Ich stelle mich ausdrücklich hinter Christa Wolfs Einschätzung zur Lage in der Volksbildung, wo sie schreibt: »[...] daß unsere Kinder in der Schule zur Unwahrhaftigkeit erzogen und in ihrem Charakter beschädigt werden, daß sie gegängelt, entmündigt und entmutigt werden – mit wort- und bilderreicher Schaumschlägerei, in der Scheinprobleme serviert und im Handumdrehen gelöst werden«.

Die angeblich für sie geschaffenen Organisationen, welche die Jugendlichen mehr vereinnahmten, statt ihnen Einübung in selbständigem, demokratischem Handeln zu ermöglichen, ließen sie meistens im Stich. Das Ergebnis waren oft »selbstunsicher(e), entmündigt(e), häufig in ihrer Würde verletzte« Kinder, »wenig geübt, sich in Konflikten zu behaupten, gegen unerträgliche Zumutungen Widerstand zu leisten«.

Als Geschichts- und Deutschlehrer brauchte ich nur einen Blick in die ja relativ neuen Lehrpläne dieser Fächer zu werfen, um zu erkennen, welch verdrehte Realität dort gezeigt, welche Lobhudelei dort betrieben, wie viele historische Fakten dort zurechtgezimmert, wie viele Phrasen dort eingetrichtert werden. Es sind Lehrpläne, die über weite Strecken an der gesellschaftlichen Realität, an den wirklichen sozialen Bezugsgrößen der Kinder und Jugendlichen vorbeigehen. Womit – auch mit welchen literarischen Helden zum Beispiel – konnte und kann sich da ein junger Mensch identifizieren?

Zum richtigen Verständnis: Nicht alles, was bisher gelehrt wurde, ist falsch, ist Ausschuß. Oft lag es gerade an der Person des Lehrers (meist eine gefährliche Gratwanderung zwischen Schülern und der allgegenwärtigen Volksbildungsmaschinerie), Werte zu erschließen, den Kindern die Augen zu öffnen, ja sie einfach auch als gleichberechtigte Partner ernst zu nehmen. Das klingt sehr einfach, aber wie wenig Zeit blieb gerade für diese so wichtige Aufgabe des Lehrers übrig, waren doch Statistiken, Erfolgsmeldungen, militärischer und pädagogischer Nachwuchs, phrasenhafte Wandzeitungen, realitätsfremde Weiterbildungen und Lehrjahre, persönliche Gespräche und Reglementierungen, Pioniernachmittage und Jugendstunden, das FDJ-Studienjahr, die Zusammenarbeit mit der Patenbrigade und, und, und ... viel »wichtiger« als die Arbeit mit dem Kind, die Zuwendung zum Schüler, das behutsame (und damit zeitaufwendige) Eingehen auf dessen Probleme, Sorgen und Nöte. Das war oft eine Bildung und Erziehung von Objekten, nicht jedoch von einmaligen, unverwechselbaren Subjekten; Dressur statt freier, schöpferischer Entfaltung von Persönlichkeiten. Was ist zu ändern? Zum Beispiel:

- Ausschließliches Hinwenden des Lehrers zum Schüler, Über-Bord-Werfen alten Ballastes, der hieran hinderte.
- Strenge Trennung von Bildung und Erziehung einerseits und der Arbeit der Kinder- und Jugendorganisationen andererseits. Der Lehrer ist Lehrer und nicht Pionierleiter, auch nicht Werbeoffizier für die NVA.
- Zensierung und Versetzung dürfen nicht länger irgendwelchen Prozentzahlen unterliegen, sondern müssen endlich ein reales Bild über das Leistungsvermögen der Schüler zeigen. Nur leistungsfähige und -bereite Schüler sollten die Klassen 9 und 10 besuchen.
- Überarbeitung der Lehrpläne in Heimatkunde, Deutsch, Geschichte, Geographie. Es stellt sich die Frage, ob das Fach Staatsbürgerkunde nicht in Gesellschaftskunde umprofiliert werden kann (ohne Zensierung).
- Das bisherige EOS-System hat sich nicht bewährt. Es müßte überprüft werden, ob eine vierjährige Studienvorbereitung (EOS) nicht die günstigere Variante wäre.
- Friedenserziehung. Verzicht auf jegliche Form der Propagierung von Gewalt. Hierzu ist dringend eine Überarbeitung der Lehrbücher hinsichtlich der verwendeten Termini erforderlich. An den Schulen darf es weder Manöver noch irgendeine Form der Wehrerziehung geben.
- Verzicht auf Lehrjahre und Weiterbildungsveranstaltungen für Schüler und Lehrer beziehungsweise selbständige Entscheidung auf freiwilliger Basis, wo und wie man sich betätigt.

– Verzicht auf die führende Rolle einer Partei und einer Kinder- und Jugendorganisation an der Schule. Die gesellschaftliche Meinungsvielfalt und -freiheit muß gerade an den Schulen zum Tragen kommen. Die Rolle der SED als »zweite Schulleitung« und politisch-ideologisches Kontrollorgan ist zu beenden.

– Völliger Verzicht auf Kampagnen, wie zum Beispiel die Messe-Bewegung.

– Lehrer sind aufgrund ihres Einsatzes (Klassenlehrer oder Nichtklassenlehrer) und ihrer Fachrichtung (Beispiel: Deutsch-Aufsätze) unterschiedlichen Belastungen ausgesetzt. Dies muß in der Stundenzahl und der Vergütung zum Tragen kommen.

– Ich gehe von der Notwendigkeit der 5-Tage-Woche auch im Bildungswesen aus. Ich schlage vor, die Ferien (insbesondere die Sommerferien) auf 6 Wochen zu kürzen und gestaffelte Ferienzeiten auf der ehemaligen Länderebene einzuführen.

– Die Mitarbeiter der Abteilung Volksbildung (zum Beispiel Kreisschulrat) sollten demokratisch gewählt werden und höchstens für zwei Wahlperioden im Amt bleiben. Auch sie sollten, um nicht den realen Bezug zu verlieren, mit einigen wöchentlichen Pflichtstunden in den Unterrichtsprozeß einbezogen werden.

Ich bin mir vollkommen bewußt, daß diese Vorstellungen nur bruchstückhaft sind und nicht das ganze, breite pädagogische Umfeld erfassen. Das war auch nicht mein Anliegen. Aber sie könnten Diskussionsgrundlage sein. Notwendige Veränderungen – und das ist meine ehrliche Überzeugung – können nicht mit den Kadern vollzogen werden, die in den Kreisabteilungen und Bildungseinrichtungen bisher dafür gesorgt haben, daß unsere Gesellschaft so komplexen Schaden nehmen konnte. Passen wir auf, daß wir keine Wende um 360° erleben.

Soweit mein Beitrag. Sie müssen noch wissen, daß ich die ehrliche Absicht hatte, aus dem Schuldienst auszuscheiden, weil ich die seelische und moralische Belastung des fortwährenden Lügens und Belogenwerdens (dies hat mich im Sinne des Wortes seelisch krank gemacht) nicht mehr ertragen konnte. Ich ringe jetzt mit mir, so ich wieder auf den Beinen stehe, mich den neuen Anforderungen zu stellen.

Bernd Zentrich,
Lehrer für Geschichte/Deutsch,
Pößneck

Sehr geehrte Frau Wolf, schon nach dem Lesen Ihres Beitrages *Das haben wir nicht gelernt* hatte ich das Bedürfnis, Ihnen zu schreiben.

Nun, nachdem Auszüge aus Briefen auf diesen Artikel hin veröffentlicht sind, muß ich mich einfach zu Wort melden! Gleich zu Beginn: Ich gehöre auch zu denen, die sagen »Sie haben mir aus dem Herzen gesprochen!«

Meine Empfindungen beim Lesen dieses Artikels kann ich kaum beschreiben: Seit vielen Jahren war »Volksbildung« ein Haupt-Gesprächsthema in unserer Familie, verbunden mit Kritik am »System« überhaupt. Genauer gesagt, am Führungsanspruch *einer* Partei und allen sich daraus ergebenden Folgerungen. In diese Gespräche mischte sich zunehmend Bitterkeit und auch ein Gefühl der Ausweglosigkeit: Als einzelner konnte man ja fast daran verzweifeln (in unserem kleinen Ort gab es wohl nicht viele, die ebenso dachten, und noch weniger solche, die den Mut hatten, sich dazu zu bekennen).

Fassen kann ich es immer noch nicht ganz: Das, wofür mein Mann jahrelang gekämpft hat im Rahmen seiner Möglichkeiten als Lehrer (Deutsch/Geschichte) – und auch gelitten, steht nun als öffentliche Forderung zum Beispiel in der »Wochenpost«, und man beginnt wieder zu hoffen. – Mein Mann, den das Thema »Volksbildung« zutiefst berührte, kann sich nicht mehr dazu äußern: Er erlag im März 1988 einem Herzinfarkt.

Ich selbst habe beruflich nichts mit der Volksbildung zu tun; frage mich nur jetzt, wie all die Lehrer mit der »Wende« bzw. mit ihrem Gewissen fertigwerden, die jahrelang mit den »Beschlüssen von Partei und Regierung« auf den Lippen immer richtig »lagen« und damit relativ bequem lebten – sie mußten ja nicht einmal nachdenken!

Mein Mann wurde aus Überzeugung Lehrer: Er war fast dreißig, als er an der Volkshochschule sein Abitur nachgeholt hatte, um 1968 ein Direktstudium an der Pädagogischen Hochschule Magdeburg zu beginnen. 1972 zogen wir dann hierher, und alles begann recht hoffnungsvoll. Nach nur wenigen Jahren allerdings wechselte die Schulleitung, und seither wurde von den Lehrern nicht so sehr Fachwissen und dessen optimale Vermittlung an die Schüler verlangt, als vielmehr »Parteilichkeit« im negativen Sinn mit allen negativen Folgen für Lehrer und Schüler (die Situation an den Schulen hatten Sie selbst ja sehr genau beschrieben!).

Was den »Freiraum« für die Schüler zum eigenen, kritischen Denken betrifft – das war eines der Hauptanliegen meines Mannes (neben der Vermittlung von Wissen natürlich). Den sich daraus ergebenden Konsequenzen stellte er sich ganz bewußt: Da war zum Beispiel das beständige »Übersehen« seiner Leistungen als Lehrer, welche ganz offensichtlich in hohem Maß vorhanden waren, sichtbar an den schulischen Ergebnissen seiner Klassen und zum Beispiel auch daran, daß man »schwierige« Klassen fast ausschließlich ihm übertrug.

Mein Mann vertrat die Ansicht, daß zu einer umfassenden Bildung auch gehört, »daß jeder Schüler wenigstens einmal eine Kirche von innen gesehen« hat – und er setzte diese Ansicht trotz schlimmer Anfeindungen in die Tat um.

Vor allem vertrat er die Meinung, daß die Partei in schulische Abläufe nicht eingreifen darf; sein Kampf gegen solche Erscheinungen, die eigentlich an der Tagesordnung waren, war zäh und verbissen, auch im Rahmen des Parteilehrjahres an der Schule, das er viele Jahre leitete. – Lehrer zu sein, hatte sich mein Mann nicht so vorgestellt, daß jeder, also FDJ, GST oder sonst eine Institution, sich ein Mitspracherecht in allen schulischen Belangen anmaßen kann und der Lehrer selbst dabei unter Umständen nur noch eine Randfigur darstellt. Kraft seiner Persönlichkeit und seines Wissens hatte er für sich selbst einen gewissen Freiraum geschaffen, der aber im Lauf der Zeit immer kleiner wurde, je mehr der Druck »von oben« zunahm; sein offenes Auftreten konnte schließlich nicht ohne Folgen bleiben. (»Wohlmeinende« rieten, er solle doch kompromißbereiter sein, es wäre dann vieles einfacher. Glücklicherweise gab es immer und gibt es Menschen, die *so* nicht leben können).

Unter all diesen Umständen wollte und konnte mein Mann den Lehrerberuf nicht länger ausüben, so schwer dieser Entschluß auch für ihn war. Seine damalige 9. Klasse wollte er noch bis zum Abschluß führen und sich dann einer anderen beruflichen Tätigkeit zuwenden.

Der SED trat mein Mann als ganz junger Mensch bei – freiwillig und in der Überzeugung, dort zum Wohle vieler Menschen gebraucht zu werden! Daß das ein »Kinderglaube" war, merkte er spätestens während seiner Tätigkeit als Lehrer. Im Januar 1988 war er so weit, zu sagen, daß er dieser Partei nicht länger mehr angehören könne. Die Konsequenzen daraus, zumal in »damaliger« Zeit, waren zwar vorher abzusehen, trotzdem traf es ihn hart, Möglichkeiten zum Beispiel für einen neuen Berufsweg, die sich ihm eröffnet hatten, von diesem Tage an versperrt zu sehen: Niemand hatte so viel Zivilcourage, ihn trotz Parteiaustritts einstellen zu wollen.

Angesichts der Ereignisse, die sich zur Zeit in unserem Land vollziehen, ist es vielleicht vermessen, von einem Einzelschicksal zu reden, trotzdem: Ich finde einfach, in diesem Zusammenhang muß auch darüber gesprochen werden.

U. H.,
Röbel

Ich bin entsetzt über die Menge Schmutz, die in der »Wochenpost«, an die Adresse von Christa Wolf gerichtet, veröffentlicht wird. Da ist Frau Eva Justiz stolz, daß keines ihrer Kinder die DDR »verraten« hat – also gibt es doch 2 bis 3 Millionen Verräter seit 1945. Da faselt eine andere Schreiberin von gesetzmäßiger Führungsrolle der SED – gerade diese Anmaßung (niemand hat die SED legitimiert und autorisiert) hat unser Land in diese schwere Krise gestürzt. Da sind auf einmal lauter Saubermänner da, die sich von Christa Wolf beleidigt fühlen. Wahr ist, daß neben der SED die Institution Schule die Hauptschuld an der doppelten Moral unserer Jugend trägt, daß die Jugend so schamlos belogen wurde, besonders im Staatsbürgerkundeunterricht. Es ehrt unsere Schriftsteller und Künstler (trotz mancher Privilegien), daß sie an der Spitze der »Wende« standen. Stefan Heym sagte: »Es ist, als ob jemand die Fenster aufgestoßen habe, und der Mief zieht ab.« Wie wohl das tut. Ich möchte Ihnen noch mitteilen, daß ich seit 30 Jahren Lehrer bin. Die Atmosphäre zwischen Lehrenden und Jugendlichen ist inzwischen wohltuend: ehrlich, offen, entspannt. Trotz 40 Jahren SED-Staat – auf unsere Jugend können wir stolz sein. Vielleicht noch eine Entgegnung an den Herrn Professor (Kohlsdorf; d. Red.) aus Berlin: Ist es wirklich das gleiche, wenn die Unterdrücker zuschlagen und wenn sich Unterdrückte wehren?

Klaus Jentzsch,
Lehrer,
Halle

Als ich vor Wochen das Urteil von Christa Wolf über uns Pädagogen las, war ich tief erschüttert und auch etwas gekränkt. Mußte ich mich nicht angegriffen fühlen?

Überschaue ich als fast Fünfzigjährige mein langes Lehrerleben (29 Jahre), so kann ich heute nicht mit Trauer über viele Jahre nachdenken, in denen ich gegen Schwierigkeiten ankämpfte, sondern ich bin stolz darauf, meinen Auffassungen vom Lehrerberuf stets treu geblieben zu sein. Was sah ich für mich als »Privileg« an? Immer für meine Kinder dazusein, sie nicht nur zu bilden und dabei zu erziehen, sondern sie durch vielfältige gemeinsame Erlebnisse auf das Leben durch Herausbildung positiver Charaktereigenschaften vorzubereiten. Das bedeutete für mich, teilweise alleine zu verantworten, wie ich zum Beispiel an die Erfüllung des Pionierauftrages herangehen würde, gegebenenfalls auch, Weisungen zu umgehen. Was brachten mir meine Bemühungen in den letzten 15 Jahren ein? Die meisten Schüler und deren Eltern standen und stehen auch heute noch auf meiner Seite und organisierten viele gemeinsame Erlebnisse mit. Im Kollegium allerdings hatte ich einen schweren Stand. So wollte man, weil ich unbequem geworden war, daß ich an einer anderen Schule arbeite, daß ich mein »Aushängeschild« gegenüber der Öffentlichkeit ablege, mich dem Maßstab der anderen anpasse. Eine Pionierleiterin drohte mir vor Jahren mit Disziplinarmaßnahmen, wenn ich die weihnachtliche Ausgestaltung meines Klassenraumes nicht entferne. (Diese Pionierleiterin ist vor längerer Zeit aus der Partei ausgeschieden und besucht seitdem häufig Veranstaltungen der Kirche.)

Kämpfte ich vor Jahren darum, eine 2. Klasse auch im 3. Schuljahr noch führen zu dürfen, bekam ich weder vom Direktor, der Gewerkschaft, dem Kreisschulrat noch dem Bezirksschulrat Unterstützung. Vertreter meines Elternaktivs wurden vom stellvertretenden Kreisschulrat in unhöflicher Art »abgefertigt«. Da ich bestimmten Formen unserer bisherigen Arbeit und des Klimas an der Schule, bis hin zur Leitungstätigkeit, kritisch gegenüberstand und -stehe, erhielt ich in jeder Beurteilung neben vielen lobenden Worten über meine pädagogische Arbeit stets Bemerkungen über mein kollektivstörendes Verhalten.

Wie soll es nun weitergehen? Ich werde in meiner täglichen Arbeit *nicht grundlegend* etwas ändern, weil mir in den letzten Wochen durch viele Meinungen in den Medien, leider nur sehr spärlich in meinem Kollektiv, klar wurde, daß das, was ich bisher unter dem Lehrerberuf verstanden habe, richtig war. So möchte ich auch in den folgenden Jahren meinen mir anvertrauten Kindern nicht nur Wissen vermitteln, sondern sie mit vielen Schönheiten unseres Lebens vertraut machen, sie zur Hilfsbereitschaft, Ehrlichkeit und Offenheit, Bereitschaft zur Mitarbeit für eine gute Sache erziehen. Dann werden diese Kinder eines Tages wertvolle Mitglieder unserer Gesellschaft werden, die *uneigennützig* an ihrem Platz all ihre Kraft einsetzen.

Irene Galfe,
Lehrerin,
Groß Schacksdorf/O.

Sehr verehrte Frau Christa Wolf, Ihr Beitrag in der »Wochenpost«, *Das haben wir nicht gelernt*, machte mich glücklich – endlich sprach jemand offen aus, was ich seit Jahren fühlte, worunter ich seit Jahren litt. Die Reaktionen einiger Kollegen in einer späteren »Wochenpost« machten mich betroffen. So schreibe ich spontan über mein Leben in der Volksbildung von nun fast 39 Jahren! Ich bin Jahrgang 1933, unverheiratet. 1960 wurde mein Sohn geboren; ich war vielen Diskriminierungen am Anfang ausgesetzt, denn es ist der Sohn eines Ausländers.

Nie gab es eine finanzielle Unterstützung. Der Inhalt meines Lebens war von der Fürsorge um diesen Sohn geprägt, er studierte, wurde Architekt und verteidigt bald seine Dissertation. (In diesem Jahr fand eine Begegnung zwischen Vater und Sohn statt: Nach 30 Jahren sah ich den Vater meines Sohnes wieder, ein Rumäne übrigens, besonders aufregend für uns in diesen Dezembertagen.) Inzwischen habe ich auch, beglückend für mich, 2 Enkel.

Und in diesen Jahren immer der oft unerträgliche Druck in diesem Schulsystem! Immer das Gefühl, es gibt keine Alternative, keine Möglichkeit, etwas anderes zu tun – ich mußte für mich und meinen Sohn durchhalten! In den fünfziger Jahren trat ich der SED bei, nach zwei Jahren trat ich aus, da man Bespitzelungen von mir verlangte.

Mitunter wurde ich wegen Lächerlichkeiten angezeigt. (Zum Beispiel lobte ich in Geographie einmal die Qualität des »Allgäuer Käse« – schon gab es, über Schüler, eine Anzeige – ich wurde »vorgeladen«.) In den sechziger Jahren verlor ein Bekannter von mir (von dem ich mich aber lange vorher getrennt hatte!) einen Brief, dessen Inhalt angeblich staatsdiskriminierend war; jedenfalls wurde der Brief, der sich in einem Personalausweis befand, meinem damaligen Kreisschulrat zugesandt. Dieser ordnete eine Gewerkschaftsversammlung an, damit ich dort entsprechend »geläutert« werde (ohne Vorankündigung für mich, gewarnt von einer ehrlichen Kollegin, die davon wußte)! Der Inhalt des Briefes war belanglos (ich hatte geschrieben, daß ich momentan politische Schwierigkeiten habe und zur Zeit Edgar-Wallace-Romane aus dem Goldmann-Verlag lese!). Ich wurde nicht entlassen, aber es war erniedrigend für mich, daß ich noch »bereuen« sollte!

Die letzten Jahre waren vom »Offizierswerbungs«-Terror geprägt – unglücklicherweise habe ich hintereinander zwei Klassen von 8 bis 10 geführt, und in keiner Klasse konnte ich einen zukünftigen »BOB« oder »BUB« (»Berufsoffiziers-/-unteroffiziersbewerber«; d. Red.), wie es in pädagogischer Amtssprache hieß, vorweisen. In jedem Pädagogischen Rat wurde ich angegangen, wöchentlich mußte ich geführte Elternaussprachen melden, es war erniedrigend. Einmal bat ich ein Elternpaar, Genossen, zur Aussprache. Sie waren nur Sonnabendmittag bereit (auch Lehrer), so bat ich um einen anderen Termin. Darauf zeigten sie mich beim Kreisschulrat an: Ich sei nicht bereit usw.! Mein Direktor (inzwischen in der BRD, ein ehemaliger Offizier) wurde meinetwegen gemaßregelt, daraufhin schrie er mich wie ein »Stück Vieh« so an, daß ich nervlich am Zusammenbrechen war.

In einer kleinen Dorfschule half ich mit vier Stunden Zeichnen aus, die Schüler hatten gern bei mir Unterricht. An einem Tag vor den Herbstferien holten mich von dort Bekannte aus der BRD (auch Lehrer) und mein Sohn ab (mit dem Auto) – Empörung und Anzeige beim Kreisschulrat! So gab es natürlich in all den Jahren keine besondere Auszeichnung, obwohl die Fachberater mit meinem Unterricht zufrieden waren. In der »Galerie der Freundschaft« holte ich mit meinen Schülern Preise, aber Anträge auf Auszeichnungen (zum Beispiel Aktivist) wurden abgelehnt. (Daß ich auch Gewerkschaftsarbeit leistete, sei nur nebenbei bemerkt).

Für mich gab es in all den Jahren nur einen Grundsatz: Wichtig sind die Schüler, die Kinder, ihnen galt meine Zuneigung, für sie war ich da; ich mußte aber auch hier Lehrgeld bezahlen. Seit 1958 unterrichte ich an derselben Schule – auch dafür kaum eine Anerkennung. Und nun dieses Gefühl der Befreiung! Ich kann es noch nicht fassen! Und ich bin froh, daß ich immer ehrlich zu meinen Schülern war. Obwohl kein Christ, war mir immer Albert Schweitzers Gedankengut Vorbild.

Nun bleiben noch wenige Jahre – ich wünsche mir Kraft, sie durchzustehen. (In den Ämtern sitzen aber noch die »alten« Funktionäre.)

Brigitte Stuhr (56),
Lehrerin, Meißen

In vielen Beiträgen und Leserbriefen der »Wochenpost« wird mit Recht massive Kritik am Volksbildungswesen der DDR geübt. Ich halte es aber für unberechtigt, alle Lehrer über einen Kamm zu scheren und zu verurteilen.

Die Leute, die die Volksbildung jetzt öffentlich kritisieren, haben das vor der sogenannten »Wende« in dieser Form nicht getan. Warum? Man hatte ja nur Nachteile für sich oder seine Kinder zu befürchten. Glauben Sie, den Lehrern ist es anders ergangen? Wenn man in Dienstberatungen unerwünschte politische Meinungen äußerte, stand man immer hart am Rausschmiß. Trotzdem gibt es viele Lehrer, die mit ihren Schüler immer offen und ehrlich diskutiert haben und auch verstanden worden sind. Die Öffentlichkeit sollte also auch hier etwas mehr differenzieren.

Stefan Friebel (37),
Lehrer für Polytechnik, Lunzenau

Sie sprechen von dem Schema, von dem es so viele Abweichungen wie Familien gibt. Bei mir war das so: Ich bin Jahrgang 1934 – in Ihrem *Kindheitsmuster* gibt es vieles, was ich selbst so ähnlich oder genau so erfahren habe, bis in beklemmende Details. 1949 bin ich als Schüler in

Buchenwald gewesen, es stand unterhalb des Appellplatzes noch vieles von dem Schrecklichen, die Blöcke noch, wir gingen da rein, und die Pritschen mit Resten Stroh noch, und was fast schlimmer war, der Geruch noch.

Mein Elternhaus war kleinbürgerlich. Unsere Eltern, so sehe ich es heute deutlich, versuchten mit familiärer Wärme den Einfluß von draußen abzuschwächen, etwa wie es Arnold Zweig bei der Familie Dowkin beschreibt. Hausmusik und Geigenstunde, Kirchgang am Sonntag und Tischgebet, Naturliebe und Hinführung zur Welt der Kultur, Homer und Märchen und Schubert-Lieder mit Heine-Texten und Herr auf Ribbeck zu Ribbeck und immer wieder Potsdam. Ich seh mich als Kind noch auf der Bank unter Linden an der Garnisonskirche sitzen und dem Klang vom Turm zur vollen Stunde lauschen – das war gewiß ein Motto, das die Eltern einzuhalten versuchten, daß es auch als ein Sendezeichen aus dem Radio kam, wird zu ihrer Täuschung geholfen haben. Sinnbildlich erscheint mir heute auch die Erinnerung an die zugemauerten Fenster von Sanssouci. Als 1945 meine Eltern (und wir Kinder mehr und mehr auch) schmerzhaft und zunächst sprachlos begriffen (wobei es richtiger wäre, von ihrer Sprach- und relativen Tatenlosigkeit in den vergangenen 12 Jahren zu sprechen), was geschehen war, tat sich ihnen die brennende Frage auf: Wobei hast du mitgetan, warum bliebst du still? Und daraus entstand jene Kraft, die ein anderes Weiterleben verlangte. Mein Erwachsenwerden fiel glücklich zusammen mit dem Erwachen rings um mich her. Meine Leute waren ehrlich, und es war am Anfang gewiß leichter, viel leichter als in der Nazizeit – leichter auch als später.

Ich bin Lehrer geworden, das lag in unseren familiären Traditionslinien, es gab da hauptsächlich Schmiede, Pfarrer und Lehrer – und ich bin es tatsächlich seit 31 Jahren, und bin, bei manchem Frust, den es gibt und den es wohl in jedem Beruf geben wird, im Grunde immer noch oft glücklich, wenn ich vor meinen Schülern stehe. Oft – nicht immer freilich. Meine Regeln sind einfach: Du mußt was wissen, und das kommt mit der Zeit, wenn du dich bemühst, und du mußt die Schüler gern haben, und das kostet manchmal auch Mühe! Mir hat mal jemand gesagt: Als Lehrer mußt du den Schüler auf seinen Weg bringen, mußt das, was in ihm ist, herauskommen lassen, mußt ihn finden lassen, nicht unbedingt die Lösung ihm aufzwingen!

In meinem Fach Literatur – im Abiturbereich – habe ich dazu ganz gute Möglichkeiten. Armer Mathelehrer, der mit seinen Formeln und exakten Lösungswegen doch meistens bis in den letzten Winkel hineinleuchten kann. Dagegen mein Aufsätzestapel – da stöhnt jeder, ich auch, aber sind sie nicht auch mitunter Fenster, hinter denen sich Ungesehenes erblicken läßt, manchmal wenigstens. Unser Fach ist auch schwer: Dem Schüler sollen wir jeden Tag aufs neue Kunsterlebnisse ermöglichen. Wer meint, jedem Schüler an jedem Tag bei jedem Werk den Zugang, ja im besten Falle sogar Genuß und Spaß zu ermöglichen, der muß enttäuscht werden. Beneidenswert die Kollegen, die das nicht wissen oder merken, es gibt sie tatsächlich, und zu ihnen kann ich mich nicht zählen. Nicht beneidenswert die Schüler. Von so vielen Dingen hängt mein Berufsglück ab. Da bin ich also erstmal mit meiner Tagesform, meiner Sensibilisierung, das ist ja ganz und gar nicht gleichbleibend, sondern großen Schwankungen unterworfen. Wie steh ich zu dem entsprechenden Werk – es ist ja nicht immer Heine oder Goethe oder Bobrowski. Vielleicht weiß ich selbst gar keinen Weg, vielleicht gibt es für mich auch keinen, und ich soll ihn nun anderen weisen. Und dann in der Stunde: Es ist doch oft wie im Konzert, der eine hört zu voller Spannung, hat die Augen geschlossen – schläft er oder denkt er nach? –, der andere hustet und träumt von irgend etwas – man kann es nie genau ermitteln. Im besten Fall ist es so wie bei Jazzmusikern: Jeder fügt nach vereinbarten Grundharmonien Eigenes ins Gemeinschaftliche. Manchmal ist es auch wie im Zirkus und viel zu oft wie noch vor kurzem in der »Aktuellen Kamera« oder bei einer Trauerfeier.

Nach Ihrem Artikel in der »Wochenpost« gab es bei uns in der Schule hauptsächlich zwei Reaktionen: 1. »Sie ist ja eine große Schriftstellerin, aber was sie da über uns sagt, das ist doch empörend …« 2. »Sie hat das sehr zugespitzt formuliert, weiß, daß sie im Detail unrecht hat (sagt ja auch, daß es Lehrer gibt, vor denen sie den Hut zieht) – aber man muß drüber reden, nachdenken, sich streiten.« Und das ist ja gerade der Vorteil solcher Meinungsäußerung, daß sie zu echter Wahrheitssuche provoziert, gerade dadurch, daß sie vom bisher so gewohnten Denkschema abweicht.

Sie deuten an, daß bei uns die tief lotende und tief ins Bevölkerungsbewußtsein dringende Auseinandersetzung mit dem Faschismus über die Jahrzehnte wirkungsvoll und anhaltend nicht ausreichend geführt worden ist. Vielleicht haben wir es als erledigt verstanden, einmal geschafft und dann ad acta. Haben vergessen, daß man »täglich sie erobern muß«, haben uns mit dem Postulat beruhigt, weil es für uns selbt, die wir noch einiges erfahren, gesehen, erlebt haben, feste und wachbleibende Prägungen gab. Aber viele junge Leute, Lehrer wie Schüler, sind durch die vielfältigsten Reize der blinkenden Tageswelt so übersättigt, daß sie vor dem Ungeheuerlichen jüngster Vergangenheit eben nicht erstarren, sondern sich oft genug fast gelang-weilt zurücklehnen. Mir fiel das an Einzelheiten schmerzend auf: Vor einigen Jahren hatte die amerikanische Fernsehserie »Holocaust« ei-nen für unser Land seltsamen Erfolg. Aber wir haben doch *Professor Mamlock*, Seghers' großen Roman *Das siebte Kreuz*, die Anekdoten von F. C. Weiskopf und vieles andere seit Jahr und Tag im Lehrplan!! In mir kommt die Vermutung auf, daß die intensive Bewältigung (selt-sames Wort in Verbindung mit Vergangenheit!) des Faschismus in den Familien, in den Arbeitskollektiven seit langem nicht mehr stattfand. Das war früher! Viele wollten davon nicht mehr sprechen, auch die nicht, die dabei waren, wer spricht schon von einer Schwäche, seiner Scham oder gar Schlimmerem!

Wir besuchen mit unseren Schülern Gedenkstätten, ehemalige Kon-zentrationslager – aber gelingt es uns, die Schüler zu erreichen? Ist es nicht nur etwas ähnliches, als ob wir ihnen Hungertürme und Folter-kammern aus dem Mittelalter zeigten? Sind die Zustände auf dem Jü-dischen Friedhof in Weißensee zum Beispiel nicht nur ein letzter Auf-schrei gegen die Barbarei, sondern auch ein stummer Vorwurf gegen unsere Gleichgültigkeit, und die vielen von mir zutiefst begrüßten Akti-vitäten von 1988/89 zur Pflege jüdischen Kulturwesens in Deutschland und die plötzlich aufkommenden Initiativen zur Pflege dieses Anden-kens leider auch behaftet mit dem Geschmack von Saison?!

Wir können nun wieder nach Westberlin – warum ficht mich man-ches so an? Waren wir doch auch vor 1961 drüben, damals wurden wir mit der Warenfülle jedenfalls besser fertig – und es gibt für mich we-nigstens eine relativ einfache Erklärung: Wenn es in den Jahren davor bei uns weder grüne Heringe noch Bücklinge gab, keine Apfelsinen oder Büchsensahne, auch wenig Fahrradschläuche und schon gar nicht Kordhosen oder Schuhe mit Kreppsohlen – es machte uns nicht so viel aus, denn wir hatten etwas anderes, das uns nicht nur über manchen Mangel hinweghalf, sondern das uns feite: die Überzeu-gung, daß es bei uns anständiger zugeht, man kann leichter entsa-gen, wenn man den Verzicht mit moralischem Gewinn zu begründen vermag, und das ging damals. Ihr habt die Bananen, aber wir die bes-sere Welt, die Zukunft für uns!

Lassen Sie mich eine Episode einfügen: Eine gute Bekannte von uns steht in den Jahren nach dem Krieg an der Autobahn, sie war mit ei-ner Nachbarin um Lebensmittel unterwegs, »hamstern«, wie man ab-wertend diese menschlichen Mühen nannte. Sie hatten nun aber, da es schon dunkelte und ein stundenlanger Heimweg vor ihnen lag, den Mut, ein Auto heranzuwinken. Ein großes Personenauto hielt tatsächlich an, sie stiegen ein, weiche Polster, vorn neben dem Fahrer ein Mann, er duzt die Frauen, erkundigt sich: Wo wart ihr, hamstern? Habt ihr was gekriegt? Wie geht es euch, sind eure Männer aus dem Kriege zurück? – Es war Otto Buchwitz.

Stellen Sie sich das doch mal in unseren Tagen vor! Der Vergleich, nur in Gedanken, offenbart, wie weit wir gekommen sind! Ich komme aus Westberlin ziemlich deprimiert zurück – und das nicht nur, weil wir nunmehr nur noch die Gräber unserer Verwandten vorfinden, gestorben vor einigen Jahren – nein, das andere ist es auch, unsere anderen Verluste! Tut mir leid, mit einem einfachen Schwenk kann ich nicht zur Tagesordnung übergehen, ich habe es seit März 1953 einfach zu oft geübt, jetzt ist mein Vorrat an Vertrauen, bin auch ich selbst sehr erschöpft! Schlimm für mich ganz besonders, und da bin ich beim wichtigsten Anliegen meines Briefes, daß in diesen Tagen auch Schatten auf Anna Seghers und J. R. Becher fielen.

Anna Seghers – für mich die wichtigste deutsche Schriftstellerin, *Das siebte Kreuz* unverzichtbar für mein Leben und auch im Schulleben immer ein ernster Höhepunkt. Ich schrieb über Anna Seghers meine Diplomarbeit, hatte auch Begegnungen mit ihr. Das war 1955/57. Ein Foto zeigt uns Studenten an ihrem Stand auf dem Schriftstellerbasar am 1. Mai 1955, wir haben sie nicht einfach verehrt, wir haben sie wohl geliebt ... In meinem Staatsexamensjahr war ich (in Gedanken versteht sich) ständig zwischen Westhofen und Mainz zu treffen, ich hätte damals Heisler in seinem gelben Mantel auf der Straße erkannt ...

Was meinen Sie, wie es mir geht, wenn ich im Unterricht »Leben des Galilei« behandele: »... bedenkt nur, wenn er widerrufen hätte – so viel ist gewonnen, wenn nur einer aufsteht und *nein* sagt ...« Wie komme ich aus diesem Dilemma heraus? Soll ich einfach sagen: Groß ist nicht alles, was ein großer Mann tut? Oder soll ich mich trösten mit: Bedenke den Machtapparat des Stalinismus, bedenke, was sie in der Nazizeit hinter sich hatte, zwei Kinder und die Nöte, aus Europa wegzukommen, in Mexiko der Autounfall ... Aber dann meldet sich ihr Buch wieder: »... an ihm haben die uns zeigen wollen, wie man einen baumstarken Kerl einszweidrei umlegt. Aber das Gegenteil passierte. Sie haben uns nur gezeigt, daß es nichts gibt, was seinesgleichen umlegt.« Wie lesen sich jetzt die Worte, die Bredel zu Anna Seghers' 60. Geburtstag schrieb: »Nichts hat sie anzufechten vermocht, sie blieb sich, der großen Sache, der sie ihr Leben verschrieben hat, unwandelbar treu ... Durch niemanden und nichts ließ und läßt sich unsere Anna von ihrer [...] Mission abdrängen.« Das war 1960 – also kurz danach! Und wie paßt ihr Schweigen zu Brechts Sätzen, die Galilei sagt: »Ich habe zudem die Überzeugung gewonnen, daß ich niemals in wirklicher Gefahr schwebte. Einige Jahre lang war ich ebenso stark wie die Obrigkeit.« So sagt es doch Walter Janka auch!

Und Becher? Sein Bild war nie so strahlend für mich, aber gerade auch in seinen Schwächen und Irrtümern wurde er menschlich, ein Suchender, der sich auch bekenntnishaft einsetzte (immer muß ich jetzt hinzusetzen: wie mir schien!?), wenn es unbequem war. So zum Beispiel 1945 für den kaputten Fallada. Es ist ja viel geschrieben worden über das seltsame Verhältnis zwischen den beiden, und gewiß ist es richtig, dabei nicht nur die Hoffnung zu sehen, die Becher auf ein großes antifaschistisches Buch über Deutschland von Fallada hatte – es ist sicher auch die Lebensähnlichkeit, die bis in Einzelheiten wie Herkunft, Konflikte mit den Juristenvätern und überhaupt mit der Väterwelt, Ausbruchskatastrophen ganz blutiger Art, Kliniken dann und Flucht in die Literatur etc. Das alles ließ Becher in Falladas Schicksal 1945 eine Variante sehen, die leicht seine eigene hätte sein können, und so entstand wohl Mitgefühl als Wurzel von Hilfe … Aber er war dafür eben auch Anfeindungen aus den eigenen Reihen ausgesetzt. Ein Brief Hans Lorbeers ist mir bekannt, auch andere Anwürfe und Verdächtigungen, und Becher ist in seiner Haltung fest, warum verliert er das zehn Jahre später? Becher stirbt 1958 – vielleicht auch an sich selbst? Er, der doch die Ballade geschrieben hatte, in der es heißt: »Ein Deutscher trat hervor und sagte Nein!« Ich war der vorletzte Student, der 1957 von Alfred Kantorowicz geprüft wurde, es war am 3. Juli. Nach 32 Jahren kommen mir plötzlich Zweifel. War »Kantor« vielleicht gar nicht der üble Verräter, der »seine Kleider in den Wind hing«? Der plötzlich ein Agent des USA-Geheimdienstes gewesen sein sollte? Daß KuBa damals über ihn herfiel, das wundert mich heute nicht mehr, aber auch Kurt Stern, Freund der Seghers, sagte, Kantorowicz sei »in die tückischen, unserem Schiff feindlichen Wogen gesprungen …, in denen er jetzt, ekelhaft wendig, schwimmt«. Und die Verurteilung im »Neuen Deutschland« war unterzeichnet unter anderem auch von A. Seghers, Bredel, Renn, Uhse, Hermlin …

Manfred Kuhnke,
Lehrer, Berlin

Namhafte Vertreter der Kunst- und Kulturszene unseres Landes haben ein düsteres Bild des momentanen Zustands unserer Jugend gezeichnet. Es werden Wendungen gebraucht wie: Die Kinder wurden in der Schule (eine ungerechte und unzulässige Einengung – es gibt weit mehr erziehungsrelevante Instanzen) zur Unwahrheit und Doppelzüngigkeit erzogen, in ihrem Charakter beschädigt; Gängelung, Entmündigung und Entmutigung standen in unseren Schulen auf der Tagesordnung; Entlassung in das Leben mit angelernten abstrakten Überzeugungen – dieser Negativkatalog läßt sich beliebig erweitern.

Das macht betroffen – aber konnte die Schule als integraler Bestandteil der Gesellschaft besser sein als diese? War der einzelne Lehrer in der Lage, den durch das Befolgen staatlich sanktionierter Lehrpläne und anderer Dokumente entstehenden Widerspruch zwischen idealisierten Darstellungen und gesellschaftlicher Realität zu überwinden? Inwieweit sind eigentlich die jetzt in das Kreuzfeuer der Kritik geratenen Lehrer für den desolaten Zustand des Bildungswesens verantwortlich zu machen?

Wir sehen einen ganzen Ursachenkomplex für die gegenwärtige gesellschaftliche Situation, die besonders deutlich im Bereich der Volksbildung ihren Ausdruck findet. Die Unzulänglichkeiten der Schüler und die Erfahrung, nicht so sein zu können und zu dürfen, wie man wirklich ist, sind das Ergebnis eines auf Konformität und Kritiklosigkeit zielenden Erziehungskonzeptes. Diejenigen, die dieses Konzept umsetzen mußten, waren mehr als andere in diesem Staat einem restriktiven, bürokratischen Zentralismus ausgesetzt. Das inkompetente Hineinreden und Eingreifen doktrinärer Funktionäre (zum Beispiel Staatssekretär Lorenz und andere) in die Belange der Schule, in die Arbeit der Direktoren und Pädagogen hatte unerträgliche Ausmaße angenommen.

Das Denkschema war einfach: Alles, was die SED sagt, muß richtig sein. Demzufolge haben alle Lehrer diese »wahren« Ansichten zu teilen. Noch simpler war das Handlungsschema: Abweichungen von diesem von Arroganz und Selbstherrlichkeit getragenen Dogma sind mit Sanktionen zu belegen. Kritik = politische Gegnerschaft!

Der »Schaden«, der dadurch entstanden ist, die Spuren dieser Bevormundung und administrativen Gängelei werden nachhaltiger und tiefer wirken als zum Beispiel ökonomische Deformationen! Im Sinne einer Schadensbegrenzung sollte der beginnenden »Verteufelung« eines ganzen Berufsstandes Einhalt geboten werden, auch und gerade weil einige, die gestern noch Toleranz anmahnten, heute glauben, im Lehrer einen Sündenbock gefunden zu haben.

Viele Lehrer und auch uns bewegen gegenwärtig folgende Fragen:

1. Wie muß das neue Erziehungskonzept auf der Grundlage eines neuen Gesellschaftskonzepts aussehen? Welche Formen eignen sich

für seine Realisierung (zum Beispiel Formen der äußeren Differenzierung)?

2. Wie kann ein Lehrer seiner Aufgabe als Erzieher des Volkes am besten nachkommen?

3. Wie müssen wir die Lehrerausbildung diesen Anforderungen entsprechend qualitativ verändern?

4. Sind alle Werktätigen vor dem Arbeitsgesetz gleich? (Das betrifft zum Beispiel das Kündigungsrecht für Lehrer.)

5. Wann und in welcher Form verantwortet sich die ehemalige Volksbildungsministerin für Wissenschaftsfeindlichkeit und Machtmißbrauch?

6. Ist die Sprachlosigkeit der Akademie der Pädagogischen Wissenschaften Ausdruck von Ignoranz oder Unfähigkeit? Der kommentarlose Rücktritt des Präsidiums der APW zeugt weder von Originalität noch von Verantwortungsbewußtsein!

Wir fordern eine baldige Klärung der aufgeworfenen Fragen und eine grundlegende Reform des Schulwesens. Dazu braucht eine sich erneuernde Schule den von Bevormundung freien, gesellschaftlich geachteten Pädagogen, der als Anwalt seiner Schüler in Konfliktsituationen in den Klassenzimmern eine Atmosphäre des Vertrauens, der Rücksichtnahme, der Verstehensbereitschaft und der sozialen Integration schafft.

Prof. Dr. sc. S. Franz/
Dipl.-Lehrer P. Dietrich,
Pädagogische Hochschule »Karl Liebknecht«,
Sektion Pädagogik/Psychologie, Potsdam

»Es geht um unsere Kinder!«
Eltern-(zwischen)-betrachtungen

Sehr verehrte Frau Wolf, mit diesem Artikel haben Sie uns aus dem Herzen gesprochen. Wir möchten Ihnen dafür ganz herzlich danken. Wir sind selbst Eltern von drei schulpflichtigen Kindern und können Ihre kritische Analyse Punkt für Punkt bestätigen. Wir hoffen, daß die Frage nach den Verantwortlichen für diesen Zustand einmal ebenso offen und kritisch dargestellt wird. Nur so ist ein glaubwürdiger Neubeginn auch für die Volksbildung möglich.

G. und W. Leupolt, Dresden

Liebe Christa Wolf, mit tiefer Rührung haben wir Ihre Überlegungen *Das haben wir nicht gelernt* gelesen. Da wir drei Kinder haben, müssen wir bestätigen, daß die Leitungen der Volksbildung zu einem großen Teil zu verantworten haben, daß sich so viele Jugendliche von unserem Staat abwandten. Unsere in unserem Staat lebenden Kinder haben unsere Bemühungen gegen jene Lehrer, die ihrem Auftrag nicht gerecht wurden, anerkannt, aber sie mußten auch erleben, daß wir nur Ärger und sie die Nachteile dafür hatten, daß sie ihren Verstand gebrauchten.

Aus der Klasse unserer mittleren Tochter wissen wir, daß die Lehrerin Frau A. regelmäßig für hervorragende Leistungen geehrt wurde, wir wissen aber auch, daß zwei Drittel dieser Klasse sich von unserer Republik abwandten, einer vom Selbstmord nur absah, weil wir uns einschalteten. Im Grunde genommen müßte man solch einer Lehrerin die Auszeichnungen aberkennen.

Wir versichern Ihnen, daß wir die zurückliegenden 40 Jahre aktiver fachlicher und gesellschaftlicher Arbeit nicht missen möchten, daß wir aber froh sind, daß heute solche Überlegungen abgedruckt werden dürfen. Unser Einsatz gegen formale Erscheinungen, gegen die Beugung der Demokratie hat uns die Gesundheit gekostet.

Unsere Enkelkinder (10, 17, 20 und 23 Jahre) schätzen unseren

Kampf, sie wissen aber auch um den Preis, den er gekostet hat. Unser Kommentar zum Beitrag von Christa Wolf lautete: »8 – 9 – 10 – Klasse, es ist Spitze Christa, daß es Dich gibt!«

Familie Rolf Großmann, Dresden

Ich bin Jahrgang 1938, Mutter zweier fast erwachsener Söhne, ausgebildete Ökonomin, immer berufstätig, seit 30 Jahren Genossin und Leserin der Bücher von Christa Wolf – ich bedanke mich von Herzen für ihren Artikel. Er hat auf mich befreiend gewirkt, ich bin sehr glücklich, noch erleben zu dürfen, daß solche offenen Worte gedruckt werden. Sind sie doch grundlegende Auseinandersetzung mit Problemen, die unsere Jugend – entsetzlicherweise – in die falsche Richtung getrieben haben.

Die Schuld am desolaten Zustand unseres Staates und meiner Partei muß ich sowohl bei mir selbst als auch bei uns allen suchen. Warum haben wir uns so lange entmündigen *lassen*? Sicher wären wir in Schwierigkeiten gekommen, aber haben nicht in allen Zeiten aufrechte Menschen das von ihnen als richtig Erkannte öffentlich dargelegt, dafür gekämpft? Und sind dafür ins Gefängnis, ins KZ gegangen. In gewisser Weise waren wir alle korrumpiert, bequem. Die Auseinandersetzung auch darüber wird uns schwerfallen. Wir müssen sie aber führen, es ist die einzige, wohl auch letzte Chance, den Sozialismus in unserem Staat zu erhalten.

Ursula Bauch, Gera

Sehr geehrte Frau Christa Wolf, für Ihren Artikel in der »Wochenpost« möchte ich Ihnen vielmals meinen Dank aussprechen. Was Sie ansprechen, fühlte man genaugenommen schon lange im Innern. Doch so deutlich und zusammenfassend hat man es sich nie vor Augen gehalten.

Meinem 24jährigen Sohn, der seit einem Monat in der BRD lebt, habe ich eine Abschrift Ihres Artikels mit in den Brief gelegt. Mein Sohn und seine Frau konnten sich mit den so ausweglos anmutenden Gegebenheiten dieses Landes nicht mehr abfinden, sie beantragten vor knapp einem Jahr die Ausreise (er Maurer, sie OP-Schwester). Nach vielen harten Auseinandersetzungen im MDI wurde mein Sohn plötzlich ganz schnell zur Ausreise freigegeben. Das fiel gerade in die Zeit, wo die ersten Auswanderer über Ungarn nach Westen strömten! [...] Meine Kinder können es nicht fassen, was ich ihnen aus der DDR berichte, von den Menschen, Kirchen und Straßen, die Ihnen noch so gut im Gedächtnis sind!

Aber seit dem 8. Oktober denke ich, vielleicht war es doch gut, daß sie dieses Land verließen. Mein Sohn wäre bestimmt bei den »Abtransportierten« gewesen. Wer weiß, wie es weitergehen wird – aus Saulus wurde zwar Paulus, doch aus Hager und Schnitzler?

Christel Torner,
Berlin

Werte Frau Christa Wolf, Ihr Artikel *Das haben wir nicht gelernt* hat mich stark berührt. Jedes Wort, jede Zeile habe ich in mich aufgesogen. Ihr gesamter Artikel ging mir runter wie Öl. Ja, noch mehr, er ist eine totale Übereinstimmung mit meinen Ansichten, Überlegungen und Gefühlen.

Ich bin Jahrgang 1951 und habe eine fünfjährige Tochter. Ich muß leider sagen, wenn ich an meine Schulzeit zurückdenke, habe ich wieder das bedrückende Gefühl in mir, was eben mit diesen Erkenntnissen und Mängeln behaftet ist. Sie können es für mich und viele andere als Schriftstellerin sehr gut und überzeugend ausdrücken. Unser Kind Maria wird 1990 eingeschult. Meine Frau und ich – wir haben schon mit Bangen und Erschrecken an dieses Ereignis gedacht. Haben wir doch schon eine Vorahnung im Kindergarten bekommen, was uns dann in der Schule erwartet. Ich muß noch hinzufügen, daß wir Menschen sind, die nicht einfach in den Tag hinein leben. Für uns ist nicht Fernsehen und Konsum im Leben das Wichtigste. Ich glaube, wir leben sehr bewußt und gesellschaftskritisch und lassen uns auch nicht den Mund verbieten. Wir sind eine christliche Familie und möchten in unserer sozialistischen Gesellschaft mitarbeiten und als vollwertige Bürger akzeptiert werden, mit all unseren religiösen, ethischen und moralischen Überzeugungen.

Um eine Benachteiligung von »andersdenkenden« Kindern und Schülern in der Schule zu verhindern, muß noch vieles geändert werden. Aber wir haben etwas Hoffnung geschöpft, daß in Zukunft in der Erziehung und im Lernen ein Wandel einkehrt. Es müßten auch andere Kriterien und Fragen in Bewerbungsbogen von Schulen zur Anwendung kommen (für Abitur, Hochschulen, Berufsschulen usw.). Um eine Diskriminierung auszuschließen, müßte Leistung zählen und nicht Zugehörigkeit zu Pionierorganisation, FDJ, Partei oder FDGB. Es werden auch Fragen gestellt über Eltern und Geschwister. Wieso das?

Ich möchte Ihnen tausendmal Dank sagen für Ihre jahrelange Aufrichtigkeit und Kampfesgeist. Bleiben Sie, wie Sie sind.

Standke,
Leipzig

Liebe Christa Wolf, ich möchte Ihnen danken für ihre Bücher und Ihr mutiges Auftreten, kurz gesagt: für Ihren aufrechten Gang, wie Sie in Ihrem Artikel in der »Wochenpost« an einer Stelle sagen.

Sie haben mir zu allen Zeiten Mut gemacht, den wir in den letzten Jahren so nötig brauchten. Ich war manchmal ganz verzweifelt, weil so unendlich ohnmächtig. Lange Zeit glaubte ich, als Mitglied der SED etwas verändern zu können, rieb mich jedoch nur auf. Erst durch die Gespräche mit unseren Kindern ab Ende der siebziger Jahre fielen ganz langsam die Scheuklappen von uns. Sehr langsam aber. Mein Mann und ich wollten einfach nicht wahrhaben, daß wir auf ein falsches Pferd gesetzt hatten. Oder ging es nur in eine falsche Richtung? Es war ein langer Umdenkprozeß, aber kein untätiger. Ich schrieb an das ZK, den FDGB-Bundesvorstand und die Ministerien für Gesundheitswesen und Handel und Versorgung und viele andere Stellen. 1986 trat ich aus der SED aus. Es war nicht mehr meine Partei. Die an die ZPKK gerichtete Begründung enthielt im wesentlichen »Nichteinhaltung des Statuts durch die Parteiführung«. Ich hatte eine Vielzahl guter Beispiele, die die Korrumpierbarkeit zweier SED-Bezirkssekretäre genauso belegten wie die Zustände um den Protzbau auf der Grenzlinie zwischen Baabe und Sellin mit seinem Kontrast zwischen fürstlichem Innenleben und unterdrückter Umgebung. Niemand aber kam etwa zu mir, um mich wegen der ungeheuren Anschuldigungen (so glaubte ich, würde es formuliert werden) zur Rechenschaft zu ziehen. Statt dessen standen vier Wochen später zwei Funktionäre der Kreisleitung vor meiner Wohnungstür, die um mein Parteidokument baten und mir sagten, daß meinem »Antrag« stattgegeben sei. 39 Jahre Arbeit, angefangen beim Aufbaueinsatz in der Antifa-Jugend im schwer zerstörten Gera bis hin zu unermüdlicher Kleinarbeit in vielen Tätigkeiten über Jahrzehnte hinweg, zählten nicht mehr. Meinen Entschluß hätte ich zwar nicht rückgängig gemacht, glaubte aber, daß man sich für die Austrittsgründe eines langjährigen Parteimitgliedes interessiere.

Das Fazit meines Lebens: Das Rentenalter zwar erreicht, aber die Kraft fehlt; Krebs 1983 (nach neuesten Erkenntnissen auch durch Streß hervorgerufen); alle drei Kinder nebst Familien nicht mehr in der DDR (alle legal). Zwei Kinder sahen wir zehn Jahre nicht, obwohl wir alles versuchten, wir hatten uns nicht angepaßt. Unsere Tochter, das dritte Kind, ist in diesem Jahr mit Mann und zwei Kindern ausgereist. Man scheuchte sie, die Lektorin, und ihren Mann, den Denkmalpfleger, die sich immer wieder für die Stadtsanierung einsetzten, innerhalb weniger Stunden einen Tag vor der »Wahl« aus Leipzig fort. Es war die

Zeit, in der man es sich noch leistete, auf diese jungen Menschen zu verzichten, ihnen »keine Träne nachzuweinen«.

Jetzt hört man, fast über Nacht, andere Töne. Und nun sitze ich auch wieder an der Schreibmaschine und wende mich da- und dorthin, um etwas verändern zu helfen. Das verlorengegangene Vertrauen ist aber schwer wiederzugewinnen. Und ehe nicht alle die Leute verschwunden sind, die sich schuldig gemacht haben, gebe ich keine Ruhe.

I. E., Brandenburg

Als einfacher Mensch bin ich entsetzt über den Beitrag der Schriftstellerin Christa Wolf. Der schlimmste Satz war für mich: eine kleine Gruppe Antifaschisten, die an allem schuld sein soll. Damit schlägt sie doch allen Menschen, die diesen grauenvollen Krieg überlebt haben, Angehörige verloren, deren Heimat verwüstet wurde, die Hand mitten ins Gesicht.

Ich bin Jahrgang 1932, parteilos, als Zeitungsverkäuferin tätig. Meine Kinder sind trotz angeblicher Unterdrückung vernünftige Menschen geworden, auch meine Enkel. Wir haben mit den Kindern bewußt den Frieden genossen, den wir schon so lange haben, was auf dieser Welt gar nicht so selbstverständlich ist. Meine Kinder haben sich ihre Altbauwohnungen allein in Ordnung gebracht und gemütlich eingerichtet. Jede Familie hat Kinder, sie arbeiten zum Teil Schicht und haben unterschiedliche Berufe: Konditor, Koch, Lehrerin, Schlosser und Restauratoren. Ich bin stolz auf alle, und keiner hat unsere Republik verraten. Ich hoffe, daß alle noch sehr lange in Frieden leben dürfen und daß solche unsachlichen Beiträge nicht zu oft erscheinen.

Eva Justiz,
Berlin

Der Artikel *Das haben wir nicht gelernt* ist von vielen Lesern mit großem Interesse gelesen worden. Es wird darüber heftig und heiß, besonders an den Schulen und unter Eltern diskutiert. Erlauben Sie mir eine persönliche Meinung dazu: Ich finde es im höchsten Maße ungerecht, daß in diesem Artikel dem Elternhaus und besonders den Lehrern ein großer Teil Schuld zugesprochen wird, daß die Kinder in unserem bisherigen sozialistischen Staat nicht frei denken und sich entwickeln konnten und zur Unwahrheit erzogen wurden.

Ich selbst hatte bis zum Frühjahr 1989 zwei schulpflichtige Kinder und habe versucht, ihre Sorgen in der Schule mit ihnen zu teilen. In Elternabenden habe ich oft meine Meinung offen zum Ausdruck gebracht, das heißt, ich habe Kritik geübt, wo es mir erforderlich schien. Auch meine beiden Kinder habe ich so erzogen, daß eine ehrliche Meinung bei Diskussionen erforderlich ist, um Fehler zu beseitigen. Unbequeme Beiträge wurden entgegengenommen, sie wurden meist widerlegt, und es steht die Frage im Raum, ob sie weitergeleitet wurden oder in den Papierkorb gewandert sind. – Das kann ich nicht beurteilen. Auf alle Fälle muß ich bestätigen, daß deshalb meine Kinder in der Schule keine nachteiligen Folgen zu tragen hatten. Daraus muß ich schlußfolgern, daß die Lehrer meine Meinungen akzeptiert hatten, ganz gleich, ob sie ihnen paßten oder nicht.

Mit meinem Bruder (er ist Dozent an der Karl-Marx-Universität in Leipzig) führten wir oft heiße Debatten über das Bildungswesen der DDR, welches ich in vielen Punkten beanstandete. Er erklärte mir, daß Eingaben von Dozenten der Hochschulen und anderen Bildungsstätten in vielfältigsten Formen an die Führungsspitze geleitet worden seien. Nun steht wieder die Frage: »Warum wurde nichts verändert? Hatten die Eingaben die Führungsspitze überhaupt erreicht!? Wurden sie ignoriert?«

Wenn sich nun plötzlich eine große Wende in unserem Staat vollzogen hat, wenn jetzt alle ihre Meinung offen und ehrlich äußern, so dürfen wir doch nicht vergessen, daß die Menschen nur deshalb den Mut dazu aufbringen, weil mit der »Perestroika« der Weg dazu freigemacht wurde. An der Führungsspitze der UdSSR haben wir uns doch schon seit 40 Jahren ein Beispiel genommen, demselben nachgeeifert, oder die Führung unserer Partei hat es nicht gewagt, aus dem Rahmen zu tanzen.

Ich finde, daß es sich die Schriftstellerin Christa Wolf in ihrem Artikel sehr einfach gemacht hat, wenn sie die Schuld bei den Lehrern und Erziehern sucht. Wie depressiv müssen sich unsere Lehrer fühlen! Wir wollen die Tatsache ruhig offen aussprechen, daß es in unserem Staat viele »Zwischeninstanzen« gibt beziehungsweise gegeben hat, die ihre Posten unbedingt halten wollten und schon deshalb Informationen von unten nach oben bis hinauf zur Führungsspitze verschleiert und frisiert weitergeleitet haben.

Wo bleiben in unserem Staat die »Arbeiterkontrollen«? Sie sind völlig eingeschlafen. Viele Mißstände könnten bei einer gewissenhaften Kontrolle beseitigt werden. Ein führender Staatsmann muß sich vor allem »unangemeldet« an die Basis begeben. Nur so wird er erkennen, wie die Wahrheit aussieht, nur auf diese Weise können in Zukunft Fehlentwicklungen ausgeschaltet werden.

Ursula Beckert, Grüna

Mit Interesse las ich die Lesermeinungen zu Christa Wolfs Überlegungen *Das haben wir nicht gelernt.* Einige Lehrer fühlen sich dadurch in ihrer Würde als Lehrer verletzt.

Durch den Beruf meines Mannes (er ist im kirchlichen Dienst tätig) mußten wir oft umziehen. Dabei lernten wir die unterschiedlichsten Schulen und Lehrer kennen. Für manche Lehrer spielte es überhaupt keine Rolle, welche Weltanschauung die Kinder und deren Eltern besaßen. Wir mußten aber auch die Erfahrung machen, wie die Würde unserer Kinder mit Füßen getreten wurde. Auf Anweisung der Lehrerin mußte unsere Tochter den Gruppenrat verlassen, weil ihr Vater Pastor war. Diese Erfahrung beeinflußte den jüngeren Bruder dahingehend, daß er nicht der Pionierorganisation beitrat. Das hatte zur Folge, daß er nicht die Russischschule (Spezialschule mit erweitertem Russischunterricht; d. Red.) besuchen durfte.

Wir haben erlebt, wie Eltern, die vier Jahre lang erfolgreich im Elternaktiv mitgearbeitet hatten, diesen Dienst aufgeben mußten, weil sie Christen geworden waren. Für uns persönlich, mit solch einem Beruf, kam von seiten der Lehrer diese Aufgabe sowieso nicht in Frage. Ich weiß nicht, wie die Lehrer, die sich in ihrer Würde verletzt fühlen, handelten. Aber ehe sie so entsetzt reagieren, sollten sie sich in ihrem Lehrerkreis umschauen und prüfen, ob alles getan wurde, um die kindliche Würde zu wahren und gleichberechtigte, mündige Bürger zu erziehen.

Roswitha Eberhardt,
Berlin

Was mich geradezu empört hat – bei allem guten Willen zur Toleranz war *ein* Satz von Frau Wendlandt aus Berlin: »Wenn nun Schriftsteller glauben, für uns sprechen zu müssen – wir haben sie nicht darum gebeten«. Ich frage: Wo wären wir nur heute, wenn nicht in all den Jahren der »Sprachlosigkeit« – die ja nun weiß Gott von niemandem mehr bestritten werden, außer von denen, die sie partout nicht erlebt haben wollen – die Schriftsteller (und viele andere Künstler ebenfalls) es gewesen wären, die immer wieder mutig in Büchern, Essays und Gesprächen versucht haben, *das* auszudrücken (falls ihre Worte bei uns gedruckt wurden!), was unser Volk, die Mehrheit unserer Bürger empfand, aber aus den unterschiedlichsten Gründen nicht äußerte, in vielen Fällen nicht zu sagen wagte. Warum nicht, muß man angesichts der sehr offenen Worte, die in den letzten Wochen über die Tätigkeit der Staatssicherheitskräfte, die bis in die Arbeitskollektive hineinreichte, nicht noch erläutern. Wo wären wir auf dem Weg zu einem demokratischen Sozialismus ohne Schriftsteller wie Stefan Heym, Stephan Hermlin und nicht zuletzt Christa Wolf. Mag sein, daß jemand »maßlos enttäuscht ist über eine Schriftstellerin, deren Werke man einst mit großer Begeisterung gelesen hat« – für mich hat Christa Wolf immer die gleiche menschlich bewegende Sprache gehabt, ob in ihren Büchern, Essays, Reden oder auch bei der großen Demo in Berlin am 4. November dieses Jahres – immer vor allem den Nerv treffend.

Mich haben ihre Überlegungen sehr bewegt. Ich bin nämlich *keine* Lehrerin und habe die zehn Jahre Schulzeit meines Sohnes und den Leistungszwang auch als eine harte Prüfung für mich selbst erlebt. Ich habe auch die Erfahrung gemacht, daß alle Lehrerinnen (Lehrer kenne ich weniger), mit denen ich während dieser Jahre und auch später bekannt wurde, stets »Überreaktionen« zeigten, wenn man die Schule, die Lehrmethoden, die Lehrpläne oder ähnliches kritisierte. Immer fühlten sie sich persönlich gekränkt, warum nur? Jeder arbeitende Mensch muß sich, wenn nötig, berechtigter Kritik stellen. Wieso müßten (wie Herr Kaiser aus Frankenberg schreibt) mit jeder Kritik auch Vorschläge zum Verändern gemacht werden? Vielleicht sollten erst einmal die für den augenblicklichen Zustand unseres Landes Verantwortlichen sich entschuldigen, ihre Fehler bekennen – ganz persönlich, in aller Öffentlichkeit. Dies wäre auch vom ehemaligen Minister für Volksbildung das mindeste gewesen, das ist meine Meinung – gerade im Blick auf die vielen jungen Menschen, die der Erziehung durch unseren Staat anvertraut waren und ihm nun zu Tausenden den Rükken kehrten, »leicht und freudig« (die Trauer darüber in Christa Wolfs Zeilen so gründlich zu mißdeuten, ist auch lesenswert). Wir können nur hoffen, daß viele zurückkehren, weil sie anfangen, den Veränderungen in unserem Land Vertrauen zu schenken und, um mit Christa Wolf zu enden, »in tätiger Mitverantwortung für die Gesellschaft zu wachsen«.

Ilse Peters,
Potsdam

Ihre Reden, Ihre Gespräche und Aufforderungen in diesen Wochen verstehe ich gut. Sie sind ganz für das Volk – und werden vom Volk so verstanden.

Die erste »Wiederbegegnung« mit Ihnen hatte ich durch den Wochenpostartikel *Das haben wir nicht gelernt*. Weil er mir so aus dem Herzen und Verstand geschrieben war, las ich Ausschnitte davon auf einem Elternabend vor (Mitte Oktober). Jede Diskussion wurde – damals noch (kann man das jetzt schon so formulieren?) – im Keim er-stickt. Niemand hatte es schon gelernt, seine Meinung zu sagen. Am allerwenigsten die Lehrerin. Ich, wir schätzen sehr, daß Sie in diesen Wochen in die Öffentlichkeit treten und ganz klar Ihre Meinung ver-treten. Bücher zu schreiben wird Zeit noch sein ... Es schafft ein unge-heuer gutes Selbst- und Volksbewußtsein, wenn prominente und schon lange geschätzte Persönlichkeiten gemeinsam mit dem Volk auf die Straße gehen. Endlich können wir uns als Volk zeigen und un-sere Kraft erproben! Auf dem langen Weg zur Demokratie wird sich, so denke ich, ein ganz neues, oder besser: überhaupt erst ein Natio-nalbewußtsein entwickeln. (Bislang war ich keineswegs stolz, Deutsche oder DDR-Bürgerin zu sein.)

Ich, wir möchten Ihnen neben Ihrer »Öffentlichkeitsarbeit« für eine weitere Erkenntnis danken, die mir persönlich am wichtigsten ist: Wir können uns auf freundliche, menschliche Art streiten. Kaum einer aller jetzt so offen-oft kritisierenden Redner kann seinen ganz kühlen Standpunkt auf so menschlich-warmherzige Art darlegen wie Sie. Sie geben damit etwas ganz Wertvolles weiter – ein Gefühl der Gebor-genheit und einen Raum für Möglichkeiten und eventuelle »Träume«.

Ich bin 31 Jahre alt und Mutter von drei Kindern. Zwei meiner Kinder (9/8 Jahre) hatten kürzlich – von Politik verstehen sie noch nicht viel – einen wachen Traum: Wir wollen mal in das Märchen zurück. Wir wol-len mal, wie die Königssöhne und Handwerksburschen früher, von Ort zu Ort ziehen und unser Glück in der Welt suchen. Wir gehen einfach los und finden das Glück. Wenn das Geld alle ist, arbeiten wir ir-gendwo. Dann ziehen wir weiter (trampen mit dem Transiter, mit der Fähre nach Schweden usw.).

Ich habe nur vergessen, sie zu fragen, was das »Glück« ist. Aber das werde ich nachholen ...

Hella Bednarzik,
Ärztin,
Dippoldiswalde

Der »Wochenpost« war zu entnehmen, daß viele Lehrer gegen das En-gagement der Schriftstellerin Christa Wolf votieren. Dazu fällt mir die alte Volksweisheit »Getroffene Hunde bellen« ein. Christa Wolf weiß, wogegen sie spricht, und viele Betroffene wissen es erst recht.

Als Mutter einer heute 16jährigen Tochter habe ich den Lehrkörper ihrer Schule fast ausnahmslos verachten gelernt. Kindgemäße Trotzre-aktionen auf Ungerechtigkeiten, Dummheit, Intoleranz wurden als

»Sabotage« bewertet. Einer Beschwerde unsererseits vor drei Jahren folgte eine Aussprache mit dem Direktor, Klassenleiter und Parteisekretär der damaligen 40. POS Lichtenberg, die (nicht für uns als partei- und konfessionslose Eltern) beschämend verlief. Eingedenk der berühmten Worte Pastor Niemöllers forderten wir von dem Gremium erfolglos Erziehung zur Toleranz gegenüber Andersdenkenden und nicht das Gegenteil. Für unser Kind verschlimmerte sich seitdem die schulische Situation rapide. Der Preis für das Rückgrat unserer Tochter war, daß sie nicht zur EOS delegiert wurde.

Es gibt Schlimmeres.

Ich kenne aber auch das andere Extrem: Am Pionierhaus »German Titow« wirkt eine Zirkelleiterin für »Schreibende Schüler«. Diese wunderbare Frau begegnet ihren Kindern mit Achtung und Liebe, sie erntet dasselbe. Sie vermittelt jungen Menschen das so arg vernachlässigte Verständnis für Kunst und Literatur, lehrt sie den freien Meinungsaustausch, befähigt sie zum Dialog, setzt so Keime, die hierzulande noch selten, deshalb um so kostbarer sind.

Kathrin Knebusch,
Exportkaufmann,
Berlin

Sehr verehrte Frau Christa Wolf, eigentlich wollte ich Ihnen bereits nach dem Erscheinen Ihres Beitrages *Das haben wir nicht gelernt* in der »Wochenpost« Nr. 43 schreiben, aber infolge der sich überstürzenden Ereignisse der zurückliegenden Wochen ist dieser Vorsatz auf der Strecke geblieben. Nach den nun in der »Wochenpost« Nr. 46 veröffentlichten Leserzuschriften möchte ich dies aber unbedingt nachholen.

Ich wollte Ihnen sagen, wie sehr mich Ihre Worte angerührt haben, und auch die auf der Veranstaltung »Wider den Schlaf der Vernunft«, oder auf der Demo vom 4. November 1989 und an die Ausreisewilligen. Sie haben in der Ihnen eigenen souveränen und doch sehr engagierten Weise die Kernprobleme angesprochen, die so viele von uns echt bewegen. Herzlichen Dank!

Wer wie ich, Jahrgang 1934, Direktor eines Pharmazeutischen Zentrums und doch parteilos, die Entwicklung seit 1949 einigermaßen bewußt erlebt hat, kann sich eigentlich nicht mehr wundern über die Geschicklichkeit mancher Leute (»Wendehals« ist herrlich!), die Stunde zu nutzen, um wieder einmal unter neuen Parolen ihr Schäfchen ins Trockene zu bringen. Ich habe noch den Satz im Ohr, mit dem im Vogtland, wo ich aufgewachsen bin, mancher ehemalige Blockwart seine Vergangenheit zu bewältigen suchte: »Mir war'n doch scho allemeitog Kommunisten!«

Diese Leute sind viel gefährlicher für ihre Umgebung als die einigermaßen gläubigen Genossen, für die im Oktober 1989 eine Welt ohne Zweifel und ohne Schizophrenie zusammenbrach. Wie glücklich müssen diese Leute bis dahin gewesen sein! Und wenn in einigen der veröffentlichten Leserzuschriften immer noch die Meinung vertreten wird, daß der Erstschlag auf die »wehrlosen« Sicherheitskräfte am 7.–9. Oktober 1989 durch demonstrierende Rowdys erfolgte, so erscheint dies durchaus logisch im Rahmen der Denkweise ihrer Verfasser, nach der nicht sein kann, was nicht sein darf.

Was nun die Erziehung unserer Kinder (wir haben auch zweimal zwölf Schuljahre miterlebt) anbetrifft, so halte ich die Schulpolitik der zurückliegenden Jahre für eines der schlimmsten Vergehen sowohl an unserer Jugend, als auch an dem Teil der Pädagogen, der auf sehr schmalem Grat versucht hat, den Kindern und Jugendlichen ein Gefühl für Ehrlichkeit, Anstand und Würde zu vermitteln. Was auf diesem Gebiet an Schaden verursacht worden ist, kann keine Strafe für die dafür Verantwortlichen jemals ausgleichen.

Aber ist es nicht trotzdem fast ein Wunder, wie diese Oktoberrevolution 1989, made in GDR, in so disziplinierter Weise und in so kurzer Zeit einen Überbau zum Einsturz gebracht hat, der bis zum 7. Oktober die größte DDR der Welt verkörperte? Ich hoffe mit Ihnen, daß wir alle gemeinsam noch die Kraft besitzen, die Entwicklung nun wirklich im Interesse des Volkes weiterzutreiben, damit unsere Zukunft sozialdemokratisch werden kann.

Johannes Meyer,
Pharmazierat,
Glauchau

In der »Wochenpost«, Nr. 46, schrieb Frau Anja Krupop aus Heidenau über ihren »Wut und Zorn« über persönliche »Erinnerung an Demütigungen und die eigene Ohnmacht«. Das war ein mutiges Wort. Weil die daneben abgedruckten Beiträge den Anschein eines doch ganz ordentlichen Gesamtbildes erwecken und den ganzen Ernst der Lage nicht erkennen lassen, melde ich mich zu Wort.

Ich meine, daß wir gegenwärtig unsere deutsche Sprache wieder präziser lernen müssen. Während mir der weiter unten noch zu erwähnende Mann der SED vor wenigen Jahren sagen konnte, ein Kommunist sei fehlerfrei, habe ich gegenwärtig den Eindruck, daß man Karriere mit Schuld- oder Fehlergeständnissen machen will. Deshalb sollten wir zu unterscheiden lernen zwischen Fehlern, Schuld und Verbrechen.

Fehler nennt die deutsche Sprache Fehlentscheidungen, die man korrigieren kann. Wenn sich ein solcher Fehler gegen einen Menschen richtet oder auswirkt, redet man normalerweise von Schuld. Schuld läßt sich nicht ohne weiteres rückgängig machen, sie muß gesühnt werden. Das heißt, der Schuldige ist zu zwei Aktionen verpflichtet, daß er erstens sich beim Geschädigten persönlich entschuldigt und von diesem – falls der es will! – die Vergebung einholt. Nur so läßt sich erreichen, daß Erinnerungen entlastet werden, und zwar auf beiden Seiten, beim Schuldigen und beim Geschädigten. Zweitens muß der Schuldige, da er die Schuld öffentlich begangen hat, das Schuldbekenntnis öffentlich vollziehen, zum Beispiel in einer Presseerklärung. Nur dann kann die Öffentlichkeit unter die Angelegenheit einen Schlußstrich ziehen. Ein Verbrechen führt in eine tiefere Schicht. Begeht ein Schuldiger seine Tat geplant und kaltblütig, muß die Gesellschaft eingreifen. Denn die Gemeinschaft kann den Vorwurf, daß dergleichen in ihrer Mitte oder gar unter dem Vorwand, es sei in ihrem Auftrag begangen worden, nicht dulden, wenn sie ihre internationale Stellung halten möchte. Ich befürchte, daß vieles, was man heute als »Fehler« bezeichnet, eigentlich Schuld und Verbrechen war und ist. Bei Verbrechen können nur die öffentlichen Gerichte sprechen!

Es gab unter uns Jugendliche und Erwachsene, die zu EOS, Meisterlehrgang, Studium und besseren Posten nicht zugelassen worden sind oder von EOS und Studium wieder ausgeschlossen wurden. Die Begründung lautete, ihre Eltern seien kirchliche Mitarbeiter, Handwerker oder nicht-sozialistisch Produzierende, sie hätten politisch »abweichlerische« Ansichten vertreten oder wären solcher verdächtig.

Nehmen wir meine Tochter Bärbel als Beispiel, Jahrgang 1958. Sie belegte vom ersten Tag der Schule an den vordersten Platz und wurde von ihren Lehrern auf Leistung orientiert, da Leistungen allein den Weg ins Leben öffnen würden. Als sie zur EOS hätte zugelassen werden sollen, unterbreitete ihr die Klassenlehrerin an der Schule Borsdorf bei Leipzig, sie sei nicht für die EOS vorgesehen, da ihr Vater Pfarrer sei. Als ich mich bei der Schule beschwerte, wurde ich zum stellvertretenden Vorsitzenden des Rates des Kreises Leipzig bestellt. Er offerierte mir, daß nur 12 % des Bevölkerungsanteils der DDR aus kirchlichen Mitarbeitern bestehe, daher dürften nur 12 % der Pfarrerskinder auf die EOS. Als ich ihn bat, die 6–7 % EOS-Anwärter zu nennen, die von Hirngeschädigten entsprechend deren Bevölkerungsanteil abstammten, merkte er erst nach meiner Nachhilfe, daß seine Quotenregelung absurd war. Es verschlug ihm sekundenlang den Atem, ehe er antwortete: »Das ist die Diktatur der Arbeiterklasse.« Für meine Tochter bedeutete diese Entscheidung einen Schock, unter dem sie bis heute noch steht.

Sie hat von diesem Tag an ihre sämtlichen politischen Aktivitäten eingestellt. Als ihr die Klassenlehrerin vorschlug, sich anzustrengen, um die Abschlußprüfung »mit Auszeichnung« zu machen, fragte sie mich um Rat. Ich empfahl ihr zu antworten, sie werde sich nicht anstrengen, da die Prämie der Lehrerin und nicht ihr zufalle. Trotzdem hat sie das Prädikat »mit Auszeichnung« erhalten, aber die ihr dafür zustehende Lessing-Medaille hat sie nicht bekommen. Meine Tochter ist inzwischen ausgebildete Kinderkrankenschwester und arbeitet in einem Dorf als Gemeindeschwester. Sie hat den Antrag auf Ausreise nicht gestellt und wird ihn auch nicht stellen. Aber sie erwartet verständlicherweise jetzt die Aufhebung der gesellschaftlichen Diskriminierungen, mit allen Folgerungen.

Leider ist die Zahl der Diskriminierten und Gedemütigten in der DDR millionenfach! Ich habe den Einzelfall so präzis ausgebreitet, damit den Allzuraschen der Atem ausgehen soll. Daß wir unsere Zeit heute an Beschwichtigungen verschwenden, wäre ein neues Verbrechen, diesmal unser eigenes Versagen, ein Verbrechen an der Vergangenheit. Das können wir uns vor der internationalen Öffentlichkeit nicht mehr leisten. Was heißt das im einzelnen? Daß ein Mann, der ein von langer Hand vorbereitetes Verbrechen der geschilderten Art zu verantworten hat, heute noch ein leitendes Amt versieht, darf doch nicht wahr sein! Ich gebe ihm vier Wochen Zeit, damit er von sich aus zurücktreten kann. Danach hat das Ministerium für Volksbildung die öffentliche Pflicht, noch nicht bereinigte Fälle dem Staatsanwalt zu übergeben.

Genereller: Daß die sogenannte Wende nicht von der Arbeiterschaft ausgegangen ist, sondern von den Diskriminierten und darum besonders von der Intelligenz und der Jugend als den vor allem durch die Organe der Volksbildung Geschädigten, sollte man endlich offen aussprechen. Bis zur Stunde rekrutiert sich der Löwenanteil der Auswanderungswilligen eben aus diesen Kreisen! Hier liegen die Zusammenhänge also vor aller Augen. Wenn irgendeine grundlegende Änderung vorgesehen ist, muß unser gesamtes Bildungswesen einer durchgreifenden Umstrukturierung zugeführt werden. Es genügt nicht, daß an der Spitze eine kosmetische Korrektur erfolgt. Vielmehr muß die Überprüfung bis hinunter zu den Kreisschulräten und Direktoren gehen. Ich kann mir das ohne eine Totalrevision nicht vorstellen. Allerdings sollten wir nicht noch einmal wie 1945 die Kleinen strafen und die Großen laufen lassen.

Ziel der Totalrevision müßte sein, unser Bildungswesen, wie das international üblich ist, von ideologischen Vorgaben freizumachen. Daß der Wehrkundeunterricht abgeschafft wurde, reicht nicht. Alle ideologischen Fächer müssen abgeschafft werden. Auch die Jugendweihe sollten wir das nennen, was sie ist, ein Geßler-Hut, nur dazu erfunden, daß unsere Kinder die Demütigung bejahen und als Selbstdemütigung auf sich nehmen. Obwohl das ganze Volk sich beugte, zog Tell seinen Hut nicht vor dem Symbol der Unterwerfung. Sollte ich mich irren, bitte ich um Nennung der Gegenargumente! Wir haben keine Jugendweihe nötig! Die Ideologie hat sich in der Vergangenheit der DDR nicht damit begnügt, die Kinder und Familien passiv zu demütigen. Sie hat auch noch die öffentliche Selbsterniedrigung gefordert.

Wer will, daß unsere Volksbildung demokratisch wird, sollte wissen, daß dieser Bereich unseres Lebens sich bisher gegen alle Reformversuche total versperrt hat. Die evangelischen Kirchen haben seit Jahrzehnten ein Gespräch zum Thema Volksbildung beantragt. Aber erst jetzt, sagen wir: mehrere Wochen nach zwölf Uhr hört man, daß ein solches, ein erstes Gespräch angeboten worden sei. Leider ist die Stunde für Gespräche vorüber, jetzt ist die Stunde der Staatsanwaltschaft! Jetzt geht es nicht mehr um Öffnung, sondern um Abberufungen und Neubesetzungen. Das Bildungsministerium sollte, ehe es seine neue Arbeit beginnt, wissen, daß nur solche Frauen und Männer das angeschlagene Ansehen unserer Volksbildung wiederherstellen können, die fachlich die Besten und politisch die Unangreifbarsten sind. Integre Leute aber findet man heute auf gar keinen Fall unter der Gruppe derer, die gestern andere gedemütigt haben, sondern ausschließlich im Kreis der gestern Gedemütigten!

Ich schreibe diese Zeilen zornig. Ich habe Gründe genug. Ich gehöre zum Kreis der wenigen, die nach dem 17. Juni 1953 in die DDR zugewandert sind und seitdem reichlich Gelegenheit hatten, persönlich gedemütigt zu werden. Ich habe mir gegen mittlere und größere Stiche eine Elefantenhaut zugelegt. Genau das zwingt mich auf die Seite der Gedemütigten. Darum möchte ich die Diskussion über die erfahrenen Demütigungen eröffnen, Reporter sollten die Form der Demütigungen und ihr ganzes Ausmaß aufdecken. Menschen, die wieder einmal nichts aus der Vergangenheit zu lernen bereit sind, sollten wir mit allen für Demokraten verfügbaren Mitteln das Handwerk erschweren. Mit kosmetischen Korrekturen darf sich niemand zufriedengeben.

Wer unseren Lehrern helfen will, Vertrauen bei den Schülern zurückzugewinnen, muß fordern, daß jeder Lehrer seine persönliche Meinung einbringen darf und sollte. Und was soll aus den überschüssigen Lehrer- und Lehr-Stellen werden? Wir sollten diese nicht streichen, sondern in außerplanmäßige Stellen für Frauen und Männer umwandeln, die es trotz aller Behinderung geschafft haben, hohe Qualität und oft bessere Leistungen vorzulegen als installierte Ideologen, und zwar auf allen nur denkbaren Wissenschaftsgebieten. Trotz der Ausreisewelle sind noch genügend Verdrängte mitten unter uns.

Dr. Gottfried Schille,
Pfarrer,
Borsdorf

Ich glaube, den »Schlag unter die Gürtellinie« von Christa Wolf müssen sich viele Lehrer in unserem Land wohl oder übel gefallen lassen! Sie fühlen sich plötzlich in ihrer Würde verletzt, wie Frau Wallenhauer aus Leisnig schreibt. Sie vermißt »die gegenseitige Achtung im notwendigen Dialog«. Ich frage, wo war die gegenseitige Achtung der Lehrer gegenüber Andersdenkenden in den letzten 40 Jahren? Ich kann mich noch gut an meine eigene Schulzeit erinnern (1953/63). Mir wurde gedroht, ich bekäme keinen »ordentlichen« Beruf, wenn ich nicht FDJ-Mitglied würde. Als ich dann auf Lehrstellensuche ging, wurde meine erste Bewerbung mit der Begründung abgelehnt, ich hätte eine »Bildungslücke«. Das bezog sich auf oben erwähnte Nichtzugehörigkeit zur FDJ.

Als meine Tochter die Schule besuchte (1979/89), wollte ich im Elternaktiv mitarbeiten. Dort wurde ich abgelehnt mit der Begründung, mein Kind nicht sozialistisch zu erziehen. Meine Tochter war ebenfalls nicht »organisiert«! Mich hat keiner von den Lehrern gefragt, ob ich mich damit in meiner Würde verletzt fühlte!

Auch Lehrer müssen wahrscheinlich erst lernen, mit sich selbst ehrlich zu sein! Bildung haben sie unseren Kindern beigebracht, das spreche ich ihnen nicht ab, aber Vertrauen und Achtung haben sich nur ganz wenige unter ihnen erworben. Es ist kein Verdienst der Lehrer, daß die Menschen jetzt »politische Reife« zeigen! Ich denke, die meisten Menschen haben den immer krasseren Unterschied zwischen Wort und Tat »mitgekriegt«, deshalb gingen und gehen sie auf die Straße.

Noch eine Frage an Herrn Prof. Kohlsdorf: Warum waren alle anderen Demonstrationen nach dem 7. und 8. Oktober 1989 plötzlich friedlich? Ich unterstelle, daß es zu diesem Zeitpunkt eine Clique gab, die die Stimmung anheizte, um dann die Möglichkeit zu haben, gegen unliebsame Schreier vorzugehen. Anders kann ich es mir auch nicht erklären, warum man Steinewerfer schon verurteilt hat, bei den beteiligten Polizisten und Armeeangehörigen aber noch ermittelt! Den demolierten Bahnhof haben zuallererst die Leute zu verantworten, die den Befehl dazu gaben, die Züge, die aus Prag kamen, durch die DDR fahren zu lassen.

Zuletzt möchte ich noch kurz auf Frau Wendlandts Brief eingehen. Sie lastet es den Schriftstellern an, jetzt ungebeten für uns zu sprechen. Waren es nicht gerade viele dieser Leute, die niemals ganz schwiegen, sondern ständig gemahnt haben, laut oder leise?

Angelika Spodek,
Dresden

Christa Wolfs Artikel mußte geschrieben werden. Wer das nicht glaubt, hat nicht begriffen, vor welchen Trümmern auf moralischem Gebiet wir stehen, was an Vertrauen aufgebaut werden muß. Gewiß ist nicht jeder mit harten Repressalien konfrontiert worden. Ich würde mir nie erlauben, einen Menschen zu verurteilen, der sich sagt, ich mache meine Arbeit, wie mir aufgetragen wurde, wenn es um nichts Böses geht. Auch wenn derjenige der Konfrontation aus dem Wege geht.

Ein Lehrer, der niemals das Unglück hatte, seinen Schülern ein ehrliches Wort verbieten zu müssen, sollte sich glücklich schätzen, aber auch nachträglich einmal am Beispiel der Vorgänge an der Berliner Carl-von-Ossietzky-Oberschule seine Möglichkeiten durchspielen, bezogen auf den September 1988. Gewiß gibt es viele Lehrer – und nicht nur Lehrer –, die ihre Mitmenschen abgeschirmt haben, so gut es ging, und die immer Gesprächspartner geblieben sind. Aber geht es denn jetzt darum, mich zu rühmen, weil ich mich mehrmals gegen Machenschaften in meinem Betrieb einsetzte und ich dadurch fast kaputtgespielt war? Geht es darum, daß ich in das offene Gesicht meines Kindes, das ja mein Glück bedeutete, sagen mußte: Du hast recht, aber du darfst es nicht sagen. Ich denke dabei nur an Wehrerziehung, an Umweltschutz. Soll ich Buße tun?

Meine Söhne waren trotzdem an der Gethsemane-Kirche dabei.

Geht es uns allen, die wir hier brieflich streiten, nicht vielmehr darum, die Hoffnung auf eine wirklich sozialistische Gesellschaft neu aufzubauen? Dazu müssen wir wissen, was war. Und es war vieles.

Anneliese Seeger,
Berlin

Als wir diesen Artikel in der Wochenpost lasen, freuten wir uns über die ehrliche Offenheit sowie die zutreffende Beschreibung vieler Zustände und der Menschen hier. Dies empfanden auch Freunde von uns so, die den Artikel lasen. Wir sind bewußte Christen und versuchen dies auch konsequent zu leben. Aus diesen Gründen mußten wir gerade in der Schule genügend Diskriminierungen hinnehmen, trotz hervorragender Leistungen. Das ist aber nicht nur unsere Erfahrung, sondern die vieler Christen, die versuchten, einen aufrechten Gang zu gehen, überall im Land, wo wir darüber mit Freunden und Bekannten gesprochen haben. Schlimm ist nur, wie doch die meisten Menschen noch an altem Denken festhalten, von Errungenschaften zu sprechen, wo keine sind oder diese mit Selbstverständlichkeiten verwechseln, die man für seine ehrliche Arbeit erhalten sollte, zumal ständig davon »gelobhudelt« wurde!

Natürlich muß man dann solche Leserbriefe lesen wie in der »Wochenpost«, Nr. 46, zu Christa Wolfs Artikel! Wie empört sich dagegen gewehrt wird; keinerlei Selbsterkenntnis beziehungsweise eine völlig falsche Auffassung und ein derart entstelltes Verständnis ihrer Worte! Was soll man auch erwarten von den DDR-Bürgern? Es gibt schon seit Jahren einen solchen Ausdruck dafür: den sogenannten typischen DDR-Bürger! Er tut alles mit hervorragender Anpassungsfähigkeit, so spricht er, so sieht er aus! Neubauwohnung und Trabi, 99,8% besitzen eine Anbauwand, 98% aller Mütter gehen arbeiten usw., Gleichheit, ohne darüber tief nachzudenken, ist angesagt! Individualität wurde nie gelehrt, es sei denn zu Hause. Dafür bin ich meinen Eltern sowie unserer Gemeinde heute noch dankbar. Jeder Mensch hat aber ein Recht darauf. Die Menschen sollten sich einmal ehrlich prüfen, anschauen und vergleichen. Die eigentlichen Schäden an sich und ihren Kindern entdecken diese Menschen ja gar nicht oder wehren sich entschieden dagegen.

Ich erziehe meine Kinder auch selbst, sie gehen in keine Einrichtung, kommen trotzdem genug mit anderen Kindern zusammen, sollen aber spüren, was Familie und Geborgenheit ist, nicht nur am Wochenende oder Feierabend. Nebenbei arbeite ich auch, Zeit für meinen Mann und mich bleibt trotzdem, oder warum ist man verheiratet!?

Da fragt sich noch, was manchmal schwerer ist, sich Tag für Tag, jede Minute selbst um seine Kinder zu kümmern oder diese von sich wegzuschieben?! Außerdem macht Geld auch nicht glücklich, aber wahre Liebe und Geborgenheit in Ehe und Familie, ein erfülltes Leben mit ganz verschiedenen Aspekten!

Viele wird das wieder empören, weil sie glauben, alles getan zu haben, auch für ihre Kinder. Doch haben sie das je in Frage gestellt, oder haben sie es sich nicht lang genug immer wieder nur so vorgesagt und sagen lassen? Das, was alle tun, muß noch lange nicht das Richtige sein! Man lebt nicht, um zu arbeiten, aber man arbeitet, um zu leben. Die meisten Menschen verwechseln das, auch ganz bewußt! Wir Menschen haben aber mehr geschenkt bekommen, als nur unsere Kraft zur Arbeit. Eine Fülle Verstand, Ideenreichtum und Idealismus. Leider sehr verkümmert bei den meisten DDR-Bürgern!

Christa Wolf hat trotz allem die Wahrheit gesagt, und wir empfinden dies ganz genauso. Tschingis Aitmatow schreibt, daß die, die die Dinge erkennen und durchblicken, immer einsam sein werden, weil die Masse es nicht erkennt.

Familie Müller,
Zwickau

Christa Wolf sprach mir in ihrem Artikel aus dem Herzen. Um so betroffener war ich, als ich die Zuschriften dazu las. Ich hoffe, daß sie nicht repräsentativ sind. Diese Lehrer haben offenbar nicht begriffen, daß Christa Wolf damit nicht die Arbeit jedes einzelnen kritisieren wollte. Ihr ging es wohl doch um etwas mehr. Und wer sich eigene Gedanken gemacht hat, konnte doch schon seit langem, nicht erst in den letzten Wochen feststellen, daß unser Erziehungs- und Bildungssystem dringend einer Erneuerung bedarf. Nur frage ich mich jetzt, woher wir die Lehrer nehmen sollen, die diesen neuen Anforderungen gerecht werden können, und zwar, ohne auf Anweisungen von oben zu warten. Da bedarf es sicher noch eines gewaltigen Umdenkungsprozesses. Ich habe mehrere Enkel und hoffe, daß sie als selbständig denkende Menschen ohne doppelte Moral aufwachsen können, und daß ihnen niemals so etwas passiert wie den Schülern der Carl-von-Ossietzky-Schule. Es wäre sehr schlimm, wenn diese Chance, die es jetzt gibt, vertan würde.

Ursula Weisbrod,
Halle

Mit diesem Brief möchte ich Ihnen meinen herzlichen Dank sagen für Ihre Artikel in den »Wochenpost«-Ausgaben Nr. 43 und 47. Erst die kontrovers geführte Diskussion um Ihren Beitrag *Das haben wir nicht gelernt* hat mich bewogen, Ihnen zu schreiben.

Ich gehöre zu den Menschen in unserem Lande, denen Ihre Bücher Lebenshilfe waren. Angstvoll haben mein Mann und ich seit Mitte der siebziger Jahre die Abwanderung unserer hervorragendsten Intellektuellen in den Westen verfolgt. Mit jedem bekannten Namen wuchs das Gefühl der Ohnmacht, des Alleingelassenseins und der geistigen und künstlerischen Leere um uns her. Wir ahnten die Zwänge, denen Sie und viele andere kritische Schriftsteller, Dichter und Künstler im weitesten Sinne in unserem Land unterworfen waren. Aber wie jeder der Betroffenen diese Isolation und die geistige Enge durchlebte und erlitt, wird wohl erst jetzt von einer breiten Masse unserer Bevölkerung erkannt.

Ich möchte Ihnen hier nicht noch einmal aufschreiben, wie ich persönlich die »Schizophrenie zwischen Schule und Elternhaus« als heranwachsender Mensch, als Abiturientin, Studentin und als junge Diplomingenieurin empfand. Viele andere haben Ihnen sicherlich schon geschrieben, wie sehr Sie uns aus dem Herzen gesprochen haben. Sie als Künstlerin waren in der Lage, unseren aufgestauten Unmut und Zorn in Worte zu fassen und Ausmaß und Ursachen unserer geistigen Verstümmelung darzulegen. Natürlich mußte auf Ihren Artikel ein differenziertes, großes Echo erfolgen. Mit Spannung erwartete ich die ersten Leserzuschriften. Und ich muß sagen, daß ich erschrocken und beängstigt bin, wieviel an Unverständnis und bösartiger Unterstellung Ihnen daraus entgegenschlägt. Begreifen denn wirklich so viele Menschen und gerade Lehrer nicht die Abschaffung der erstarrten Zwänge und Regeln im Bereich der Bildung und Erziehung als eine unserer wichtigsten Aufgaben?

Nicht nur mit Freude, sondern auch mit viel Angst vor der Zukunft haben mein Mann und ich das Heranwachsen unserer Kinder (13 und 10 Jahre alt) beobachtet. Sie sind ausgezeichnete Schüler und wollen lernen und studieren. Es wäre uns schwer geworden, die Unehrlichkeit, die wir als junge Menschen in der EOS kennenlernten, an unseren Kindern erneut zu erleben – dieses »Hineinpressen in eine Schablone«, den Widerspruch zwischen Friedensparaden und unbedingter dreijähriger Armeezeit für zukünftige Studenten, die Vergabe der Studienplätze nicht nach Leistungen, sondern nach Beziehungen und Privilegien und vieles andere. Welche Befreiung waren die letzten Wochen, und welche Chance liegt vor uns und unseren Kindern.

Ich möchte Ihnen mit meinem Brief Mut machen, sich weiter »einzumischen«. Aus Ihren Büchern lernte ich Sie als eine hochbegabte und sehr sensible Frau kennen und bewundern. Lassen Sie sich bitte nicht von unsachlichen, häßlichen Äußerungen oder von Diffamierungen Ihrer Person einschüchtern. Versuchen Sie weiter, denen, die es ehrlich mit unserem Land und seiner Entwicklung meinen, zu helfen, mit Ihrem Mittel – dem Wort, das Sie so meisterhaft beherrschen.

Ich kann mir vorstellen, daß es für Sie nicht leicht ist, sich im Mittelpunkt einer kontrovers geführten Diskussion zu sehen, die teilweise noch in dem altbewährten demagogischen Stil geführt wird. Geben Sie bitte nicht auf, es geht um unser höchstes Gut, um unsere Kinder!

Auch ich will versuchen, in meinem Tätigkeits- und Lebensbereich das Beste zu geben. Als Diplomingenieur für Energieinvestitionen im VEB Maxhütte wird in den nächsten Jahren viel Arbeit auf mich zukommen. Gerade auf dem Gebiet einer klugen Investitionspolitik wird die wirtschaftliche Zukunft der DDR entschieden.

Mein Brief ist nun doch, da ich die Kunst der Beschränkung nicht beherrsche, länger als vorgesehen. Ich hoffe, Sie konnten Zeit und Interesse aufbringen, ihn bis hierhin zu lesen. Abschließend möchte ich Ihnen für die nächsten Jahre Gesundheit und Kraft für die Bewältigung der vor uns liegenden Aufgaben wünschen, in dem Bewußtsein, daß Sie in unserem Land viele, viele unbekannte Gleichgesinnte haben.

Christine Lindig,
Krölpa

Sehr geehrte Frau Christa Wolf, ich habe Sie am 4. November 1989 gehört; Ihr »Wochenpost«-Artikel ergriff mich und wühlte mich auf. Eigentlich drängte es mich schon im Spätsommer, Ihnen zu schreiben, als Sie noch zur Flüchtlingswelle in Ungarn schwiegen. Ich wollte Sie um Veröffentlichung Ihrer Meinung dazu bitten, denn Sie waren es, die mir einfiel, als mir angst und bange wurde angesichts der Massenhysterie. Ich hätte niemand gewußt, der klarer, menschlicher, überzeugender als Sie etwas dazu hätte sagen können. Ich habe damals sehr auf ein Wort von Ihnen gewartet. [...] Sicher sehe ich das zu subjektiv, bin ungerecht, doch ich kann nicht anders: Seit Jahren habe ich einen Haß auf die Volksbildung, auf Margots Hätschelkinder, »die« Lehrer, denn Lehrer haben meinen Lebensabend zerstört.

Ich wurde mit meinen Eltern 1939 aufgrund des Hitler-Stalin-Paktes aus dem Baltikum in den »Warthegau« umgesiedelt. Meine Mutter war Lettin, hat im damaligen Petrograd Mathematik studiert und sich mit anderen Studenten leidenschaftlich für die Liberalisierung des Zarentums eingesetzt, Kerenski war damals das Ideal der Jugend ...; meine Mutter wurde von den sehr überheblichen deutschnationalistischen Balten sowohl ihrer Nationalität als auch ihres liberalen Denkens wegen nicht als ihresgleichen betrachtet. Die Verwandtschaft meines Stiefvaters: glühende Nazianhänger. Als Kind war ich dauernd Zeugin leidenschaftlicher politischer Auseinandersetzungen. Im Gegensatz zu 99% der Baltendeutschen verließ meine Familie die Heimat – »Heim ins Reich« – nicht mit fliegenden Fahnen, sondern gezwungenermaßen und verzweifelt.

Wer sehen und hören konnte, was im »Warthegau« 1940 zuerst mit den Juden, dann mit den Polen passierte, konnte gar nicht anders, als sich rein emotional 1945 gleich der kurzlebigen Antifabewegung anzuschließen, um dann den Antrag auf Aufnahme in die KPD zu stellen, die man erstmal als konsequente Gegnerin der Nazis empfand. Was zunächst Gefühl war, wurde durch Schulung zu »Wissen«. Als Stalins Tod im Radio gemeldet wurde, weinte ich bitterlich. So erzog ich auch meinen einzigen Sohn; jeder »Onkel Ruski« war sein Freund, das Westdeutschland Adenauers Feindesland usw. Gelungen ist es mir, meinen Sohn so zu erziehen, daß er immer frei und offen sagte, was er denkt. Das ging wunderbar bis zur 8. Klasse. Wir hatten ein sehr inniges Verhältnis, er hatte denken gelernt, seine Mutter war überzeugte Genossin und zugleich Pazifistin, für ihn war »die Welt in Ordnung«, für mich auch. Alles weitere in seiner Erziehung ist mir dann mißlungen. Er wollte von Kind an unbedingt Arzt werden, Psychiater. Sein damaliges Vorbild: Albert Schweitzer, den ich um seine Antiatomrede in Stockholm anbettelte und sie auch zugeschickt bekam.

Ich gab meinen Sohn, ein unverdorbenes, kluges, offenes Kind ins EOS-Internat nach Schulpforte, wo er mit dem Abitur zugleich Krankenpflege erlernen konnte. Dort erging es ihm viel schlimmer als Anja Krupop aus Heidenau (s. S. 167). Es begann damit, daß er als FDJ-Leitungsmitglied gleich in der 9. Klasse sagte, zwei Stunden Leitungssitzung wären »Leeres-Stroh-Dreschen und Zeitverschwendung«, man könne dasselbe in 15 Minuten besprechen und lieber Sport treiben. Natürlich flog er sofort aus der Leitung. So ging es weiter, und bald war er abgestempelt. Ein Weihnachtsgeschenk von mir, ein gerahmtes Bild aus dem »Ogonjok« (russische Winterlandschaft mit Zwiebelkirchturm im Hintergrund, wir waren zur Jugendweihe in Moskau gewesen!) wurde vom Internatsleiter zerbrochen und verbrannt (Kirchenbild im sozialistischen Internat!). Einmal hatte er ein Buch von Graham Greene, eine westliche Ausgabe (später auch bei uns erschienen), von Zuhause mitgenommen – großes Scherbengericht, das Buch wurde verbrannt. Alle paar Wochen wurde ich zu qualvollen Aussprachen nach Pforte bestellt. Es wurde immer hoffnungsloser, der Junge immer verbitterter, aufsässiger, verzweifelter.

Nie werde ich vergessen, wie ich wieder einmal nach Schulpforte bestellt war, im Februar, bei grauenhaftem Wetter sonnabends bei Nacht und Nebel aufstand, mit Zugverspätungen in Bad Kösen ankam, zu Fuß durch Schneematsch nach Pforte lief, dort innerhalb von ca. 10 Minuten im Flur vom »Rex« fertiggemacht wurde: Eine kleine graue Maus mit einem total mißratenen Sohn, der eigentlich nicht wert ist, eine sozialistische EOS zu besuchen – so ungefähr war der Tenor. Kein helfender Hinweis, kein tröstender Lichtblick. Heulend ging ich zurück, mit nassen Füßen in der Dämmerung, bis Bad Kösen zum Bahnhof, gegen 23.00 Uhr war ich zu Hause, verzweifelt, von Kälte erstarrt. Ähnliches spielte sich öfter ab, bloß daß es länger dauerte, wenn der Elternbeirat über uns zu Gericht saß. Etwas Unehrenhaftes, Böses hat mein Sohn nie begangen, das wurde ihm auch nicht vorgeworfen. Wohl aber »provokatorische« Fragen, eine pazifistische Einstellung, Sympathie für Wolf Biermann ... (Sein Spind war durchsucht worden, ein Lied von Biermann darin gefunden.) Er war so weit, daß er unbedingt aus der Schule und, wörtlich, »zur Müllabfuhr nach Rostock« wollte. Und ich redete und schrieb unentwegt auf ihn ein, daß die Pädagogen doch »sein Bestes« wollten ...

Ich machte den – wie ich heute weiß – großen Fehler, ihm immer und immer wieder zur Anpassung zuzureden, ich flehte ihn an, nicht aufzufallen, gab ihm gegenüber den Lehrern Recht, machte ihm Vorwürfe. Das hat er mir bis heute nicht verziehen. Ich habe ihn verloren. Ich wollte ihn aus der 11. Klasse nehmen, ihn in unserer Kreisstadt einschulen lassen – das wurde nicht genehmigt. Einen Aufsatz über ein Sonett von Becher gab er mit einem einzigen Satz ab: »Das Sonett gefällt mir nicht, weil ...« Resultat: Abitur mit »genügend« und einer grauenhaften Beurteilung. Sogar die NVA wurde seitens der Schule vor ihm gewarnt.

Nach der NVA arbeitete er dann als Krankenpfleger beziehungsweise in der »Schnellen Medizinischen Hilfe«, erhielt eine ganz hohe Auszeichnung. Über ihn und seine Brigade erschien ein ganzseitiger Artikel in der »Humanitas«. In der NVA hatte er für Kulturarbeit mit jungen Pionieren (Musik, Malerei) auch schon eine hohe Auszeichnung erhalten (aus der Hand von Egon Krenz). Infolgedessen kam er nach drei oder vier Ablehnungen doch noch zum Studium, er schloß als Dipl. med. mit lauter Einsen und einer »4« in Marxismus/Leninismus ab. Als junger Arzt engagierte er sich sehr stark in der Zionskirchenbewegung, schrieb viele Artikel, Briefe an Sindermann usw. usf., hatte deswegen fürchterlichen Ärger mit seinem Chef in Berlin-Biesdorf. Nach einem Autounfall in Polen kam er vor Gericht, die Staatssicherheit erpreßte ihn dauernd beziehungsweise versprach ihm eine bessere Wohnung und Freispruch, wenn er seine Kollegen bespitzeln würde. Er schmiß die Stasileute aus der Wohnung und stellte einen

Ausreiseantrag. Ich flehte ihn an, seine Patienten nicht im Stich zu lassen, hatte er doch dauernd geklagt, viel zuwenig Zeit für den einzelnen zu haben, früh sei der Flur vollgestellt von Suizidpatienten usw., und es sei keine Zeit für Gespräche. Er weigerte sich, mit mir auch nur darüber zu diskutieren, und das bis heute. Dann kam im Januar 1988 die Rosa-Luxemburg-Demo, er wurde zu einem Jahr Gefängnis verurteilt und nach drei Wochen entwürdigender Behandlung abgeschoben (nebenbei: ohne Fahrkarte an der Grenze in den Zug gesetzt, daher sofortiger Ärger mit dem Westschaffner).

Ich liebe ihn, kann aber nicht darüber hinweg, daß er seine Patienten, die ihn so dringend hier brauchten, durch seinen Ausreiseantrag im Stich ließ. Er kann mir meine Haltung in Pforte nicht verzeihen, daß ich »auf Seite der Pädagogen« stand (was ich innerlich nie tat, ich war bloß verzweifelt und verwirrt und wollte ihm helfen). Aber: Ich habe ihm zugeredet, sich anzupassen. Nun steht eine Wand zwischen uns.

Sicher sind nicht alle Lehrer über einen Kamm zu scheren. Jedoch: Ich persönlich traue ihren heutigen Stellungnahmen nicht. Sie sind von Berufs wegen wortgewandt, in Doppelzüngigkeit geübt (abends Westfernsehen – wenn die Schüler sich über Westsendungen unterhielten, wurden sie fertiggemacht, zum Beispiel), als hochgeehrte Intelligenzler ließen sie gewöhnliche Sterbliche ihre Überlegenheit fühlen, auch sowas sitzt tief. Ihre heutigen Stellungnahmen entstehen, glaube ich, mehr als bei Angehörigen anderer Berufe unter dem Druck der Ereignisse. Ich schämte mich für das Gelabere des (noch amtierenden?) Direktors der Carl-von-Ossietzky-EOS in der Fernseh-Sendung »Klartext«. Seinerzeit in Schulpforte stand ein einziger Lehrer, der ganz junge Lateinlehrer, zu meinem Sohn. Er flog, wurde strafversetzt. – In den POS ging es harmloser zu, aber auch da: wieviel Heuchelei. So waren den Schülern die Abschlußaufsatzthemen zuvor deutlich »angedeutet« worden. Ich habe für zwei Jugendliche die Aufsätze über *Nackt unter Wölfen* geschrieben, sie brauchtes sich bloß den Inhalt zu merken. Oder in Russisch: Auf dem Abschlußzeugnis eine »1« – sie wußten jedoch die einfachsten Vokabeln nicht. Ich kann Russisch, ich war entsetzt über die Kenntnisse und die Diskrepanz zu den guten Noten. Hauptsache, die guten Statistiken an den Kreisschulrat stimmten, dann winkten ansehnliche Prämien. Margot, Margot – was hast Du angerichtet. Wer die Staatsbürgerkundeaufgaben am flüssigsten herunterbetete und die richtigen Eltern hatte, ergatterte die begehrtesten Studienplätze, und an der Uni legten die Dozenten auch mehr Wert auf Marxismus/Leninismus als zum Beispiel aufs Berufsethos der künftigen Ärzte – so entstand die »Nach uns die Sintflut«-Mentalität unserer »Ärzteflüchter«, beispielsweise.

Inge W.,
Nienburg

Liebe Christa Wolf, heute bekam ich Ihren Artikel *Das haben wir nicht gelernt* in die Hand. Ihre Zeilen haben in meiner Seele eine Stelle berührt, die für mich sehr schmerzlich ist, und in der letzten Zeit nahmen die quälenden Gedanken noch zu.

Jetzt 53jährig, gehöre ich wohl auch zu den »Kindern der DDR« – selbstunsicher, entmutigt, häufig in der Würde verletzt, wenig geübt, sich in Konflikten zu behaupten, die wiederum ihren Kindern nicht genug Rückhalt gaben. Gerade unter diesen Gedanken habe ich in der letzten Zeit gelitten, habe ich die letzten Jahre meines Lebens überdacht, und immer wieder war da das Gefühl, etwas falsch gemacht zu haben. In der Schul- und Lehrzeit hatten wir es oft schwer, meine beiden Söhne und ich. Sie nahmen viele Normen nicht an, es gab schlechte Zensuren und Beurteilungen. Ich mußte häufig Rede und Antwort stehen. Mein Selbstwertgefühl, das schon so nicht stabil war, ging fast völlig verloren. Schlechte Zensuren, schlechtes Verhalten in der Schule, böse Worte und zusätzliches Üben zu Hause. Viele Tage unseres Lebens habe ich wohl damit verdorben.

Hinzu kamen Probleme, als meine Söhne sich der »Jungen Gemeinde« anschlossen. Auch sie wollten »ihr kritisches Bewußtsein im Streit mit anderen Auffassungen schärfen«, Experimente machen, auch solche, die schiefgehen. Da waren die »Lust am Widerspruch, der Übermut, die Skurrilität, die Verquertheiten und was immer ihnen die Vitalität dieses Lebensabschnittes eingibt«, wie Sie es so wunderbar ausgedrückt haben.

Ich habe es leider nicht verstanden, ihnen in dieser Zeit das Rückgrat zu stärken, sondern eher versucht, sie in Schemata zu lenken. Später fragte ich mich: Wie konnte ich nur so sein, warum habe ich das getan? Die Zeit war vertan, in der wir hätten leben sollen. Mir waren die Widersprüche in vielen Bereichen schon bewußt. Immer hatte ich die Hoffnung, der Sozialismus muß irgendwann besser werden.

Später merkte ich, daß meine Jungen auch mit weniger guten Zensuren und Beurteilungen kreative, literatur- und kunstinteressierte junge Menschen wurden und in ihrem Beruf Freude fanden. In dieser Zeit hatte ich mein bestes Lebensgefühl, ich war nicht wenig stolz auf ihre Entwicklung, und die Demütigungen aus der Schul- und Lehrzeit wurden Erinnerung. Ich konnte aufrechter gehen. Und in dieser Zeit –

im Frühjahr 1988 – starb mein jüngerer Sohn im Alter von 24 Jahren an Gehirnbluten.

Es ist unsagbar schwer, jeden Morgen mit dieser Gewißheit wach zu werden.

In den letzten Wochen habe ich immer wieder einen Gedanken: Das jetzige politische Geschehen hätte meinen Sohn froh gemacht, das waren auch seine Ideale. Viele seiner Ideen sehe ich auf den Losungen, die Menschen bei den Demonstrationen durch die Städte tragen. Und es hat Zeiten gegeben, da wollte ich ihnen alle diese Gedanken ausreden – nur keine Schwierigkeiten mehr!

Ich bin nicht sehr geübt im Mitteilen; dies ist auch mein erster Brief solcher Art. Aber es ist mir ein Bedürfnis, Ihnen für Ihren Artikel zu danken! Sie haben die Probleme dieser Generation so aufbereitet, daß mir etwas von meinem Schuldgefühl abgenommen wurde, und das möchte ich Ihnen schreiben.

Und noch eins: Ende September erhielt ich nach acht Wochen Bemühungen um eine Einreiseerlaubnis zu meinem älteren Sohn, der sich inzwischen nach Westberlin verheiratet hatte, von den Behörden eine endgültige Absage – ohne Begründung. Am 2. Oktober schrieb ich eine »Eingabe an den Staatsrat«, so nannte man es wohl. Vorgekommen bin ich mir wie eine Bittstellerin, die ihr persönliches Leid auf Behörden ausbreitet, um bei irgendeinem Menschen für einen Besuch zwischen Mutter und Sohn Mitleid zu erheischen. Zum Glück hat sich dieses Problem inzwischen gelöst.

»Den Sklaven aus mir herauspressen« – ich will es noch versuchen.

C. F., Greifswald

Verehrte Frau Wolf, die Gegenargumente, die Sie zu Ihrem Artikel in der »Wochenpost« erhielten, erschütterten mich zutiefst. Es drängt mich, mich einzureihen in die vielen Briefe, die Sie bekamen und sicherlich noch bekommen werden.

Lassen Sie mich vom Schicksal unserer Kinder berichten (vier eigene sind es, und eins haben wir uns noch angenommen), die in diesen 40 Jahren heranwuchsen als Bauernkinder: Individualisten, musisch begabt, streitbar. Ja, und als solche von einer sozialistischen Schule mißhandelt.

Gundula, unsere Jüngste, Jahrgang 1960: 8 Klassen POS in Wildenfels, mit Zensurendurchschnitt 1,0 zur EOS nach Wilkau-Haßlau, infolge eigener Meinungsbildung schon bald Schieflage bei Klassenlehrer, Direktor, Staabülehrer, öffentliche Diskriminierung in Elternversammlungen, Abitur mit Auszeichnung (1,2), Ablehnung ihrer Studienbewerbung für Pädagogik Englisch/Deutsch. Daraufhin verkürzte Ausbildung als Krankenschwester in einem Berliner Krankenhaus, dort zwei Jahre Tätigkeit und von dort Delegierung mit bester Beurteilung zu einem Medizinstudium an der Humboldt-Universität. Ablehnung. Nach noch weiteren 2 Jahren Tätigkeit als Krankenschwester Theologiestudium am Sprachenkonvikt in Berlin, Heirat nach München und dort Fortsetzung und Beendigung ihres Theologiestudiums.

Hannelore, Jahrgang 1952: POS in Wildenfels, nebenher privat Klavierunterricht, als Spitzenschülerin keine Zulassung zur EOS, auf Initiative der Klavierlehrerin Aufnahmeprüfung an der Spezialschule für Musik in Halle, Fach Klavier, anschließend Musikhochschule in Leipzig, Abbruch infolge einer Nervenentzündung nach 2 Semestern, Arbeit in einer Poliklinik in Leipzig, von dort Delegierung zur Medizinischen Fachschule und Ausbildung als Physiotherapeutin. Infolge Verbindung zu Leipziger und Berliner Künstlern ständige Bespitzelung, die sich nach ihrem Verlöbnis mit einem Bürger der Niederlande zu nervenaufreibenden Repressalien steigerten. Sie lebt heute mit ihrem Mann und 3 Kindern in den Niederlanden, ungebrochen in ihrem Glauben an den Sozialismus (zusammen mit ihrem Mann), für den Rosa Luxemburg ihr Leben gab. Sie behielt ihre DDR-Bürgerschaft.

F., Jahrgang 1950: POS in Wildenfels, ab 6. Lebensjahr Klavierunterricht, mit 13 Jahren Kinderklasse der Musikhochschule Leipzig, Fach Klavier, und EOS in Markkleeberg bis Ende der Schulzeit. Im letzten Schuljahr 1. Preisträger des Jugend-Bach-Wettbewerbs, einen Monat später 2. Preisträger im Zentralen Leistungsvergleich der DDR, Fach Klavier, in N., Aufnahme zur Hochschule, kurz darauf Einberufung zur NVA, Pioniere Chemische Dienste in M., eine für außergewöhnliche Härte berüchtigte Einheit. Selbstmordgedanken, ein zerbrochenes Leben. F. kehrte nach Beendigung seiner Dienstzeit nicht mehr zur Hochschule zurück, er ließ sich exmatrikulieren und ging in ein Krankenhaus als Pfleger. Er bewarb sich später um ein Medizinstudium. Es wurde abgelehnt und ihm als Alternative ein Mathematikstudium in M. angeboten, für das er sich aber innerhalb von drei Tagen zu entscheiden hatte. Er entschied sich, wurde Mathematiker, arbeitet als Programmierer in einem Rechenzentrum und spielt die »Appassionata« nur noch für sich, daheim an seinem Flügel. F. war konfirmiert, hatte keine Jugendweihe und war nicht in der FDJ.

F., Jahrgang 1946, Sohn aus meiner ersten Ehe: POS in Wildenfels, EOS in Wilkau-Haßlau. Bespitzelung durch einen Mitschüler vom ersten Tag an, nach vier Wochen in einer Elternversammlung der gesamten Schule als einziger Schüler diskriminiert wegen »politischer Unreife«, ständige Kontroversen mit Direktor und Staatsbürgerkundelehrer. 14 Tage vor dem Abitur noch kein Studienplatz, durch Vermittlung des ihm wohlwollenden Zeichenlehrers Studium für Kunsterziehung in Greifswald, nach 5 Semestern (zuzüglich Kunstgeschichte) Beendigung des Studiums in Leipzig, über mehrere Stationen heute Kunstwissenschaftler in Berlin.

Ramona, unser angenommenes Kind, besuchte die POS in Wildenfels, 10 Klassen. Sie wurde unbehelligt gelassen. Daß sie das geheiligte blaue Halstuch öfters mal mit heimlicher Freude zum Schuheputzen nahm, hat ja niemand gesehen. Sie wurde Köchin, eine gute Hausfrau und beste Mutter ihrer Kinder. Und ist unser Kind geblieben.

Verstehen Sie nun meine Empörung, liebe Frau Wolf, als ich die Schmähschriften gegen Sie in der Wochenpost las? Dann entschuldigen Sie doch auch, daß ich Sie so lange mit meinen Sorgen behelligte.

Als meine Tochter Hannelore nach Holland ging, hatte sie sämtliche bis dahin erschienenen Bücher der Christa Wolf in ihrem Koffer. Die nachfolgenden mußte ich ihr schicken. Hätte sie die Schmähbriefe gelesen, spontan hätte sie Ihnen auch geschrieben. Bleiben Sie gesund und kämpfen Sie weiter!

L. G., L.

Liebe Christa Wolf, es ist schön, daß Sie sich gerade dieser Problematik annehmen, scheint es mir doch das zentrale Thema zu sein. Viel wichtiger, lebenswichtiger als diese Flut von Entlarvungen über Privilegien, Bungalows, Armaturen, Videorecorder etc. Wer sagt mir, was gerechtfertigte Privilegien sind und was ungerechtfertigte. Ein Manfred von Ardenne und ein Kurt Masur sind doch auch keine armen Leute, ein Hans Modrow arbeitet auch 14 Stunden am Tag, die Ärzte gehen in den Westen des Verdienstes wegen. Ich mag mir darüber nicht den Kopf zerbrechen.

Aber warum höre ich Tag für Tag wieder die gleichen Worte, die mir doch so bekannt sind: »Wir haben doch nichts weiter gemacht, wir sind einfach mitgelaufen.« So oder ähnlich bekomme ich es immer wieder zu hören, zum Beispiel von einem Fachdirektor des VEB Grünanlagen hier in Halle-Neustadt, die immer nur für den eigenen Profit gewirtschaftet haben und die Freiflächen und Spielplätze verwahrlosen lassen. Oder auch mancher Lehrer, der kritiklos den Kindern rosarote Knete serviert hat, wo er die Angelegenheit differenzierter und geistvoller hätte erläutern können. Mit meiner Tochter Maren (10 Jahre) hatte ich im Februar folgenden Dialog.

Maren: Was ist RGW?

Ich: Eine Organisation, in der die sozialistischen Länder zusammenarbeiten. Sie planen gemeinsam ihre wirtschaftliche Entwicklung.

Maren: Und im Westen gibt es so was nicht, stimmts?

Ich: Doch, dort gibt es auch sowas, die EG. Auch die westlichen Länder treffen Wirtschaftsabsprachen. Außerdem haben wir zur Zeit eine Krise, und die sozialistischen Länder stecken in enormen Schwierigkeiten. Dadurch planen sie zur Zeit in erster Linie nur für sich selbst. Und nehmen nicht unbedingt aufeinander Rücksicht.

Meine Tochter Anne (12 Jahre) mischt sich ein: Mutti, so steht das aber nicht in unseren Büchern.

Ich: Sie denken, daß ihr das noch nicht versteht, sie stellen es zu vereinfacht dar, aber so einfach ist das Leben nicht.

Maren: Mutti, manchmal habe ich Angst, daß sie uns genauso belügen wie die Kinder im Faschismus.

Sicher war der Sozialismus bei uns entartet, aber ich will mit meiner Kritik vorsichtig sein – jeder hat einen Ermessensspielraum gehabt; sicher gab es Grenzen, die nicht zu erschüttern waren, aber viele haben den Spielraum, den sie hatten, nicht mal wahrgenommen, beispielsweise ihn für sich persönlich mißbraucht. Das eine ist das gestörte Gleichgewicht der Kräfte, das prinzipielle Unterdrücken des Widerspruchs, was nie zu einer guten Entwicklung führen kann. Das andere ist aber der prinzipielle Mangel an Zivilcourage, den ich so häufig feststellen muß. Wir sind wieder beim alten Thema, Kadavergehorsam, Disziplinierung, Abschalten der eigenen Verantwortung und des Denkens.

Der Ansatz zu einer besseren Gesellschaft muß in der Pädagogik liegen. Sehr gut gefiel mir ein Artikel in der »Neuen Zeit« (Moskau) von Simon Solowejtschik *Die Geschichte einer Erziehungskatastrophe*: »Ein sinnvolles und ehrliches Leben um sich herum schaffen! Nicht nur für sich selbst, sondern eben um sich herum.« »Wir dürfen nicht konstruieren, wie der Mensch zu sein hat, dürfen nicht seine idealen Eigenschaften auflisten, dürfen ein Kind nicht hetzen und verunsichern, weil es diesen ausgedachten Eigenschaften nicht gerecht wird.« »Sinnvolle Erziehung heißt: Möglichst viel Selbstvertrauen und möglichst viel Liebe zu den Menschen. Das ist gleichzeitig sittliche Erziehung.« »[...] aber es ist niemandem geglückt, Makarenko zu wiederholen [...]. Warum? Weil die Zöglinge von Makarenko mit ihren Erziehern zusammen ihr Leben selbst in die Hand genommen und aufgebaut haben.«

Die Direktorin meiner Tochter Anne erklärte »nach der Wende«, daß unser Lohngefüge nicht stimme. Sie bekäme nur 200 Mark mehr als jeder andere Lehrer. Und wenn ein Lehrer zwei Stunden in der Woche zusätzlich übernimmt, bekommt er 100 Mark mehr, also fast soviel wie sie, sie kriegt also ihre Leitungsverantwortung nicht richtig bezahlt!

Ich glaube, wir haben noch sehr viel zu tun!

Margit Sachtlebe, Halle-Neustadt

Ich hatte damals durch kirchliche Flugblätter von den Vorgängen an der Carl-von-Ossietzky-Oberschule erfahren. Hatten diese Lehrer wirklich keinen Spielraum, wie sie heute behaupten? Waren nicht auch Kinder von Egon Krenz an dieser Schule? Genauso muß man sich fragen, ob Menschen wie Roswitha Hendrich, Berlin (»Wochenpost«, Nr. 46; d. Red.), bisher naiv und weltfremd gelebt haben, daß sie von der ganzen Misere nichts gemerkt haben. Frau Hendrich schreibt: »[...] uns anvertraute Schüler zu erziehen [...]« Sie sieht allerdings auch Überspitzungen. Ich weiß, das sind keine Überspitzungen, das ist nur die Spitze eines Eisberges. Welche Familie hat auf diesem Gebiet nicht Erfahrungen sammeln können?

Es wurde der Lehrvertrag »Beruf mit Abitur« gekündigt, weil der Jugendliche im ersten Lehrjahr die vormilitärische Ausbildung mit der Waffe abgelehnt hat (namentlich bekannt). Jugendliche, die sich für unsere Umwelt engagiert hatten, die mit Liedermachern oder Theaterleuten diskutiert hatten, wurden zur Überprüfung der Wehrunterlagen ins Wehrkreiskommando bestellt und sahen sich dort plötzlich den Mitarbeitern des MfS ausgeliefert. Durch Erpressungsversuche wollten diese Leute die jungen Menschen zur Mitarbeit zwingen (eigene Erfahrung). Die Schule wollte selbständig denkende junge Menschen erziehen. Wenn diese aber anfingen, selbständig zu denken, dann kamen sie in Konflikt mit ihrer Umwelt.

Als Schüler der 10. Klasse stellte mein Sohn 1984 seiner Staatsbürgerkunde-Lehrerin die Frage: »Warum schauten die Genossen der Kampfgruppen am 13. August 1961 vor dem Brandenburger Tor (Foto im Lehrbuch) in Richtung Osten und nicht nach Westen, wo der Feind lauert?« Sprachlosigkeit. Die Klassenlehrerin, der Parteisekretär und der Direktor wurden hinzugezogen. Aussprachen folgten. Der Schüler allein gegen alle anderen. Beantwortung seiner Frage: »Sie posierten nur für den Fotografen.« Dann Bestrafung für selbständiges offenes Denken (nicht offiziell bekannt gemacht): Die vorgesehene Lessing-Medaille wird trotz hervorragender Lernergebnisse einem anderen, nicht so guten, aber »politisch reiferen« Schüler, verliehen. Wo bleibt auch das von der Verfassung uns zugesicherte Post- und Fernmeldegeheimnis, wenn jederzeit ohne vorliegende strafrechtliche Gründe meine Westpost geöffnet werden kann? Ist die Begründung, daß der Brief zu dick war, etwa ausreichend? Das waren also alles nur »Überspitzungen« und »Schläge unterhalb der Gürtellinie«?

Werte Frau Wolf. Ich wünsche Ihnen für Ihre literarische Arbeit und für Ihr politisches Engagement alles Gute, und bleiben Sie bitte, weiter »am Ball«. In letzter Zeit habe ich viele Briefe geschrieben, um meinen Teil zur Umgestaltung unseres Lebens beizutragen. Obwohl mir die Macht des Wortes fehlt, habe ich versucht, schlafende Geister zu wekken.

Dieter Stolze, Berlin

Sehr geehrte Frau Wolf, es ist mir ein Bedürfnis, Ihnen zu schreiben, angeregt und aufgeregt durch den Meinungsstreit in der »Wochenpost«. Stolz und mündig geworden, habe ich die Demonstration am 4. November 1989 vor dem Fernseher verfolgt, mit Tränen in den Augen. Ich bin Jahrgang 1928, und meine besten Jahre habe ich in dieser DDR verbracht. Mein Sohn ging als Student der Theaterwissenschaften an der Humboldt-Universität 1977 nach Westdeutschland, er wollte den Gesinnungsterror gegen Wolf Biermann nicht mitmachen. Zehn Jahre haben wir uns nur im Ausland sehen können, und nicht einmal der Herzinfarkt meines Mannes im Frühjahr 1986 öffnete ihm den Schlagbaum. Wir haben unsere Kinder nicht mit zwei Zungen erzogen, und so hatten wir mit den üblichen Schwierigkeiten zu kämpfen, mit Lehrern, Schuldirektoren und Spitzeln.

Ich schreibe das nur, damit Sie meine Motivation zu diesem Brief verstehen. Ich bin entsetzt über die Zuschriften, die Sie erreichen, und ich glaube, man könnte den Titel von Walter Jankas Buch »Schwierigkeiten mit der Wahrheit« auch über dieses Kapitel setzen. Es zeigt sich, daß Lehrer eine ganz besondere Art der Rechthaberei besitzen, es zeigt sich aber auch der tiefe Graben, der durch unser Land geht, und wir müssen wachsam sein, wenn wir den zuschütten wollen.

Es schmerzt mich, den Kulturverlust zu sehen, der durch dieses administrative Bildungssystem entstanden ist, und ich weiß nicht, wie er mit diesen Lehrern wieder gut zu machen ist. Hoffen wir, daß den echten Erziehern nicht die Kraft ausgeht im Streit mit den Belehrern. Aber in einem bin ich mir gewiß: Wenn die Geschichte dieser Tage geschrieben wird, so werden Sie die Worte dafür finden.

Christa Petermann, Krüden

Wir sind zutiefst betroffen, wieviele Lehrer noch immer die Schuld an der falschen Erziehung unserer Jugendlichen den Eltern zuschieben wollen. Was hatten die Eltern für eine Alternative, wenn sie das Beste für die Zukunft ihrer Kinder wollten?

Ich, Jahrgang 1953, wollte es besser machen als meine Eltern und habe meinem Sohn zum Beispiel nie verboten, zu erzählen, was er im Fernsehen gesehen hatte. Die Folge war, daß man einem Achtjährigen mit der Polizei drohte. Wissen Lehrer überhaupt, was sie damit anrichten können? Mein Mann und ich waren dagegen, daß unser Sohn an militärisch ausgerichteten Arbeitsgemeinschaften teilnahm. Die Folge: Wir wurden zur Aussprache in die Schule bestellt.

Der Weg unseres Sohnes war von Anfang an als der eines Prügelknaben vorgezeichnet, was man im Grunde genommen als Schuld von uns, den Eltern, bezeichnen muß, da wir uns (und somit auch unser Sohn) nicht untergeordnet haben. Wenn einer nicht ins Schema paßt, wird eben draufgeschlagen, und die Mitschüler werden mit allen zur Verfügung stehenden Mitteln vom Lehrer dazu benutzt. Ich kann es verstehen, daß die Mehrzahl der Eltern ihre Kinder dem nicht aussetzen wollten.

Für meinen Sohn sah die Zukunft so aus, daß wir ihn nach Abschluß der 8. Klasse trotz relativ guter Leistungen und obwohl er normalerweise gern weiter zur Schule gegangen wäre, aus der Schule genommen haben, um den ewigen Konflikten, in denen unser Sohn unweigerlich den kürzeren gezogen hätte, aus dem Weg zu gehen. Lehrer versicherten uns sogar, daß unser Sohn intelligent sei, daß er eigentlich durchaus das Abitur hätte machen können.

Er wurde um die Möglichkeit, einen Beruf seiner Wahl zu ergreifen, betrogen. Für 8-Klassen-Abgänger gibt es ja kaum Auswahl. Hätten wir uns anders verhalten, wäre es ihm vermutlich anders ergangen. Uns wurde gar gesagt, daß wir ja unsere Meinung haben könnten, aber diese doch für uns behalten sollten, damit sie unser Sohn nicht erfährt. Schlichtweg sollten wir die Meinung seiner Lehrer ihm gegenüber vertreten, das heißt für mich in vielen Fällen: lügen.

Früher wurden wir als Eltern verantwortlich gemacht, wenn wir unsere Meinung vertreten haben und sie an unsere Kinder weitergegeben haben, diese aber nicht ins Konzept der Lehrer gepaßt hat. Da waren die Eltern, die sich und damit auch ihre Kinder angepaßt hatten, gut angeschrieben. Heute sollen diese Eltern auf einmal schuld sein an der falschen Erziehung. Dabei haben sie ihren Kindern nur die Schwierigkeiten erspart, die zum Beispiel mein Sohn hatte.

Fazit daraus ist doch, daß sich viele Lehrer wieder einmal aus der

Verantwortung stehlen wollten und wollen. Wie soll mit solchen Lehrern ein neues Bildungssystem aufgebaut werden?

Monika Beck,
Industriekaufmann,
Falkensee

»Alternativ-Ideale, nach denen wir hätten streben können, gab es nicht«
Schüler(un)mut

Bin achtzehn erst,
  längst schon vom Leben korrumpiert.
In engen Räumen,
  jahrelang hab ich Diplomatie studiert.
Gelernt,
  wie ich mich vor mir selbst rechtfertige
Dafür,
  daß ich die Wahrheit jung beerdige.
Jeder Kompromiß
Zieht einen tiefen Riß
  zwischen mir und mir.
Meiner Utopie
Näher komm ich nie
  zwischen hier und hier.
Mich lockt das Meer,
  das dagegen ist.
Denn ins Offene
  führt uns kein Fluß.
Noch hab ich die Grenze nicht überschritten.
Die ich doch
  eines Tages
    überschreiten muß.

Jan Richter (18), Jena

Ich meine, gerade in der Volksbildung ist eine Aufarbeitung von Fehlern, Versäumnissen und, so hart das klingen mag, mannigfachem Leid, dringend notwendig, und natürlich vielfältige Veränderungen. Wenn ich an meine eigene Schulzeit denke, spüre ich, wie Wut und Zorn in mir aufsteigen, Erinnerungen an Demütigungen und die eigene Ohnmacht. Dabei hatte ich noch das Glück, eine fast dörfliche, durchaus schülerfreundliche Schule in Tanna bis zum Ende der 8. Klasse zu besuchen. Mit hohen Idealen, begeistert für die Idee des Sozialismus und der Erwägung, später der SED beizutreten, begann meine EOS-Zeit in Schleiz. Die schlimmsten Jahre meines Lebens! Was mir hier an Verlogenheit, Heuchelei und Untertanengeist vieler Lehrer begegnete, zerstörte in kurzen Wochen mein Bild von dieser Gesellschaft und desillusionierte mich. Gesagt habe ich nichts, die Angst saß zu sehr im Nacken, von der Schule gewiesen zu werden, keinen Studienplatz zu bekommen. Diese unausgesprochene Drohung lag bei jedem »ideologischen Vergehen« in der Luft. Beispielsweise gab es einen Riesenkrach, als eine Schülerin zur Auflockerung einer Sportwandzeitung harmlose Witzbildchen verwendete. Jemand hatte gepetzt, daß sie einer westdeutschen Zeitung entnommen waren.

Unser Klassenlehrer verlangte nach Abschluß eines jeden Stoffgebietes in Biologie und Chemie die Beweisführung, daß die marxistische Philosophie die richtige und alles andere Humbug sei. Als er erfuhr, daß ich Kontakte zur Kirche hätte, schrieb er in meine Beurteilung zur Studienbewerbung, ich müsse meinen »ideologischen Standpunkt verbessern«. Mag sein, daß dieser Satz ausschlaggebend war für eine Ablehnung, denn meine Zensuren waren hervorragend (wofür ich mich der eigenen Lügen wegen zum Teil schäme).

Da ich keinem christlichen oder überhaupt engagierten Elternhaus entstamme, hatte ich keine Rückendeckung. Ich lebte diese vier Jahre sowohl in ständiger Angst, »Falsches« zu sagen, als auch in der Beflissenheit, die von den Lehrern gewünschten Formulierungen zu erahnen und sie ganz so auszusprechen. Es gab in meiner Klasse keinen, der es je gewagt hätte, anderer Meinung zu sein. Waren wir unter uns, herrschte natürlich Einigkeit in der Gegenrichtung. Wir mußten insgeheim grinsen, wenn einer, der sich im Pausengespräch besonders arg Luft machte, im Unterricht wegen seines »klassenbewußten Standpunktes« gelobt wurde.

Während mehrerer Arbeitsjahre im kirchlichen Dienst konnte ich eine ganz andere Atmosphäre kennenlernen, in der Mißstände jederzeit benannt und keine »Potemkinschen Dörfer« verherrlicht wurden, so konnte ich ein ganzes Stück von der Schizophrenie der Schule gesunden.

Ich habe zwei Kleinkinder und möchte nur unter der Voraussetzung in diesem Lande bleiben, daß die Volksbildung sich grundlegend ändert. So fordere ich grundsätzlich den Wegfall der weltanschaulichen Vereinnahmung der Schüler sowie einer ideologischen Vereinnahmung des Kulturerbes (Zitat aus meinem Literaturunterricht: »Goethes

›Faust‹ und das ›Kommunistische Manifest‹ entsprechen sich in wesentlichen Aussagen«) beziehungsweise dessen völlig unzureichender Vermittlung (Hauptinhalt der musischen Bildung ist die – offiziell genehmigte – Kunst nach 1945 in diesem winzigen Land). Auch der Geschichtsunterricht wird durch seine geschichtsphilosophischen Prämissen zu einem zurechtgezimmerten Abstraktum mit der vordergründigen Absicht, die marxistisch-leninistische Weltanschauung zu beweisen, dabei wird kaum echtes Geschichtswissen und -bewußtsein vermittelt. Wie unnütz der Ballast an naturwissenschaftlichem und mathematischem Wissen spätestens ab Klasse 9 ist, der auf Kosten musischer und ethischer Bildung geht, habe ich an mir selbst zur Genüge erfahren.

Parolen wie »Jeder muß bei sich selbst beginnen« sind mir ein Hohn auf die Möglichkeiten des kleinen Mannes an der Basis. Mein Mann ist Lehrer. Seit zehn Jahren versucht er, wahrhaftiger Partner seiner Schüler zu sein, etwas gegen all die Verlogenheit zu setzen. Oft genug war das eine verzweifelte Gratwanderung, um das gerade noch Sagbare im Sinne von Erlaubtem zu finden, dabei zu den Schülern zu stehen und von den Kollegen und Vorgesetzten nicht als Staatsfeind degradiert zu werden. Eine erste entscheidende Maßnahme sehe ich in der Neubesetzung wichtiger Ämter der Volksbildung, vor allem des Ministerpostens (Frau Honecker konnte noch im Vorjahr sagen, daß jeder, der bei uns mehr Offenheit verlange, die geballte Faust der Arbeiterklasse zu spüren bekommen wird …).

Anja Krupop (28), Heidenau

Ich bin 19 Jahre alt, und dieser Artikel betrifft mich als Angehörige jener Generation, der schon die Eltern »nicht das Kreuz stärken und keine orientierungswürdigen Werte vermitteln konnten«. Liebe Christa Wolf, danke für diesen Artikel, denn er spricht aus, was ich, und wohl auch viele meines Alters, mehr oder weniger klar empfunden habe: Unsere Entmündigung, Gängelung, Erziehung zur Unaufrichtigkeit.

Wie oft haben wir alles, was sich »FDJ-Arbeit« nannte, bestöhnt, als sinnlos, als reine Farce empfunden. Vieles wurde weniger aus Freude oder zu irgendeinem Nutzen getan als vielmehr um der Sache selbst willen und um es für die nächsten Wahlen als weiteren Punkt in den Rechenschaftsbericht aufnehmen zu können. Ebenso die Demonstrationen und Kundgebungen, zu denen wir geschickt wurden – und nur deshalb hinkamen, damit die Lehrer uns sahen, und um uns dann schleunigst wieder zu verdrücken. Das hatte überhaupt nichts mehr mit aufrichtiger Ehrung oder Gedenken an Opfer des Faschismus usw.

zu tun. An meiner ehemaligen EOS gab es dazu einmal für kurze Zeit eine »speaker's corner«. Ein Schüler zweifelte in einem Artikel den Sinn einer Kundgebung zu Ehren von Karl Liebknecht und Rosa Luxemburg am 19. Januar an, zu der man, wenn überhaupt, nur ging, um zum x-ten Male das Preisen ihrer »heldenhaften Taten« und »unserer sozialistischen Errungenschaften« über sich ergehen zu lassen. Statt dessen schlug dieser Schüler einen Arbeitseinsatz oder etwas ähnliches vor, indem er sich auf Brecht bezog: »... und sie ehrten ihn, indem sie sich nützten«.

Die »speaker's corner« fand lebhaften Zuspruch, allerdings verlief die Diskussion bald im Sande (inwieweit die Schulleitung darauf Einfluß hatte, weiß ich nicht). Wenn Schüler einer 8. Klasse damals (1988) einen Artikel schrieben, in welchem sie erklärten, sie wüßten, weshalb sie zu jener Kundgebung gingen, nämlich »um der Weltöffentlichkeit zu demonstrieren, daß sie für ihre Heimat und den Sozialismus einstehen«, so erschreckte mich das. Das war bloßes Nachplappern dessen, was in den Zeitungen stand und was auch meist Endpunkt spärlicher Lehrer-Schüler-Diskussionen um den eingangs genannten Artikel war. Ebenso empfinde ich es, wenn in Leserbriefen als Reaktion auf die Ausreisewelle geäußert wird, das Tollste am Sozialismus sei doch, daß niemand »Existenzangst« haben muß.

Wenn Sie in Ihrem Artikel von der Selbstunsicherheit, Entmündigung und verletzten Würde der Jugend sprechen, so hat mich das anfangs entsetzt. Sind wir denn wirklich so? Wir waren doch der Meinung, offen zu diskutieren, wobei sich jede Diskussion um politische Fragen sowieso bald erübrigte, denn daß wir alle für den Frieden sind, ist ja klar. Daß gerade diese Tatsache das Unding war, wenn beispielsweise Zehnjährige ihre Meinung zu den Abrüstungsvorschlägen der Sowjetunion sagen sollten – das haben wir wohl lange nicht begriffen. Es war eben alles richtig, freudiges Diskutieren um echte Probleme kannten wir kaum. Wie gut und richtig alles ist, bekommt man ja schon im Kindergarten eingeimpft (furchtbares Kindergartenlied: »Wenn ich groß bin, gehe ich zur Volksarmee«). Dabei war alles, was sich später in der Schule »Diskussion« nannte, nur Schein, Probleme, die keine waren.

Daran, daß ich jetzt, wo man »darf« (?), nur zögernd offen bin, eigentlich gar nicht richtig formulieren kann, merke ich eigentlich erst diese Entmündigung. Wir brauchten ja nie zu zweifeln (obwohl ich als Kind manchmal heimlich dachte: Was ist eigentlich, wenn das alles nicht stimmt, wenn in Wahrheit der Kapitalismus »gut« und der Sozialismus »böse« ist?). Weil wir es nicht anders kennen, nie in der Verlegenheit waren, zwischen verschiedenen Richtungen, gar Ideologien oder Weltanschauungen aus eigenem Antrieb und mit eigener Entscheidungskraft wählen zu müssen (ebenso wie wir kaum um einen gesicherten Lebensweg kämpfen müssen), deshalb haben wir unsere Entmündigung, die uns diktierte einheitliche Meinung nie so empfunden. Es fällt schwer, jetzt plötzlich alles so kraß in Zweifel zu ziehen ...

Zum Glück gab es das Westfernsehen und andere Medien »von drüben«, wo man die Möglichkeit hatte, sich ein selbständiges Urteil, zumindest über den Kapitalismus, zu bilden und viele Schwarz-Weiß-Klischees abzubauen oder nicht entstehen zu lassen. Das absolute Negativ-Bild vom Westen bekam also auch »Positiv-Punkte« – und umgekehrt. Zweifel blieben im Ganzen trotzdem, schließlich hatte man uns ja beigebracht, daß das ganze Westfernsehen »schlecht« ist. Es gab sogar noch Schüler in meiner Klasse, denen es verboten war.

Noch eines: unsere Literatur. Bücher wie *Werner Holt, Olga Benario*, ein kürzlich erschienenes Buch über Tamara Bunke und viele Biographien von – wie es heißt – aufrechten Kommunisten vermitteln uns ein Bild von jungen Leuten, die schon sehr früh vor Entscheidungen gestellt waren, gezwungen, nach Idealen und einem richtigen Weg zu suchen. Von uns erwartet man, daß wir diese Ideale übernehmen, obwohl sie größtenteils verwirklicht sind (oder scheinen!), daß wir ebenso »aufrechte Kommunisten« sind, obwohl es mit diesen Scheinidealen gar nicht möglich ist, und Alternativ-Ideale, nach denen wir streben konnten, gab es nicht. (Gibt es aber hoffentlich jetzt!)

Wahrscheinlich können Leute wie Sie, liebe Christa Wolf, mit entsprechendem Abstand, mit Erfahrung und selbsterkämpfter Weltanschauung dies alles so beurteilen und aussprechen. Und ich wünsche mir genauso wie Sie, daß sich noch mehr Leute, und insbesondere Lehrer und Universitätsdozenten sowie die im Volksbildungsministerium Tätigen, darüber Gedanken machen. Ich glaube, wir brauchen Ihren Rat, den der Erfahreneren.

Neulich kam eine von der GOL zu uns (ich arbeite, bis ich einen Studienplatz bekomme, in einem Pflegeheim) und erklärte, sie würden jetzt die gesamte FDJ-Grundorganisation der Pflegeheime neu aufbauen. Wer keine Lust mehr hat, soll austreten. Ich wäre am liebsten, aber ich möchte doch irgend etwas tun und nicht daneben stehen, falls wirklich etwas passiert (außerdem habe ich auch Angst wegen des Studienplatzes). Als ich sie fragte, was sie denn nun unter FDJ-Arbeit im Pflegeheim verstehe, kam: »Das ist eure Arbeit auf der Station!« Muß man aber dazu in der FDJ sein? Vieles habe ich jetzt noch nicht angesprochen, und vieles ist noch unklar. Zum Beispiel: Welche Ziele gibt es im derzeitigen Demokratie-Aufbruch für die Jugend? Was können wir ganz konkret tun, außer mit der Teilnahme an Demos und Fürbittandachten unser Einverständnis mit der Demokratiebewegung zu beweisen? (Übrigens sehe ich als einen, wenn auch zweitrangigen Grund für die Demo-Freudigkeit die Tatsache, daß man hier endlich mal gegen etwas demonstriert.) Wie soll man die von Staat und Regierung angebotene Dialogbereitschaft auffassen, meinen sie es ernst? Ein großes Mißtrauen ist da.

Kathrin Zinnow, Berlin

Zuerst möchte ich betonen, daß es mir genauso geht wie vielen meiner Altersgenossen: Ich freue mich über die Bereitschaft zum Dialog auf seiten der Partei- und Staatsführung und auf seiten der Bevölkerung. Mir liegt sehr viel – an der dringend notwendigen – Verbesserung unserer Gesellschaft. Auch ich habe in den letzten Monaten viel darüber nachgedacht, warum gerade kluge Leute in Scharen unser Land verlassen. Einige der Gründe, die sie nennen, klingen durchaus einleuchtend. Sie sprechen von beschränkter Reisefreiheit oder dem geringen Angebot in den Läden. Doch ich denke, sie machen es sich sehr einfach. Diese Menschen gehen und lassen uns »Hierbleiber« mit unseren Problemen zurück. Das zeugt meiner Meinung nach tatsächlich von der wenig ausgebildeten Fähigkeit, sich in Konflikten zu behaupten. Aber ich glaube, viele haben jetzt schon gesehen, daß man zwar DDR-spezifische Probleme hinter sich lassen kann, daß aber neue Probleme »vorprogrammiert« sind. Sicher sind wir alle mit schuld, daß sich viele, die jetzt zurückwollen, nicht rechtzeitig bewußt geworden sind, daß ihre Heimat dieses Land ist.

Aber ich glaube, daß man deshalb nicht einer ganzen Generation Charakterschwäche, Karrierismus, Untertanengeist anlasten kann. Das haben wir nicht verdient und unsere Eltern und Lehrer genausowenig.

Meine Eltern haben mich immer dazu angehalten, meine Meinung zu sagen. Vielleicht glauben Sie, daß das für mich einfach sei, stimmt doch meine Meinung in politischen Fragen oftmals mit der »offiziellen« überein. Aber vergessen Sie bitte nicht, daß viele meiner Klassenkameraden anders dachten und denken. Ich weiß also durchaus, daß ein eigener Standpunkt schwer zu behaupten ist. Aber ich möchte nicht nur meine Eltern verteidigen, sondern auch meine Lehrer. Ich hatte viele gute Lehrer, und ich glaube nicht, daß das die Ausnahme ist.

Frau Wolf, wir leben jetzt in einer Zeit, in der (das ist jedenfalls mein Eindruck) jede Meinung angehört wird. Deshalb habe ich Ihnen geschrieben. Sie beschwören das Recht auf freie Meinungsäußerung und haben doch Karin Retzlaff von der »Jungen Welt« sehr stark attakkiert. Ich habe dieses Buch (Rolf Henrich *Der vormundschaftliche Staat;* d. Red.) genausowenig gelesen wie Sie. Aber Frau Retzlaff hat es, und ich denke, sie hat das Recht, ihre Meinung dazu zu äußern. Wäre es für Sie, Frau Wolf, nicht leicht gewesen, sich dieses Buch zu besorgen und dann über Karin Retzlaffs Artikel zu urteilen? Ich habe das Gefühl, Sie würden sehr schnell urteilen. Sie greifen den Fackelzug an und »gymnastische Massendressuren«. Ich selbst war beim Pfingsttreffen der FDJ dabei. Dieses Treffen war nicht nur für mich ein besonderes Ereignis. Auch das Turn- und Sportfest in Leipzig, das Sie vermutlich als Massendressur bezeichnet haben, war für die Teilnehmer etwas Besonderes. Ich glaube, das Gefühl, mit vielen eins zu sein, gehört genauso zur Jugend wie ein eigener Standpunkt und Individualität. Wenn nur die an solchen Veranstaltungen teilnehmen, die wirklich wollen, dann gibt es den Teilnehmern auch viel. Ich hoffe, die Jugend, auf die Sie sich berufen, wird Ihnen zeigen, daß Sie sich in diesem Punkt geirrt haben und daß »tätige Mitverantwortung für die Gesellschaft« und gemeinsam Erlebtes durchaus zusammengehören.

Wir sind in der Lage, für uns selbst zu entscheiden – ich glaube, wir werden Ihnen das in der nächsten Zeit beweisen. Wir brauchen frischen Wind in unserem Land, die Jugend ist in der Lage, dafür zu sorgen. Sie werden es sehen!

Karin Angsten (16),
Gera

Liebe Christa Wolf, vielen Dank für die klaren Worte in Ihrem Artikel *Das haben wir nicht gelernt.* Ich fühle mich als Jugendlicher durch ihn sehr angesprochen. Warum erscheinen solche Sachen nicht in der »Jungen Welt«, der Zeitung der Jugendorganisation, statt dessen Meinungen von Karin Retzlaff über ein Buch, welches wir nicht lesen können??

Seit Donnerstag ist es an meiner Schule, der EOS Lübben, möglich, Meinungen schriftlich an der Wandzeitung zu veröffentlichen. In kurzer Zeit wurde dies die meistgelesene Wandzeitung unserer Schule. Warum haben wir das nicht schon früher gekonnt? Im Deutsch-, Staatsbürgerkunde- und Geschichtsunterricht sind Definitionen und vorgegebene Meinungen gefragt statt Kreativität, Nachdenken und eigene Ansichten. Und da wundert man sich, daß die selbständige

FDJ-Arbeit nicht funktioniert, daß primitive Kultur großen Zuspruch findet, daß der Alkohol schon ein großes Problem bei jungen Leuten ist.

An der Wandzeitung geht es jetzt hauptsächlich um Bildungsfragen, ich glaube, Ihr Artikel wird hier eine gute Diskussionsgrundlage sein. Also, nochmals vielen Dank!

Daniel Thöne,
Wittmannsdorf

Auch ich gehöre zu den knapp Vierzigjährigen, Jahrgang 1950, zu dieser »lost generation«, von denen stets Parteilichkeit statt eigene Meinung verlangt wurde, wenn man »was werden wollte«: Wer am besten heucheln konnte und diese »Dauerschizophrenie« ohne seelischen Schaden wegsteckte, war gut dran. Alle anderen haben einen dauerhaften Schaden in ihrer Persönlichkeitsentwicklung erlitten und bis heute sicher nicht überwunden. Anders ist es nicht zu erklären, daß sie sich in ihren vier Wänden einigeln, die Entwicklung der DDR quasi von außen betrachten, ohne daran zu denken, ihre kreativen Potenzen in den Dienst dieser Gesellschaft zu stellen.

Wenn ich daran denke, wie ich als Schüler einer EOS (in einer Kleinstadt) mit allen Mitschülern zusammen schriftlich erklären mußte, daß wir uns von den »langhaarigen Typen, die auf dem Marktplatz herumgammeln« distanzieren, so beschleicht mich noch heute das innere Gefühl, einen Verrat begangen zu haben, weniger an meinen Freunden, die als Lehrlinge oder Ausgelernte mehr »persönliche Freiheit« als wir besaßen und sich die Haare lang wachsen lassen konnten, denn als Verrat an mir selbst und meiner Überzeugung. Und die Lehrer, die das damals von uns erwarteten und indirekt auch verlangten (»Ihr seid immerhin Schüler der EOS!«), lehren noch heute. Ob die sich noch einen neuen, besseren Lehrstil aneignen können?! Ich glaube es nicht.

Rudi Gräser,
Berlin

Sehr verehrte Christa Wolf, Ihr Beitrag *Das haben wir nicht gelernt* hat mich getroffen. Als Betroffene. Und betroffen bin ich zutiefst, angerührt, aufgewühlt. Ich bin Jahrgang 1941. Vom Krieg habe ich kaum Erinnerungen; nur das Wecken mitten in der Nacht, meine große Schwester, die mich anziehen mußte, inmitten vieler Menschen im Bunker – aber da habe ich dann, laut meiner Mutter, gleich wieder geschlafen. Nach dem Krieg hatte ich keinen Anteil an den Bemühungen meiner Eltern um unser täglich Brot. Üppig war es nicht, aber hungern mußte ich nicht, ich wußte nicht, was mir fehlen könnte, aber auch nicht, welch ein Glück ich hatte. Nach dem Krieg bekam ich »Angst« unterschwellig mit. Es kamen Männer mit Ledermantel (schon damals) und Soldaten in die Wohnungen, zum Beispiel, um die Bücherschränke zu kontrollieren. Ich erinnere mich noch an das Zusammenzucken meiner Mutter, jedesmal, wenn es unverhofft klingelte.

In der 1. Klasse bekam ich, und mehr noch meine Eltern, Schwierigkeiten wegen eines Liederbuches, Volks- und Kinderlieder, weil es 1932 oder 1933 gedruckt worden war. Und da begannen auch die Beschwörungen meiner Mutter, bloß nichts zu sagen, »was unseren Vati in Schwierigkeiten bringen könnte«. Ich konnte mir mit sechs Jahren darunter überhaupt nichts vorstellen. Meine Eltern versuchten von mir alles fernzuhalten, trotzdem höre ich noch die verhaltenen Worte über Verhaftungen im Bekannten- und Freundeskreis. In den fünfziger Jahren kamen Menschen zu meinem Vater, die aus Zuchthäusern kamen – da wurde ich wiederum zum Schweigen ermahnt und gebeten, nicht zu fragen ...

Ich war schon erwachsen und hatte selbst Kinder, als mir wie Schuppen von den Augen fiel, und es kam wie ein greller Blitz in mein Bewußtsein, daß diese verfluchte Nazizeit mit Menschen gemacht und durch Menschen all das Leid verursacht wurde, die um mich herum leben, arbeiten ... Wie war es möglich, daß ich diese Zeit als etwas unendlich weit Zurückliegendes, Historisches, ohne Gegenwartsbezug, betrachten konnte? Ich bin doch weder dumm, noch uninteressiert oder stumpf? Erst dann sondierte ich meine nähere Umgebung, befragte meine Eltern nach ihrem Tun in dieser Zeit und war heilfroh, daß sie sich, hauptsächlich wegen der Hellsichtigkeit meiner Mutter, nicht an der Hitlerei beteiligten, deshalb auch damals schon den Kopf eingezogen hatten und »nur nicht auffallen« wollten und durften. Der Kreis, in dem sich meine Eltern bewegten, waren kleine Handwerksleute, Gewerbetreibende. Mein Vater hatte eine Werkstatt für Elektromontage und Motorenreparatur. Damit war ich ein »Kapitalisten-Sproß«, und uns allen war klar, daß ein Besuch der Oberschule für mich nicht in Frage kommen würde. Als mein Klassenlehrer meine Eltern aufsuchte und ihnen zuredete, doch den Antrag zu stellen, taten sie es leicht widerstrebend, aber als dann die Ablehnung vorlag und sie eine Beschwerde einreichen sollten, wurde ich gebeten, nicht darauf zu bestehen – »es ist doch viel besser, einen praktischen Beruf zu erlernen, uns zuliebe«. Das war 1955. Meine Lehre war nicht unbedingt verlorene Zeit, nein. Aber die Sehnsucht nach Wissen blieb. Ich habe viel gelesen und dann, nach 1970, in der Volkshochschule die 10. Klasse nachgeholt, später im Abendstudium mir meinen Außenhandelsökonomen erarbeitet. Englisch gelernt hatte ich schon vorher. Ich war, außer im FDGB, nirgendwo organisiert und somit für den Außenhandel nur bedingt einsetzbar – zeitweise habe ich das sogar verstanden und gebilligt.

Und all die Jahre habe ich mir gewünscht, mich aus ganzem Herzen für etwas wirklich Gutes, Vernünftiges einsetzen zu können. Ich habe immer gern gearbeitet – bis heute. Aber soll man es für möglich halten, es wird nicht selten gar nicht gern gesehen, wenn man sich in Probleme richtig hineinkniet. Da scheinen »Übergriffe« auf anderer Leute Zuständigkeit und »Eingriffe« den geregelten Gang zu stören und müssen »abgeblockt« werden. Wieviele Jahre hält man das durch? Ich weiß es nicht genau. Das Aufbegehren läßt nach, dann bäumt man sich wieder mal auf, stößt gegen Wände, zieht sich zurück. Es ist wahr, ich bin drauf und dran gewesen, zu resignieren, meine kleinen Freuden zu Hause, im Garten, mit einigen Freunden zu suchen und voller Trauer und Unfähigkeit zuzusehen, wie die Wirtschaft talwärts rutscht. Ich bin so ein kleines Rädchen im Getriebe; wenn die vielen, die klüger sind und den besseren Überblick haben, wenn die nichts tun, dann kann ich mir tausend Beulen rennen, es tut mir nur mein Kopf weh.

Und jetzt möchte ich gern mittun an den großen Veränderungen, die notwendig sind. Es ist so viel Bereitschaft in mir, sehe ich doch erstmals, daß sich Anstrengungen lohnen könnten. Ich kann keine großartigen Leistungen vorweisen, bin zu einigem gut zu gebrauchen, kann organisieren, auf Leute zugehen. Als ich Ihre Überlegungen las, hatte ich einen Kloß im Halse, und wenn ich über die Zeit, meine Zeit nachdenke, wird mir vieles klarer, verständlicher – nicht leichter. Und wahr ist auch, daß ich die gegenwärtige Situation als große und einmalige Chance empfinde, die genutzt werden muß, mit Vorsicht und Entschlossenheit.

Anne-Karin Freigang (48),
Berlin

Sie haben mir mit *Das haben wir nicht gelernt* aus dem Herzen gesprochen. Ich gehöre auch zu denen, die 30 Jahre zu oft geschwiegen haben. Es galt immer Rücksicht zu nehmen, auf die Eltern, später auf die Familie. Nur zweimal war das anders:

1961, als die Mauer gebaut wurde, war ich Schüler der 11. Klasse und deren FDJ-Sekretär. Damals waren wir Jungen der Klasse uns einig, daß wir keine Berufsoffiziere werden wollten. Vielleicht erinnern Sie sich, daß solche Verpflichtungen abgegeben werden mußten. Wir wollten die Mauer nicht, und wir wollten auch keinen Krieg. Offiziell wurde ich als FDJ-Sekretär abgesetzt und durch eine gleichaltrige Genossin aus der Klasse ersetzt. Die Klasse hat das unterschwellig anscheinend nie akzeptiert. Noch heute muß ich Klassentreffen organisieren. Sonst macht es niemand.

Das zweite Mal war es 1968. Es war ein ganz leiser Protest. Protest gegen die Panzer in Prag, gegen die NVA in Böhmen. Und es war auch Verzweiflung über die letzte, vertane Chance des Sozialismus. Es erschien mir alles so widersinnig, und ich schrieb es meinem Klassenkameraden E. R., inzwischen in Berlin-West. Am 26. März 1969 wurde ich im Keller des Hauses Eibenstocker Straße 27 in Dresden verhaftet, Student noch, gerade die Diplomarbeit abgegeben. Untersuchungshaft Frankfurt (Oder), Lager X Berlin-Hohenschönhausen, Zuchthaus Karl-Marx-Stadt. Von 1,8 Jahren Freiheitsentzug 1,4 verbüßt. Freigekauft, von wem weiß ich nicht. Auf die Frage in Karl-Marx-Stadt: Ost oder West? habe ich mich für die DDR entschieden. Später oft an diesem Entschluß gezweifelt, aber trotzdem nicht untergegangen, denn zwei Menschen hatten für mich gebürgt: Prof. A. (heute Technische Hochschule Merseburg) und E. T., damals Betriebsdirektor in Schwedt, heute Ministerium für Bauwesen.

Es existiert ein Ordner meines ordnungsliebenden Vaters über diese Zeit: Briefe in das Zuchthaus, Briefe aus dem Zuchthaus, Kampf der Familie. Ich denke, wir müssen diese Zeit aufarbeiten, es ist zuviel Unrecht geschehen, damals, bis zum 9. Oktober 1989. Wenn wir die Dinge leidenschaftslos darstellen und die richtigen Schlußfolgerungen ziehen, können wir unserem Volk die Angst nehmen, denn die Angst vor dem allmächtigen Sicherheitsapparat ist es wohl, die mehr oder weniger alle jetzigen Forderungen beeinflußt. Verstehen Sie mich bitte nicht falsch, es geht mir nicht um meine persönliche Rehabilitierung, die kann ich notfalls zu gegebener Zeit woanders betreiben, es geht mir um die Darstellung der allgemeinen Situation an einem Einzelschicksal. Ich spüre auch keinen pauschalen Haß gegen Mitarbeiter des MfS, denn einer war anders. Einer ging an mir vorbei, als alle anderen mit ihren Stiefeln auf mir herumtrampelten, als ich wehrlos am Boden lag. Das ist natürlich nur eine Metapher (so heißt das wohl?). Nein, es gab im Lager X einen Leutnant Winter, der fragte erstaunt, als ich ihm meine Straftat erzählen mußte: »Und weiter haben Sie nichts getan?« Damit ist es nicht mehr möglich, sie alle pauschal zu verurteilen ...

Die Entwicklung der letzten Wochen hat wieder etwas Hoffnung aufkeimen lassen. Vielleicht können wir mit unseren Kindern das Deutschland unserer und ihrer Träume aufbauen. Ein Volk ohne Angst.

Peter H.,
Diplomingenieur, Neudietendorf

Nur ganz selten habe ich als Dorfbewohnerin das Glück, die »Wochenpost« kaufen zu können. Doch heute konnte ich sie wieder mal »erstehen«, und Ihr Artikel hat mich so erschüttert, daß ich Ihnen einfach schreiben muß.

Es kam mir so vor, als hätten Sie meine Gedanken formuliert, meine Seele bloßgelegt, und ich schämte mich für mein »Anpassen« all die Jahre, die ich bewußt mein Leben gestalte. Ich werde 30, und auch meine Generation hat seit frühester Kindheit nichts anderes gehört als: ja nicht sagen, was man wirklich denkt, aufpassen, wann und zu wem man etwas sagt: Wenn du weiterkommen willst, sag und tu, was die hören wollen. Ich hatte das Glück, wenigstens bei meiner Familie eine eigene Meinung äußern zu können, die uns gelehrte Geschichte zu Beispielen anderer Art in Beziehung zu setzen beziehungsweise in Frage zu stellen. Mit welchen Parolen und Schlagwörtern wurden wir nicht schon konfrontiert, und nach ein paar Jahren wollte sie niemand gehört haben, weil neue Situationen eingetreten waren. Es tut mir leid um unsere Jugendzeit, wo wir nichts taten, als die Hand zu heben, wenn es erwartet wurde. Welch Werte der Literatur und Kultur werden bis heute von uns ferngehalten, wir konnten keinem Ideal nacheifern und hätten es doch so gern getan. Wenn es wenigstens einige solcher Artikel wie heute den Ihren gegeben hätte, um Mut zu machen und Dumpfheit und Angst abzuschütteln. Bitte setzen Sie sich weiterhin so engagiert für die heutige Jugend ein, damit nicht noch einmal solch ein »geistiges Vakuum« entstehen kann. Ich danke Ihnen!

Eine treue Leserin Ihrer Bücher,
die trotz der Wende noch immer Angst hat,
ihren Namen anzugeben

Wer versteckte diese Welt vor uns und nicht nur vor uns? Gestern erst war mir fast zum Heulen zumute. In Nordhausen fand eine Demonstration statt, mit einem anschließenden Forum. Angestellte des Rates der Stadt und des Rates des Kreises waren bereit, sich einem offenen Dialog mit den Bürgern zu stellen. Bei einer Meinungsäußerung hinsichtlich der Diskriminierung der Christen (die im übrigen sofort von unserem Kreisparteisekretär zurückgewiesen wurde) stellte sich ein etwa 55- bis 60jähriger Mann an die Tribünenbalustrade und flehte förmlich, wie ein Hund sein Herrchen, den Kreisparteisekretär (der SED natürlich) an, er möge uns doch endlich Glauben schenken: »Wir sind doch das Volk. Bitte vertrauen Sie uns doch!« und immer wieder »Bitte ...«. Wie klein und nichtig, und doch, mein Gott, der war noch nicht ganz leer. Er ist noch einmal aufgestanden, vielleicht sogar auferstanden aus dem Reich der Teilnahmslosigkeit, wie wir – nur daß wir das Glück haben, noch um einiges jünger zu sein und vielleicht doch ein wenig klüger zu werden als die, die wir in Frage stellen.

Wer versteckte diese Welt vor uns? Ich kann nicht für alle Generationen sprechen, eben nur für meine. Eine ältere Frau fragte: »Was wollen die bloß? Damals«, sagte sie, »hatten wir nichts, und das, was heute da ist, haben wir mit unserer Hände Arbeit geschaffen.« Kinder des Krieges, Kinder der Aufbauzeit. Kinder und Jugendliche, die nach vorne sahen, die sich bewegten, weil sie etwas bewegten (und hierin liegen die Ursachen der Mängel der Eigenleistung für die Gesellschaft begraben).

Die Zeit ist eine andere geworden. Die uns gepriesenen Revolutionäre vergangener und heutiger Tage können wir schon lange nicht mehr für repräsentativ halten. Wir lernen in den Schulen abgedroschene Phrasen, zum Beispiel: Was ist ein Kommunist? Aber sollten wir nicht zuerst lernen, was ein Mensch ist? Um Kommunist oder Christ zu sein, muß man doch erst einmal ein Mensch werden. Was soll also der Schmalz in dieser Zeit?

Eine Antwort suchen, warum so viele gegangen wurden? Meine Antwort ist: Wir erlitten nicht einmal den Verlust an Verantwortlichkeit, wir hatten ja niemals wirklich Verantwortung. Man hat uns alles und zu viel gegeben, aber man hat uns verwehrt, was andere nicht nur in Anspruch nahmen, sondern für sich benötigten: Eigenverantwortlichkeit. Warum bin ich so unberührt von den Verfehlungen des »Dritten Reiches« geblieben? Wo ist der Schmerz dieser Zeit in mir? Er ist mir abhanden gekommen, weil ich ganz einfach zu oft das KZ Mittelbau, »Lager Dora«, besuchte und vor allem, weil ich viel zu früh dort war. Und weil mir lebensnahe Berichte fehlten, und weil mir viel zu viele geschichtliche Daten dazu zugeführt wurden. Und weil mir zu viele geschichtliche Daten und Geschehnisse vorenthalten wurden. Weil ganz einfach zu viel totgeschwiegen wird, und weil vor allem nicht darauf gewartet wurde, bis ich bereit bin, sie aufzunehmen.

Da zum Beispiel geht sie hin, unsere eigene Kreativität und wandelt sich um, in – ach wenigstens in Desinteresse, und das ist auch noch geschult und gestützt von unserem Staatsapparat.

Und was ist mit unseren Organisationen? Ein Jungpionier ist vielleicht noch stolz, ein Thälmann-Pionier ist hingegen schon nicht mehr so stolz, er stiert neidisch auf das FDJ-Hemd, weil ihn das schon wesentlich erwachsener macht (das denkt er wenigstens), ist er dann aber FDJler und hat somit alle möglichen starren Organisationen durchlaufen, hat er nur noch einen Wunsch, sich auch von dieser Organisation zu lösen. Natürlich macht ihn das nicht freier, denn der Verlust an Kreativität, den er erlitten hat, ist durch nichts zu ersetzen, wenigstens nicht in diesem jetzt bestehenden Gefüge unserer Gesellschaft. Im übrigen würde es sicher wesentlich weniger oder wesentlich mehr lebhaftere Mitgliederversammlungen geben, wenn nicht die jeweiligen Dogmatiker, die Lehrer (die im übrigen auch die eigentlichen FDJ-Gruppensekretäre sind) darauf drängen würden. Aber die Lehrer tun ja auch nur, was ihnen von oben runter gegeben wird. Ich selbst bin zehn Jahre Mitglied der FDJ gewesen. Ich meine, das waren zehn Jahre zuviel. Ich habe sie nicht als eigenständige Organisation kennengelernt, sondern nur als ein Repräsentationsorgan, das man ab und an vorzeigt, zum Beispiel bei regelmäßig stattfindenden Pfingsttreffen, und da tut sich mir die Frage auf, ob die FDJ es nötig hat, sich so zu artikulieren, oder ob es nicht angebracht wäre, diese dafür aufgewendeten Gelder in die Fonds der einzelnen FDJ-Gruppen zu geben, denn da sehe ich eine ständig gähnende Leere.

Andrea Streit,
Nordhausen

Mit ihrem Artikel *Das haben wir nicht gelernt* hat mir Christa Wolf wirklich aus dem Herzen gesprochen. Ich habe ja selbst erfahren, wie man als junger Mensch seines Vertrauens beraubt werden kann.

Als ich 1986 meinen Abituraufsatz schreiben mußte, wählte ich Aitmatows *Der Tag zieht den Jahrhundertweg* und darin gerade den Abschnitt, in dem er sich kritisch mit den Fehlern der Stalin-Zeit auseinandersetzt, als Thema. Da wir es ja alle frühzeitig gelernt hatten, uns selbst zu zensieren, wagte ich es nur vorsichtig, Fragen zu stellen. Trotzdem waren die Reaktionen des Lehrer-Kollegiums ausschließlich entrüstete Ablehnung: Wie kann ich festgelegte Geschichtsbetrachtungen in Frage stellen? Was berechtigt mich dazu, an der Kompetenz gewisser Funktionäre zu zweifeln, da doch deren Funktion allein schon ihre Kompetenz beweise? Es war ihnen einfach nicht möglich, meine Meinung erst einmal als Meinung zu akzeptieren. Ein Lehrer sagte sogar: »Wenn man Germanistik studieren will, dann darf man nicht solch einen Aufsatz schreiben!«

Ich mußte an meine wirklich gute Deutschlehrerin an der POS denken, die uns immer zu eigenständigem Denken ermutigte. Sie hatte mir ja auch dieses Buch empfohlen. Sollten alle ihre Bemühungen umsonst gewesen sein?

Wieviel bin ich einem Staat wert, der von mir nur seine eigene Meinung hören will? Es geht mir doch gerade darum, diesen Staat zu verbessern und vorwärts zu bringen. Damals habe ich auch gedacht, daß es eigentlich gar keinen Zweck hat, sich zu engagieren, weil wirkliches Engagement nicht gefragt ist. Jetzt sind wir hoffentlich so weit, daß Kritik auch ernst- und angenommen wird. Uns allen steht ein großes Stück Arbeit bevor, denn mit Schuldzuweisungen allein ist sicherlich kein Wandel vollziehbar. Schuld haben schließlich auch alle, die Unrecht geschehen lassen.

Claudia-Susan Buß (21),
Bad Liebenstein

Betroffenheit hat sich meiner bemächtigt, nachdem ich die Zuschriften einiger Lehrer zum Beitrag *Das haben wir nicht gelernt* gelesen habe. Es sind nicht die armseligen persönlichen Angriffe auf Christa Wolf, die mich so bestürzen, sondern es ist der Gedanke, daß die Schüler solchen Leuten auch nach einer kommenden Bildungsreform ausgeliefert bleiben könnten. Lehrern, die keine Selbstunsicherheit kennen und keinerlei Kritik an ihrer Person zulassen.

Ich wurde 1977 zur EOS »Paul Oestreich« in Berlin-Weißensee delegiert und besuchte die Vorbereitungsklassen auf die Abiturstufe. Das Klima an der Schule war zu dieser Zeit geprägt von Kampagnen gegen Jeans und Parkas, wöchentliche Fahnenappelle und pflichtgemäße FDJ-Arbeit jeden Mittwoch. In der 10. Klasse, Ende November 1978, habe ich, gemeinsam mit einem Mitschüler, einen politischen Witz in das »Parteiprogramm« geschrieben. Die Programme waren als Lehrmaterial für die gerade laufende Staatsbürgerkundestunde ausgegeben worden. Den Witz hatten wir in der Pause vor der Stunde gehört und zum Zwecke der weiteren Verbreitung in die Broschüre geschrieben. Der Witz prophezeite die Zukunft der DDR und endete mit der Pointe: »… der Letzte macht das Licht aus« (nach Öffnung der Grenzen usw.).

Am nächsten Tag wurden unsere »Inschriften« von der Staatsbürgerkundelehrerin entdeckt und die »Beweismittel« dem Direktor vorgelegt. Man hat dann offenbar Schriftvergleiche angestellt und holte uns schließlich – getrennt – zur Befragung. Wir gaben die »Tat« ohne Leugnen zu. Wir waren zu dem Zeitpunkt 15 Jahre alt und haben absolut nicht damit gerechnet, deswegen als »Staatsfeinde« relegiert zu werden.

Es sah auch erst nicht so aus, uns wurde sogar bescheinigt, eigentlich zu den positiven Kräften in der Klasse zu gehören. Plötzlich verhärtete sich jedoch die Situation, nachdem die Stadtbezirksschulrätin und offenbar auch noch andere in die Sache eingeschaltet wurden. Man begann, von Hetze und konterrevolutionären Handlungen zu reden. Besonders die FDJ-GOL war da sehr eifrig. Eine Lehrerin (dieselbe, die uns denunziert hatte) brachte ihre Klasse sogar dazu, eine Protestresolution zu verfassen, in der unser sofortiger Schulausschluß gefordert wurde. Es haben fast alle unterschrieben, auch die, die wir eigentlich für unsere Freunde hielten. Und ich habe erlebt, wie unehrlich und doppelzüngig sich viele Lehrer in dieser Angelegenheit verhielten.

Einen Tag vor den Weihnachtsferien wurden wir mit sofortiger Wirkung relegiert. Dazu wurde uns verboten, Sport- oder Diskoveranstaltungen der Schule zu besuchen. Eine »Bewährungschance« in irgendeiner Form wurde uns nicht gewährt.

Soweit der Fall an sich. Nach unserer Relegierung soll das Klima an der Schule noch eisiger geworden sein. Unter anderem mußten auch (bis auf einen) die parteilosen Lehrer die Schule verlassen. Für mich selbst bedeutete die Relegierung natürlich ein völliges Umwerfen meiner Zukunftspläne.

Ich will keine persönliche Rache oder ähnliches, aber eine Bildungsreform wird nur dann Sinn haben, wenn sie von allen Lehrern mitgetragen wird. Wer sich von alten Denkmodellen und Handlungsweisen nicht trennen will, für den sollte kein Platz mehr in einer erneuerter Volksbildung sein.

David Jacobs (27),
Student,
Berlin

Ich bin sehr empört über die Unterstellungen gegenüber dem wahrhaften und erschütternden Beitrag von Christa Wolf. Was ich da in Leserzuschriften lesen mußte, zeigt doch leider, warum diese Wende und Erneuerung unserer Gesellschaft so dringend nottut und vielleicht schon zu spät ist. Viele begreifen noch heute nichts.

Wer Zweifel an der Glaubwürdigkeit und Aufrichtigkeit der Gedanken von Christa Wolf hat, der fühlt nicht, worum es ihr eigentlich geht. Ich bin Jahrgang 1958 und kann nur unterstreichen, daß jedes Wort wahr ist, was Christa Wolf geschrieben hat. Alle diese bösen Erfahrungen mit der »Dauerschizophrenie« tun auch mir sehr weh, und ich kann leider den Sklaven nur tropfenweise aus mir herauspressen.

Aber diese Wortmeldungen der überwiegend älteren Generation bestürzen mich. Haben die alle nichts begriffen, nicht lesen und verstehen können? Und warum? Warum ist denn ein großer Teil der Jugend weggelaufen? Warum zog sich ein sehr großer Teil der Menschen in die private Nische zurück?

Doch weil die ältere Generation glaubte, 40 Jahre die Wahrheit gepachtet zu haben und nichts als die Wahrheit. Dieser absolute Wahrheitsanspruch spricht auch wieder aus diesen Zuschriften. Ich will es nicht mehr lesen oder hören. Ich verehre Christa Wolf, ihre moralische Integrität ebenso wie ihre hohe Kunst als Schriftstellerin. Und ich denke, sie hat mit ihrem Aufruf »Fassen Sie Vertrauen« mehr erreicht als die alten Hardliner und Wendehälse und neue Vertrauensbekundungen und -versprechungen.

Carola Wünsche (31),
Berlin

Die in der Ausgabe vom 17. November veröffentlichten empörten Zuschriften auf den Artikel von Christa Wolf – oft von Lehrern – haben mich sehr nachdenklich gemacht.

Ich glaube, daß alle, die sich durch diesen Artikel persönlich angegriffen fühlen, sich gar nicht die Mühe gemacht haben, den Sinn der Worte auch wirklich erfassen zu wollen – vielleicht konnten sie ihren Sinn aber auch gar nicht erfassen, eben wegen der von Christa Wolf aufgezeigten Gründe! Sie stellt keine Personen, sondern ein untaugliches Prinzip an den Pranger.

Ich selbst bin Jahrgang 1943 und habe während langer Jahre in der Grundschule, der Oberschule und während des Studiums alle diese Erscheinungen zur Genüge kennenlernen müssen. Natürlich gab und gibt es viele gute Lehrer, niemand hat das in Abrede gestellt. Aber es gab und gibt auch viele, die eben resignierten oder gar eigene Initiativen in dem beschriebenen schlimmen Teufelskreis entwickelten!

Der Artikel von Christa Wolf gehört für mich zum besten, was in dieser bewegten Zeit gesagt und vor allem gedruckt worden ist. Eines muß man den Schreibern der angesprochenen Zeilen freilich zugute halten: Sie konnten noch nicht ahnen, was in den 14 Tagen, die inzwischen vergangen sind, an Neuem auf uns alle zukommen würde!

Uwe Schmidt, Karl-Marx-Stadt

Der Beitrag von Christa Wolf hat viele Fragen aufgeworfen. Jeder hat seine Erfahrungen mit dem System gemacht, und wer ehrlich ist, wird zugeben, daß dabei auch bittere waren. Das Schlimmste war die Heuchelei, sich zu einer Ideologie oder zu Verhältnissen ganz allgemein bekennen zu müssen, von denen man innerlich nicht überzeugt ist.

Und dies betrifft besonders die jungen Jahre: Schulzeit, Lehre, Studium. Später im Berufsleben traf das nach meiner Erfahrung nicht mehr zu, natürlich mit der Konsequenz, von jeder »Karriere«, die ich aber auch nicht wollte, ausgeschlossen zu sein. Mich hat jedenfalls nie jemand »gezwungen«, in eine Partei einzutreten, mich in ein Gremium wählen zu lassen und dergleichen. Die meisten Menschen sollten nun nicht alles auf Vorgesetzte, Lehrer, Sekretäre usw. schieben, sondern sich selbst befragen, inwieweit sie Unrecht oder Unwahrheit toleriert und unterstützt haben.

Im Aufenthaltsraum einer Heizerbrigade der Uni-Klinik Greifswald habe ich folgenden Spruch gelesen:

Viel Klagen hör' ich oft erheben,
zum Hochmut, den der Große übt.
Der Stolz der Mächtigen wird sich geben,
wenn unsere Kriecherei sich gibt!

Herbert Feinbringer (29),
Bauingenieur,
Greifswald

Mit Unbehagen erinnere ich mich daran, wie in meiner Schulzeit regelrecht geübt wurde, plausible Erklärungen für Dinge zu finden, die mit dem gesunden Menschenverstand unvereinbar waren. Beispielsweise im Zusammenhang mit dem »mittelalterlichen« Freiheitsbegriff von der Einsicht in die Notwendigkeit. Der Name Rosa Luxemburg kam schließlich in ganz anderen Lektionen vor. Wenn gute Lehrer dies getan haben im Sinne eines »Überlebenstrainings«, dann gut. Im Leben muß schließlich sehr oft nicht nur aufrecht gegangen werden, sondern auch auf allen vieren gekrochen – wenn es sein muß, mit dem Hintern zur Tribüne.

Das war wohl schon immer so – nicht erst in den letzten 40 Jahren. Den Diskussionen kann ich nur entnehmen, daß jene approbierten Pädagogen, die sich so königlich entrüsten, offenbar nicht zu diesen Lehrern gehören. Es geht dabei wohl mehr um die Erschütterung ihrer herrlichen führenden Rolle.

Hans-Jürgen Worm,
Frankfurt (Oder)

Auch mir liegt die Volksbildung in unserem Lande sehr am Herzen – ich bin zur Zeit Praktikantin und wollte in meinem Leben nie etwas anderes werden als Lehrer, fühlte mich regelrecht dazu berufen. Und trotz aller Widersprüche, die ich in der Schule und vor allem im Studium bemerkte, blieb dieser feste Wunsch. Vielleicht eine Spur Idealismus? Mag sein, dennoch: Immer wieder gab es Lehrer, Pädagogen und zunehmend Psychologen, die mir zeigten, daß mein Idealismus irgendwo gerechtfertigt ist! Lehrer zu werden für Kinder! Nicht für einen abstrakten Stoff oder um des Jobs willen, oder »weil man da soviel Freizeit hat« (Zitat einer Kommilitonin!), sondern lediglich aus dem Bedürfnis, für Kinder ein Partner zu sein!

Deshalb gefällt mir der Beitrag von Liane Biehl aus Dresden ganz besonders, solche Lehrer kenne ich auch, und genau *die* meint Christa Wolf in keinem Falle! Sie kritisiert mit ihrem Beitrag all jene, denen es kein Bedürfnis ist, für Kinder da zu sein, oder besser, denen alles andere erstmal wichtiger war als Kinder. Die sich, ohne sich selbst einzubringen, ohne Nachdenken und Überlegung anpaßten, sich ihrer Rolle als Lehrer überhaupt nicht bewußt geworden sind.

Ich weiß, daß meine Haltung subjektiv ist – es liegt nicht allein beim Lehrer, ob er bestimmte Vorstellungen verwirklichen kann. Aber hier bin ich wieder bei Christa Wolf: Sich selbst einzubringen, so wie sie es in ihren Büchern mit der »subjektiven Authentizität« verlangt, dies sollte auch für den Lehrerberuf gelten. Ich bilde mir ein, die Möglichkeit dazu gefunden zu haben, oder besser eine der Möglichkeiten, nämlich im sogenannten Lehrertraining, das ich zur Diskussion stellen will. Lehrerstudenten werden zunächst mit sich selbst konfrontiert, um sich in Konfliktsituationen auch wirklich als echt darzustellen, aber auch, um dem Lehrer-Schüler-Verhältnis gerecht zu werden. Ich darf zu diesem Thema ein Forschungsstudium aufnehmen, ich weiß genau, daß es mich fesseln wird.

Ich stimme Christa Wolf zu, die mit der ihr eigenen Sprachgewalt so rigoros unser Bildungssystem verurteilt, aber ich verstehe auch auf jeden Fall die Lehrer, die bereits sehr lange im Schuldienst und mit Leidenschaft Lehrer sind und plötzlich erschüttert diesem gewaltigen Vorwurf gegenüberstehen. Eine neue Generation ist da in den Schulen, die eben anders erzogen werden kann und vor allem will. Vor allem müssen die Jugendlichen in die Probleme einbezogen werden, und es darf keine ideale Scheinwelt vermittelt werden. Deshalb beginne ich zum Beispiel in der 6. Klasse im Ausdrucksunterricht mit der Diskussion »Wie geht es weiter mit den Pionieren?« Und das zum Schreck meiner wirklich langjährig erfahrenen Mentorin!

Mut zum Risiko, leidenschaftliches Engagement, vor allem den Blick auf die Schüler und nicht auf Stoff oder Direktor oder auf den freien Nachmittag, all das sind Voraussetzungen, um auch im Bildungssystem die »Wende« einzuleiten!

Ich appelliere an alle Lehrer und solche, die es werden wollen, denn noch immer ist es so, daß Kinder alles verstehen und sie das Spiegelbild unserer Ziele sind! Das erkannte schon Pestalozzi.

Heike Hanke,
Pädagogik-Studentin,
Sietzsch-Bageritz

Ich möchte ein paar Bemerkungen zu den Meinungen der Leser in der »Wochenpost« machen. Herr Kohlsdorf versteht offensichtlich nicht die Zusammenhänge: Von der Jugend (ich bin 21), der jahrelang erzählt wurde, wie gut der Sozialismus und wie schlecht der Kapitalismus ist, die angeblich in einer Gesellschaft ohne Probleme und Widersprüche lebt, denen man sich nicht zu stellen braucht, haben einzelne, bis es immer mehr wurden, erkannt, daß doch was im Staate faul sein muß, wenn die Wälder wegsterben, wenn es Versorgungsschwierigkeiten gibt, wenn führende Vertreter der SED und die Staatssicherheit Privilegien genießen etc. Die (jungen) Leute, die mit diesen Zuständen nicht einverstanden sind, gehen auf die Straße. Diejenigen, die nach wie vor glauben, in einer heilen Welt zu leben, oder zu bequem sind, sitzen in ihren Wohnungen vor dem Fernseher.

Zu den Ausschreitungen am 7./8. Oktober möchte ich einen Satz vorausschicken: Jede Kraft erzeugt eine Gegenkraft (Physik). Nun, die Menschheit muß lernen, Gewalt nicht mit Rache zu vergelten. Aber, wenn der Staat viel Gewalt aufbietet, wie ich es selbst am Montag, dem 18. September in Leipzig erlebt habe, birgt dies immer die Gefahr in sich, daß Rowdys, Schlägertypen provoziert werden. Für die erste friedliche Demonstration nach der Wende in Cottbus wurden die Straßen von der Volkspolizei lediglich freigehalten, da gab es auch keine Ausschreitungen.

In dem Brief von E. Justiz muß ich feststellen, daß sie nicht verstanden hat, worauf Christa Wolf hinauswollte. In einer unserer Zeitungen habe ich gelesen, daß von der deutschen Bevölkerung im »Dritten Reich« etwa 1 bis 2 % aktiv gegen den Hitlerfaschismus gekämpft haben, darunter E. Honecker. Die vielen anderen waren die Anhänger, Mitläufer, die das Regime mit seinen Judenverfolgungen mehr oder weniger hingenommen haben, die nichts dagegen getan haben, die »gekuscht« haben »vor Kaiser, Hitler und später auch«, wie Stefan

Heym am 4. November 1989 in Berlin sagte, die vieles hingenommen haben als etwas Unabänderliches, und die den Krieg in seinen schlimmsten Formen erleben mußten. Und wenn sie doch mal den Mund aufgerissen haben, kam die Gestapo oder später die Staatssicherheit, wie es mir erging, nachdem ich am 9. Oktober 1989 in meinem Betrieb ein Plakat aufgehängt hatte mit den Worten: »Glasnost! Demokratie! Es lebe der Sozialismus in der DDR! Meinungsvielfalt und Dialog statt Gewalt und Unterdrückung! DDR-Bürger aller Klassen und Schichten VEREINIGT EUCH! Das Auswandern von DDR-Bürgern fördert den Neofaschismus in der BRD!« Ich solle sowas nicht wieder machen, »empfahl« mir die Stasi.

Übrigens dachte ich in der 12. Klasse an Selbstmord. Ich hatte es nicht gelernt, mich mit Widersprüchen auseinanderzusetzen und Kämpfe zu bestehen, ja es gab sie für mich bis zur 10. Klasse, die ich mit Auszeichnung bestand, nicht. Ich hatte keine eigene Meinung, bis ich mir eine bilden mußte, als mein Vater, der seine Vorgesetzten ernsthaft kritisiert hatte, aus Partei und Armee ausgeschlossen wurde als ein Verräter. Bei den Arbeitern in meinem Betrieb bin ich wieder hochgekommen und – mein Platz ist hier: in der DDR – jetzt erst recht!

Birgit Kohs (21),
Weberin, Cottbus

Mit Bestürzung las ich den Artikel von Christa Wolf. Mit Bestürzung deshalb, weil es all das, was in diesen Tagen und Wochen gesagt wurde, auf den Punkt bringt, und weil es viele Parallelen aufzeigt zu meiner Entwicklung und der meiner Eltern.

An die EOS-Zeit in Luckenwalde habe ich nicht nur gute Erinnerungen. Viele der vor allem jungen Lehrer waren dem strengen Regime des damaligen Schuldirektors unterworfen. Für ihn gab es nur zwei akzeptable Berufe: für Mädchen den Lehrerberuf, für Jungen die Offizierslaufbahn. Unsere Eltern haben meine Schwester und mich im christlichen Glauben erzogen. Ich denke, für diejenigen, die nicht »konform« zur herrschenden Meinung erzogen wurden, war der Zwiespalt zwischen dem, was gedacht und gefühlt und dem, was gesagt wurde, mitunter unerträglich. Aber auch ich wollte studieren. So paßte auch ich mich einfach an, das Vorgesagte wurde nachgesagt, Wahrheit, Halbwahrheit und Lüge vermischt. Die Fortsetzung folgte beim Studium. Meiner Schwester an der POS I in Trebbin erging es fast noch schlimmer. Die Direktorin versuchte ab und zu, sie zu provozieren. Ich fand es schizophren, wenn sich die Schule mit der Flötengruppe, in der meine Schwester spielte, auf jedem Fest der jungen Talente, auf regionalen und überregionalen Veranstaltungen brüstete, dem Mädchen andererseits jedoch vorgeworfen wurde, zur Kirche zu rennen und zu proben und deshalb ihren gesellschaftlichen Verpflichtungen (wohlgemerkt nur den gesellschaftlichen) nicht in genügendem Maße nachzukommen! Beispiele gäbe es noch genügend.

Für unsere Tochter hoffen wir, daß die Schulreform echte Veränderungen bringt, mit Raum für Phantasie und freie Meinung, für mehr Fröhlichkeit und ohne Gängelei.

Noch ein Wort zu den Leserbriefen in der »Wochenpost«, Nr. 46: Einige Zuschriften rufen bei mir Unverständnis hervor. Haben manche Leser den Artikel Christa Wolfs wirklich richtig gelesen? Es werden nicht alle über einen Kamm geschoren, aber es wird harte Kritik ausgesprochen. Und einen Teil davon hat jeder von uns zu verantworten, sei es durch Intoleranz oder durch Lügen, sei es durch Schweigen oder einfach nur Abwarten.

Im übrigen teilen meine Eltern, Jahrgang 1931 und 1939, diese Meinung.

Elke Potel (28), Ludwigsfelde

Ihr Artikel in der »Wochenpost« entlockte mir Tränen! Tränen des Ausbruchs einer lang verborgengehaltenen Last und Trauer. Nach den widerstreitenden Veröffentlichungen von Leserbriefen kann ich nicht schweigen, muß dies loswerden:

Ich bin, Jahrgang 1953, als Kind eines Pfarrers mit großen Konflikten in der Kindheit und Jugendzeit aufgewachsen. Es begann damit, daß ich, die ich im Staatsbürgerkundeunterricht kein Blatt vor den Mund nahm und immer meinen Standpunkt vertrat, nach einer Klassenarbeit vor den Direktor der Schule geladen wurde. Dort fand im Beisein des Stabü-Lehrers ein Kreuzverhör statt, warum ich in der Arbeit das geschrieben habe, was sie wissen wollten und nicht meine eigene Meinung. Sie wüßten nicht, ob sie mir auf die Arbeit eine 1 oder 5 geben sollten. Ich sei die unehrlichste Schülerin der ganzen Schule! (So 1968 geschehen zu Frankenberg, von wo Uwe Kaiser [»Wochenpost«, Nr. 46; d. Red.] so lobend spricht!) Am Ende wurde meine Arbeit ohne Zensur vernichtet.

Dann war mir trotz bester schulischer Leistungen ein Studium versagt, da ich ohne FDJ-Zugehörigkeit nie die Möglichkeit hatte, eine EOS zu besuchen. Auch mein Berufsweg war in dieser Beziehung schwierig, bis mein Vater doch endlich (durch Beziehung!) eine Lehrstelle in einer Frankenberger Apotheke für mich fand. Trotz aller Entmutigungen in meiner Kindheit und Jugend ging ich meinen Weg unbeirrbar weiter, heiratete einen vom Elternhaus her kommunistisch erzogenen Mann, mit dem ich heute noch glücklich lebe und streite, und bekam einen heute 14 1/2 Jahre alten Sohn, den ich nach meinen Idealen erzog. Er war nie Mitglied der Pioniere oder der FDJ, machte nur Konfirmation ohne Jugendweihe durch, und ich kann mit gutem Gewissen sagen, daß ich den Jungen zu einem aufrichtigen, ehrlichen Menschen erzog, der weiß, was er will, und den die Zukunft unseres Landes braucht. Wir sind nicht weggegangen aus der DDR, weil wir hier gebraucht werden. Weglaufen ist doch bloß Feigheit gegenüber den Tatsachen. Das wollen wir auf keinen Fall.

Durch meine Heirat und Ortswechsel war eine andere Tätigkeit für mich erforderlich. So lernte ich noch einmal in Erwachsenenqualifizierung um zum Wirtschaftskaufmann. In diesem Beruf arbeite ich nun schon seit langen Jahren im VEB Lackfabrik Oberlichtenau. Auch dort erfuhr ich, was es heißt, »dagegen« zu sein. Mein Abteilungsleiter bezeichnete mich öffentlich als »Klassenfeind«, als ich nicht sagte, was ich gegen den Imperialismus persönlich zu unternehmen gedenke. Seitdem zahle ich keinen Soli-Beitrag beim FDGB mehr. Ich wollte es ihnen irgendwie zeigen, trat aber doch nur auf der Stelle, denn keine meiner Kolleginnen, die sonst im privaten Gespräch völlig mit mir übereinstimmten, gaben mir Rückhalt. So blieb mir nur, in mein Schneckenhaus zu kriechen. Das taten wir als Familie denn auch, gingen kaum aus dem Haus und schon gar nicht zu betrieblichen Veranstaltungen. Wir machten unseren Stiefel allein.

Bis – ja, bis im September dieses Jahres die Tore der Verblendung langsam aufgingen, man nach Smog-Alarm wieder befreit atmen durfte. Nun sehe ich auch den Sinn meines Lebens, habe es schon in einer öffentlichen betrieblichen Aussprache bewiesen, mit Aushängen an der Wandzeitung, und ich werde nicht eher ruhen, bis mein Lebenswerk vollendet ist. Nun bin ich nach den langen Jahren der Passivität endlich voll aktiver Lebenskraft! Ich will nicht mehr ruhen! Ich wollte damit sagen, daß alle Lesermeinungen, die dahin tendieren, den »alten« Staat 40 Jahre lang *nicht* als Entmündigung usw. zu betrachten, von solchen Leuten stammen, die den einfachen Weg in dieser DDR gegangen sind. Sie, Frau Wolf, haben in Ihren Beiträgen auf Kundgebungen und Demonstrationen bewiesen, daß Sie sehr viel Verständnis und Herz für unsere Generation wie für die Jugend aufbringen, und dafür möchte ich Ihnen von Herzen danken!

Christina Kliempt (38),
Wirtschaftskaufmann, Auerswalde

Die Schriftstellerin Christa Wolf ist doch deshalb international so sehr geachtet, weil sie es meisterhaft versteht, die Lage zu analysieren und dies niederzuschreiben, Entwicklungen zu antizipieren. Sie vor allem hat Jahrzehnte vor der »Wende« bewiesen, wie weit Kritik an gesellschaftlichen Zuständen in der DDR gehen kann, wenn man sich auf seinen Verstand und seine Zivilcourage verläßt! All dies hat sie meines Wissens nie dazu verleiten lassen, sich als »Avantgarde« zu bezeichnen. Ganz im Gegensatz zu vielen Zeitgenossen, die dies bis heute völlig unverdientermaßen tun! Nun hat auch Christa Wolf kein Monopol auf Wahrheit. Deshalb habe ich sie als einer, der zwölf Jahre unser Schulwesen durchlaufen hat, drei Jahre Armee und vier Jahre Pädagogikstudium absolvierte und schließlich vier Jahre als Lehrer an einer Hilfsschule tätig war, sehr aufmerksam und kritisch gelesen. Resultat: Ich habe keine Stelle gefunden, die mich zum Widerspruch angeregt hätte! Um so größer mein Erstaunen über das Rudel getroffener Hunde, deren lautstarkes Bellen meine tiefe Befriedigung über den Verlauf der Protestkundgebung am 4. November 1989 in Berlin wieder nachhaltig erschüttert hat.

Daß die Autorin die Errungenschaften der DDR auch auf dem Gebiet des Bildungswesens nicht ignoriert, unterstreicht doch die Tatsache, daß sie sich leidenschaftlich für *dieses* Land und für *diese* Jugend einsetzt. Auf einer Zeitungsseite sollte der Versuch unternommen werden, sich dem Nachholebedarf in puncto Jugend zu stellen. Denen, die eine Auflistung der zweifellos vorhandenen bildungspolitischen Errungenschaften vermissen, sei gesagt, daß dies im Vorfeld des Pädagogischen Kongresses beziehungsweise des 40. Jahrestages erschöpfend geschah! Ganz offensichtlich verdrängen einige Leser die Ausreise von weit über 200 000 meist jungen Menschen, verdrängen den nicht geringen Teil derer, die sich resigniert in die private Nische zurückgezogen haben, verdrängen, daß die wirklichen Patrioten vor kurzem noch als »Staatsfeinde« galten! Manche Leute haben zur Massenausreise weiter nichts zu sagen als: »Die werden schon sehen, was sie davon haben!«

Schauerlich, wie Christa Wolfs Vorschlag, die originellen Losungen der bewußten Hierbleiber als Zeitdokument zu sammeln, arrogant abgeschmettert wurde. Schauerlich, wie Frau R. Hendrich die Ursachen der Krise auf »Überspitzungen« und »unterschiedliche Fähigkeiten einzelner Lehrer« reduziert. Ebenso, wie E. Justiz Frau Wolf beschuldigt, den Überlebenden des Krieges die Hand ins Gesicht zu schlagen, nur weil sie schrieb, was längst offenkundig ist. Die kleine Gruppe von Antifaschisten, die bisherige Parteiführung also, kämpfte mutig gegen den Faschismus, für eine bessere Welt. Aber sie hat in panischer Angst vor dem Machtverlust Verhältnisse geschaffen, die – nach eigenen dialektischen Gesetzmäßigkeiten verlaufend – eben eine tiefe Krise des Sozialismus bewirkten.

Gutgemeinte Ideen verselbständigten sich. Was wurde allein schon mit dem Vorsatz der »Chancengleichheit« in unserem Schulsystem angerichtet. Schwerer lernende wie hochbegabte Schüler wurden und werden durch eine Einheitsschule gezwängt, und für beide Gruppen wirkt sich dies in puncto Bildung und Erziehung verheerend aus. Grotesk: Zwischen der Hilfs- und der »Ober«-Schule gibt es keine Zwischenstufe. Für schwerer lernende Schüler mündet sowohl der eine als auch der andere Schulweg in eine Verhaltensstörung. Andererseits können sich hochbegabte Schüler nicht genug entfalten. Der sowjetische Bildungsminister brachte das Problem vor Jahresfrist auf den Punkt: »Ein Puschkin, der in Mathematik eine glatte ›Null‹ war, hätte es in unserer Schule nie zum Abschluß gebracht.« (G. Jagodin: Durch Humanisierung und Demokratisierung zur neuen Qualität der Bildung, 1989)

Die Quellen für die nun gezeigte politische Reife werden hinterfragt. Selbstverständlich war das offizielle Unterrichtsangebot eine solche Quelle. So verdanke ich meiner Deutschlehrerin unter anderem die Bekanntschaft mit antifaschistischer Literatur. Kaum verzeihlich aber war die Bevormundung bei der Beurteilung literarischer Werke. So habe ich mir zum Beispiel bei der Interpretation des Titels *Wie der Stahl gehärtet wurde* eigene Gedanken erlaubt. Wirkung: Keine Gegenargumente, keine Diskussion, meine Variante wurde als falsch abgestempelt. Dies war kein Einzelfall. Die Folge war eine Selbstzensur, ein Nach-dem-Mund-Reden, um negative Folgen für mich und meine Eltern zu verhindern.

Die Quellen liegen aber auch oft in der Opposition zu diesem Mangelmilieu. Wer wollte leugnen, daß die Westmedien neben Spekulationen und Halbwahrheiten allabendlich auch Wahrheiten über den Sozialismus präsentierten (was auch ihr gutes Recht war). Und wer wollte leugnen, daß dies zur Wahrheitsliebe beigetragen hat?

Schlimm ist auch, daß mir Schule und Studium die tiefgreifende Beschäftigung mit Persönlichkeiten wie Luther, Lenin, Makarenko oder Luxemburg nachhaltig vermiesten. Wie atemberaubend dagegen die Aufführung von Michail Schatrows *Brester Frieden* (im »Neuen Deutschland« wurde der Autor heftig attackiert), die mir, als Christ, einen tiefen Respekt vor Lenin abverlangte. Mein Berufsethos verdanke ich keinem Professor, sondern der Lektüre des »Ameisenbüchleins« eines Christian Gotthilf Salzmann (1744–1811). Gravierender Mangel unserer heutigen pädagogischen Literatur ist doch, daß sie zum Brechen langweilig ist. Der Vorsatz der »Wissenschaftlichkeit« wird ins Absurde getrieben.

Leidenschaftlich möchte ich Frau L. Biehl zurufen: Wir sind seelenverwandt! Ihr intensiver Einsatz für die Schüler ist genau das, was wir heute brauchen. Was sie als »nichts Besonderes« bezeichnet, ist leider in der Praxis gar nicht so selbstverständlich. Das muß es aber werden! Die Übereinstimmung mit Frau Biehl bestärkt mich in meiner Sicht: Unser Land ist nicht in Christen und Marxisten gespalten, sondern in »echte und falsche Fuffziger«! Wir müssen hart mit uns und unseren Nachbarn ins Gericht gehen! Es darf nichts vertuscht werden nach dem Motto: »Es gibt Schuld, aber keine Schuldigen!« Ein großer deutscher Dichter sagte einmal: »Wenn wir die Menschen so nehmen wie sie sind, machen wir sie schlechter.« Aufpassen! Es geht bei dieser Kritik nicht um primitive Rachegelüste. Wir bekämpfen nicht Bonzen und geistig Eingeengte, sondern nur das Bonzenhafte und das Eingeengte an ihnen. Jeder soll davon profitieren, auch der Kritisierte! Vielleicht hilft uns bei der kulturvollen Handhabung der Kritik ein Wort von Albrecht Goes:

Wir hören nicht auf zu glauben,
daß es dem Wort gegeben sei
Verwandlungen zu wirken
und Brücken zu schlagen.
Wir glauben, daß der Pfeil des Wortes
sein Gegenüber zu treffen weiß:
nicht zum Tode,
sondern zum Leben.

Frank Träger (30), Lehrer, Herzberg

Ich bin 40 Jahre alt, und so verlief meine Schulzeit mit Verboten und Zwängen durch die Schule:

1. Die Eltern sollten schriftlich erklären, daß ich keine Westsender höre;

2. Die Eltern sollten schriftlich erklären, daß ich keine Westsender sehe;

3. Ich durfte keine langen Haare tragen;

4. Ich durfte keine Niethosen (heute Jeans) tragen;

5. Abfotografierte Bilder von Beatgruppen usw. waren verboten;

6. Westzeitschriften, und wenn es nur die »Micky Mouse« war, waren verboten;

7. Die Christenlehre wurde verpönt;

8. Der Eintritt in die Pionierorganisation wurde als Selbstverständlichkeit angesehen, undenkbar, nicht einzutreten;

9. Die FDJ war eine zwangsläufige Weiterentwicklung der Pionierorganisation;

10. Abbrechen der Antennen, wenn sie auf »West« gestellt waren, durch eine FDJ-Initiative;

11. Zwang zur Jugendweihe, wenn man einen normalen weiteren Bildungsweg gehen wollte;

12. Schwindeln im Staatsbürgerkundeunterricht für gute Zensuren.

Ich bitte meine Altersgefährten um Entschuldigung, falls ich in der Aufzählung etwas vergessen habe. Und da wagen es noch Lehrer, sich gegen den Artikel von Christa Wolf aufzulehnen! Haben sie ihre Diktatur vergessen? Heute ist das Verbotene von damals eine ganz normale Erscheinung, und Zwänge sind wirklich freiwillig oder wurden abgeschafft. Nicht umsonst wurde der Witz erzählt, daß die Japaner, welche das Hotel »Merkur« gebaut haben, bei der Landung in Berlin darauf aufmerksam gemacht wurden, sich anzuschnallen, das Rauchen einzustellen und die Uhren um 30 Jahre zurückzustellen.

Jürgen Frohberg, Leipzig

Nachdenken, Zweifel, auch Wut packen mich, wenn ich die ersten Leserreaktionen auf Christa Wolfs Artikel lese. Ich gehöre zu der Generation, die in den ersten Schuljahren eine Verpflichtung unterschreiben mußte, weder Westfernsehen zu sehen noch Westradio zu hören. Meine Eltern waren beide Genossen, und ich wurde »mit der roten Fahne in der Hand« erzogen. Meine Freundin, eine Pfarrerstochter, und ihre Glaubensgenossen wurden als »Spinner« tituliert. In eine Veranstaltung der Kirche (Jugendstunden) bin ich heimlich gegangen, weil es mich einfach interessierte, was dort gesagt und getan wurde. Erstmals in der 8. Klasse lernte ich begreifen, daß man alle Menschen akzeptieren kann, Andersdenkenden tolerant gegenübertreten muß. Das lernte ich nicht im Elternhaus oder in der Schule. Unser Staatsbürgerkundelehrer, Herr B., stellte sich uns mit den Worten vor: »Meine Meinung ist richtig, und am Ende des Schuljahres werdet ihr alle überzeugt sein, da könnt ihr Gift drauf nehmen.«

In dieser Zeit begriff ich, daß es noch etwas grundlegend anderes gab, was zum Leben gehört, nämlich eine Meinung, die, obwohl von Genossen abgelehnt, trotzdem respektiert werden muß. Es gab Riesenkonflikte, wenn ich darauf bestand, beide Weltanschauungen (die kommunistische und die christliche) zu vergleichen. Oftmals schnitt für mich die christliche Seite besser ab. Diese Leute wurden nicht wütend, wenn man eine andere Meinung hatte als sie selbst, sie behielten die Geduld und Freundlichkeit, wie ich sie andererseits nur bei einigen ganz alten Genossen gefunden hatte.

Ich wollte zur EOS und wurde abgelehnt, weil ich einen Zensurendurchschnitt von 2,1 hatte und damit um ein Zehntel zu schlecht war. Wie anders wäre mein Leben verlaufen, wenn ich meinen Talenten und Neigungen hätte nachgehen können! Aber der Zensurendurchschnitt war eben wichtiger. Wie viele sind an diesem Dogmatismus gescheitert, haben Berufe erlernt, die ihnen gar nicht lagen, haben sich letztendlich in der Erwachsenenqualifizierung umschulen lassen. Was das den Staat zusätzlich gekostet hat! Ich habe dennoch einen Beruf erlernt, der mir viel Freude macht. Aber als ich später ein Fachschulstudium aufnehmen wollte, wurde ich wegen fehlender Studienplätze abgelehnt. Wenn uns immer erzählt wurde, hier bekäme jeder die Chance, einen Beruf zu lernen, drüben dagegen fehle es an Ausbildungsplätzen, so ist das weit hergeholt.

Ein weiterer Gedanke ist, daß mich als junges Mädchen die Reiselust packte und ich alles darum gegeben hätte, nach der Lehre als Schrift- und Plakatmaler in die Welt ziehen zu können, in anderen Ländern immer mal eine kurze Zeit zu arbeiten (zum Beispiel als Entwicklungshelfer) und nach ein paar Jahren wieder nach Hause zurückzukehren mit einem Rucksack voll Wissen und Erfahrungen. Es war überhaupt nicht möglich! Ich könnte ironisch lachen darüber, könnte vor Wut schreien, daß man hier so eingesperrt war! Um wieviel bin ich da betrogen worden!

Alle diese Leute, die hier schreiben, ihnen wäre es gut gegangen, sie hätten keine Nachteile gehabt, sie sind beruflich fortgekommen usw., haben meiner Meinung nach mit verschlossenen Augen gelebt! Haben nur ihre Karriere im Sinn gehabt und ihre persönlichen Vorteile, bei denen sie durch ihre Partei noch gefördert wurden. Wie viele kenne ich persönlich, die nur Genossen wurden, damit sie den Posten oder das Studium bekamen, was ihnen vorschwebte! Wieviel Ärger habe ich mir eingehandelt, indem ich das gesagt habe, was meiner Meinung nach gesagt werden mußte! Und wie sehr ekelt es mich, daß heute keiner mehr die Verantwortung für all das tragen will, daß angeblich alle schon immer so fortschrittlich wie jetzt gedacht haben! Was wäre denn mit uns passiert, wenn wir schon vor 15 Jahren eine Demo organisiert hätten, auf die Straßen gegangen wären? Es kann sich jeder selbst beantworten.

Es sind ja Millionen Menschen bereit, zu arbeiten, wenn alles richtig und mit rechten Dingen zugeht. Wir müssen nur verdammt aufpassen, daß wir nicht durch einige schnelle Aktionen eingelullt werden, sondern jetzt ganz hart dranbleiben!

Eva-Maria Voigt (38),
Berlin

Als ich die Zeilen von Christa Wolf las, fand ich darin vieles wieder, was mich in all den Jahren bewegt, aufgeregt, erzürnt hat, was mir an Zweifeln gekommen ist und auch, was mich hat verzweifeln lassen, was ich ähnlich wie Christa Wolf empfunden habe, ohne es so klar und deutlich ausdrücken zu können, wie sie es dankenswerterweise getan hat.

Auch ich habe neben ehrlichen und aufrichtigen Lehrern solche kennengelernt, die im Stile mittelalterlicher religiöser Eiferer mit großem Erfolg versucht haben, das selbständige Denken und die Bereitschaft zur Übernahme wirklicher Verantwortung zu ersticken und uns mit großer Intensität die hohlen Phrasen der Ideologie, der sie verpflichtet zu sein glaubten, zu vermitteln suchten. Sogar noch während des Studiums an der TU Dresden wurden Ende der sechziger Jahre Kommilitonen, die es wagten, unorthodoxe Gedanken zu Deformationen in unserer Gesellschaft, zur Rolle der SED und zu der von dieser betriebenen Abschaffung der ersten demokratischen Verfassung der DDR zu äußern, von einer gewissen Frau Dr. N. (Institut für Marxismus/Leninismus) auf übelste Weise beschimpft und mit schwerwiegenden Konsequenzen bedroht. Eine ähnliche Atmosphäre der Angst und Einschüchterung herrschte in den während der Studienzeit durchgeführten und zum Studienplan gehörenden Wehrlagern in Seeligenstädt, wo im Sommer 1966 unter öffentlich niemals vollständig geklärten Umständen ein Student zu Tode kam. Wegen geringfügiger Vergehen gegen die militärische Ordnung wurden Studenten exmatrikuliert und so ihrer Zukunftschancen beraubt. Logischerweise versuchte fast jeder, ohne aufzufallen über diese schlimme Zeit zu kommen und überließ das Feld ohne ernsthaften Widerspruch solchen Vorgesetzten wie einem gewissen Major Z., der sich bei jeder sich bietenden Gelegenheit detailliert damit brüstete, wie er an der Niederschlagung des Volksaufstandes vom Juni 1953 teilgenommen hatte und daß er jederzeit bereit sei, mit »unzuverlässigen« Elementen gleichermaßen zu verfahren.

Soweit schlaglichtartig ein paar persönliche Erfahrungen mit dem »real existierenden Stalinismus« in unserem Land, und ich sehe darin eine der wesentlichen Ursachen, daß sich ein Regime etablieren konnte, welches sich mit Lug und Trug bis hin zur persönlichen Bereicherung an unserem Volk vergangen hat und dafür gesorgt hat, daß sich viele positive Kräfte resigniert in Nischen der Gesellschaft zurückgezogen haben oder gänzlich weggegangen sind. Nicht zuletzt aus diesen Erfahrungen heraus stimme ich Christa Wolf zu, daß dieser Staat nur eine Zukunft hat, wenn die vielen dunklen Flecken der durch das Gespenst des Stalinismus geprägten Vergangenheit schonungslos aufgeklärt und öffentlich aufgearbeitet werden. Nur so kann vermieden werden, daß das Volk wieder eingeschläfert wird und das Heft des Handelns wieder von denen an sich gerissen wird, die uns jahrzehntelang belogen, getäuscht, gedemütigt und letztlich verspottet haben.

Ich unterstütze jedes Wort, was Christa Wolf in ihrem Beitrag geschrieben hat und kann mir die ablehnenden Stellungnahmen in der »Wochenpost«, Nr. 46, nur dadurch erklären, daß diese Menschen entweder die Worte nicht richtig gelesen oder aber nicht richtig verstanden haben, was die Autorin gemeint hat.

Andreas Naumann (43),
Berlin

Die Überlegungen von Christa Wolf sprechen mir aus dem Herzen. Ich bin Jahrgang 1956, also habe noch nicht so viele Erfahrungen hinter mir wie sie. Für mich ist Christa Wolf eine hervorragende, einfühlsame und realitätsnahe Schriftstellerin. Ihre Bücher und Veröffentlichungen zeigen doch viel Menschenkenntnis und Wärme. Auch ich habe, als Kind privat gewerbetreibender Eltern, die zehnklassige Oberschule, Berufsschule und ein Fachschulstudium durchlaufen. Meine oftmals andere Meinung war nicht gefragt, ich zählte zu den Quertreibern und Nörglern, wenn ich die führende Rolle der Pionierorganisation, FDJ oder Partei nicht akzeptieren konnte. Auch im Beruf wurde ich schief oder mitleidig angesehen, wenn ich bestehende Mißstände kritisierte oder gar ändern wollte. Ich habe mich oft gegen die Engstirnigkeit von Kollegen und Institutionen, gegen Bürokratismus, Herzlosigkeit und angebliche Parteitreue gewehrt und leider auch den Mut verloren. Eine ohnmächtige Wut, eine Machtlosigkeit gegenüber Ämtern und Behörden, Leitern und Ministerien machte mich krank. Wie weiterkämpfen, ohne Aussicht auf Erfolge? Meine Arbeit, besonders auf dem Gebiet des Umweltschutzes, zeigte wenig Erfolg. Desinteresse, Unkenntnis von Fakten und Bürokratie setzten überall Grenzen.

Das Problem *Das haben wir nicht gelernt* betrifft vielleicht noch mehr die etwas Älteren. Sie haben sicher viel früher aufgegeben, außerhalb der eigenen vier Wände eine Meinung zu haben. Auch sind diese Probleme in den ländlichen Gebieten viel ausgeprägter als in Großstädten. Im Dorf, wo jeder jeden zu kennen glaubte, landeten vertraute Gespräche mitunter in den falschen Ohren. Das Ergebnis waren Repressalien der verschiedensten Art. Eine freie Meinungsäußerung wurde also oftmals aus Vorsicht vermieden. So glaube ich schon, daß es schizophrene Entwicklungen gab. Die Folgen sind für mich in der Verbitterung und Angst vieler Menschen, aber auch im stark gestiegenen Alkoholmißbrauch zu sehen. Wenn Frau Roswitta Hendrich aus Berlin eine andere, erfreulichere Erziehung erlebt hat, kann sie doch von Glück sagen. Vielleicht sogar als hauptstädtisches Kind geboren, hatte sie doch viele Vorzüge des Sozialismus direkt genossen.

Die Schule ist sicher als Teil der Gesellschaft so gut oder so schlecht, wie sie von den Lehrkräften und Schulräten gemacht wird. Für mich war sie stets ein Ort der Machtausübung besonders wortgewaltiger, linientreuer Lehrkräfte. Das spiegelte sich auch in vielen (nicht allen) Fächern wider. Wenn die Ideologie stimmte, stimmten die Zensuren. Auch heute sehe ich bei meinen Kindern einen ähnlichen Trend. Besonders beunruhigt hat mich der zusätzliche militärpolitische Druck, der auf die Kinder ausgeübt wird (wurde?). Ich hoffe sehr, daß es hier bald Vernunft und Einsicht geben wird.

Die so oft angesprochene Entmündigung ist sicher nicht auf jeden zutreffend. Menschen, die sich mit der Partei und dem System identifiziert haben, hatten diese Probleme sicher kaum. Was aber mit all denen, die sich den Sozialismus so vorgestellt haben, wie Marx und Engels ihn beschrieben haben? Wir haben doch in der Schule ganz andere Dinge über den Sozialismus gelernt, als die Realitäten zeigten. Auch von verschiedenen Klassen, privilegierten Hauptstädtern und so war nie die Rede. Wie sollte man das begreifen? Die letzten 40 Jahre werden auch von mir nicht nur als negativ angesehen. Es gibt vieles, was gut und wertvoll ist, das wert ist, weiterentwickelt und gefördert zu werden. Nur sollten wir uns vor Übertreibungen hüten. Subventionen und andere Vorzüge, billige Mieten und ähnliches können auch zum Nachteil für die Gesellschaft werden.

Ich hoffe sehr, daß wir gemeinsam eine Wende vollziehen, die uns die echten Vorzüge der sozialistischen Gesellschaft beschert. Wir müssen alle dafür leben und kämpfen, daß derartige Auswüchse, wie sie in den vergangenen Jahren hervorgebracht wurden, für immer verschwinden. Allerdings sind auch Zweifel in mir, ob die vielen stummen Mitläufer früherer Zeit nicht auch heute ihr Mäntelchen nach dem Winde drehen und nicht letztendlich wieder Vorteile aus der Arbeit anderer ziehen. Es ist sicherlich viel leichter, von Reformen und »Wende« zu reden, als umzudenken, die eigene Arbeit zum Nutzen aller zu tun, auf Vorteile, Bequemlichkeit und vor allem Beziehungen zu verzichten.

Astrid Schaefer (33),
Basdorf

Als ich all die Leserzuschriften in der »Wochenpost«, Nr. 46, zu Christa Wolfs Artikel *Das haben wir nicht gelernt* gelesen hatte, war ich wie gelähmt, war entsetzt, traurig, resigniert. Ja, ich fühlte mich ohnmächtig wie seit meiner Kindheit selten. War denn alles nur ein Traum, ein Alptraum, was ich ertragen, was ich erfahren mußte in meiner Kindheit, meiner Schulzeit? Für keinen Preis der Welt möchte ich das noch einmal erleben.

Ich war die Kleinste in der Klasse, still, schüchtern, unauffällig. Aber jeder Lehrer wußte, wer ich war, aus welcher Familie ich kam. Ich war gezeichnet, trug ein unsichtbares Schild, auf dem sichtbar stand: »Christin«. Und viele Lehrer »schrieben« dazu: »Kapitalistin«, »Militaristin« – ich, ein siebenjähriges Mädchen. In den ersten vier Jahren ging es noch. Ich wurde nur der Lächerlichkeit preisgegeben, von Lehrern vor der ganzen Klasse. Und niemand stand mir bei, niemand von denen, die auch zur Christenlehre gingen, denn die anderen hatten das Glück, es geheimhalten zu können. Ich hatte dazu keine Chance.

Ab der 5. Klasse dann mußte ich, immer noch schüchtern, nur sehr viel ängstlicher als im ersten Jahr, mindestens einmal im Monat während einer Schulstunde aufstehen und wurde vor der ganzen Klasse beschimpft: für die Waffen, die »die Kirche« gesegnet hat, für die Scheiterhaufen, auf denen Frauen und Männer verbrannt worden waren, für die Militaristen, für die Rüstungsmonopole, für die Ausbeutung der Arbeiterklasse. So eine »Ansprache« dauerte länger als eine Viertelstunde, und ich mußte stehen, die ganze Zeit stehen. Wie gern hätte ich mich in der Masse der anderen verborgen. Doch ich hatte keine Chance, und ich war zu ängstlich, zu feige, mich zu wehren. Ich – ein Mädchen von 12, 13, 14 Jahren. Ein einziges Mal hat mich ein einziger aus der Klasse verteidigt (der Sohn des Direktors). Dafür bin ich heute noch dankbar.

Mehrmals erhielt ich den ersten Preis beim Kreisausscheid der Rezitatoren. Eine Einladung zum Bezirksausscheid bekam ich nie, denn ich besaß kein Pioniertuch.

Ich hatte keine Chance, die EOS besuchen zu können, wegen der Familie, aus der ich kam. Drei aus meiner Klasse kamen mit einem schlechteren Zensurendurchschnitt zur EOS. Es gab Eltern, die ihren Töchtern den Umgang mit mir verboten, da es vielleicht Nachteile für deren Zukunft haben könnte, mit einer »Staatsfeindin« befreundet zu sein. Um noch etwas lernen zu können, mußte ich eine kirchliche Oberschule besuchen und studierte Theologie. Beide Abschlüsse sind staatlich nicht anerkannt. Jetzt bin ich 30 Jahre alt, habe nichts weiter als einen staatlich anerkannten 10-Klassen-Abschluß vorzuweisen und arbeite als Sekretärin – ein Beruf, der interessant ist, aber mich nicht ausfüllt.

Ich möchte nicht, daß meinen Kindern Ähnliches geschieht. Ich möchte nicht, daß sie heucheln, mit zwei Zungen reden müssen, um die ihren Fähigkeiten entsprechende Ausbildung zu bekommen. Ich möchte aber auch nicht, daß die Kinder derer, die jetzt zur Rechenschaft gezogen werden, in Sippenhaft genommen werden. Wenn diese Sippenhaft, unabhängig unter welchem Vorzeichen, nicht aufhört, haben wir keine Chance, eine wirklich menschliche Gesellschaft aufbauen zu können.

Renate Bieritz-Harder (30),
Lektoratsmitarbeiterin,
Berlin

Diese Problematik hatten wir schon vor annähernd 40 Jahren an unseren Schulen! Da ich als Christ nicht Mitglied der FDJ (obgleich andererseits auch nicht in der Jungen Gemeinde) war, wurde ich benachteiligt, obwohl man mir »aktive Teilnahme am FDJ-Schuljahr« (wegen pflichtgemäßen Mitdiskutierens im Seminar, nachdem der Direktor gegenüber meiner Mutter eine zeitweise Nichtteilnahme sehr kritisch beurteilt hatte) bescheinigte. Ich gehörte zwar nicht zu den Schülern, die wegen einer »5« in Gegenwartskunde nicht versetzt wurden, sondern mir wurden ohne Prüfung Dreien geschrieben, aber die Frage meiner Mitschüler, warum ich denn keine »1« in Betragen erhalte, wurde dahingehend beantwortet, daß dazu neben gutem Benehmen auch gesellschaftliche Aktivitäten gehörten. »Sehr gut« im Betragen war in der Klasse FDJlern vorbehalten. Ein Mitschüler verbesserte durch Eintritt in die FDJ seine Betragensnote schlagartig auf »1«. Er war vorher in der Jungen Gemeinde gewesen und sagte plötzlich von einem Tag auf den anderen genau das Gegenteil von dem, was er in politischer und weltanschaulicher Hinsicht bis dahin vertreten hatte.

Daß ich das Ziel der Schule nicht erreichte, hatte im wesentlichen keine politischen Gründe. Aber nachdem ich mich an einem Lehrerbildungsinstitut beworben hatte, der Direktor meiner Schule davon erfuhr, wurde mir sofort mitgeteilt, daß mein Antrag abgelehnt sei, und der Direktor sagte barsch: »Denken Sie etwa, alle, die bei uns nicht weiterkommen, werden Lehrer?« Zwei Mitschüler, die in der FDJ waren und die Schule fachlich nicht geschafft hatten, waren jedoch angenommen worden! Sie wurden gefördert.

Als ich mich an einer Fachschule für Bibliothekare bewerben wollte, wurde mir (1953) dort vom stellvertretenden Schulleiter gesagt: »Sie können sich ja bewerben, aber wenn Sie nicht in der FDJ sind, wird Ihr Antrag abgelehnt.« Die Tatsache, daß ich grundsätzlich sozialistischen Gedanken aufgeschlossen und kapitalistischen Verhältnissen kritisch gegenüberstand (und -stehe) war völlig uninteressant, es zählte nur formal die Mitgliedschaft. Im Vorteil waren Schüler, die »dagegen« gewesen waren, aber plötzlich – spätestens vor dem Abitur – ihr Herz für die FDJ entdeckten.

Als ich den Brief von Herrn Dr. Richter in der »Wochenpost«, Nr. 50, las, mußte ich angesichts des Satzes »Querdenker wurden systematisch eliminiert« an Günter Görlichs verfilmten Roman *Eine Anzeige in der Zeitung* denken, in dem ein Schuldirektor einen »querdenkenden« jungen Kollegen sogar in den Tod treibt. Immerhin kam darin ein klein wenig Kritik an Vorgängen in der Volksbildung hoch, freilich ohne nach den Ursachen und Konsequenzen zu fragen. Während der Diskussion um diesen Film, als Zeitungsleser sogar anerkennende Worte für die Persönlichkeit des Direktors fanden, wies ich mehrfach in Zuschriften an Redaktionen darauf hin, daß dieser Mann »in meinen Augen kein Sozialist ist, obwohl er sich als solcher ausgibt und vielleicht sogar selbst dafür hält«. Natürlich kam es zu keiner Veröffentlichung, weil – wie in so vielen anderen Fällen auch – nicht sein konnte, was nicht sein durfte. Gewiß, dieser Typ Lehrer machte nicht die Mehrzahl unserer Pädagogen aus, aber er übte doch einen sehr unheilvollen Einfluß auf unsere Pädagogik und auf die Entwicklung junger Menschen aus.

Da fällt mir ein Dialog aus dem Jahre 1952 (11. Klasse) zwischen unserem Direktor und einem Schüler ein, als es um jene ging, die aus politischen Gründen die Schule verlassen mußten. Frage: »Und wenn er nach dem Westen geht?« Antwort des Direktors: »Na, dann geht er eben!« Frage: »Und wenn er in die (französische) Fremdenlegion geht?« Antwort: »Na, dann geht er eben!«

Am Tag nach Stalins Tod wurden wir in der Aula versammelt. Einige Schüler wurden wegen harmloser Äußerungen, die sie aus Anlaß dieses Todes gemacht hatten, von der Schule verwiesen. Einem wurde zur Last gelegt, angesichts der Nachricht vom Tode Stalins auf dem Weg zur Schule gesagt zu haben: »Na, dann können wir ja heute früher nach Hause gehen!« Das galt als besonders schwerwiegende Bemerkung. Über solche Erinnerungen und Erlebnisse durfte man bisher nicht schreiben, beziehungsweise es wurde »selbstverständlich« nicht veröffentlicht. So haben viele von uns ihre Geschichte, und solche Erfahrungen wirkten sich auf die seelische wie auf die berufliche Entwicklung negativ aus.

Werner Klopsteg (54),
Verkehrskaufmann,
Berlin

Angeregt von den vielen Diskussionen über die Volksbildung in unserem Land, möchte auch ich meine Meinung äußern. Ich bin Betroffene und Akteurin zugleich. Heute 26jährig, wuchs ich wohl mit dem größten Widerspruch heran, den es in den vergangenen Jahren in puncto Erziehung gegeben hat. Christlich erzogen vom Elternhaus, mit dem tiefen Glauben an Gott im Herzen und der Mahnung der Eltern, diesen Glauben nicht jedem auf die Nase zu binden, stand ich der weltlichen Erziehung in der Schule gegenüber. Als gute, kontaktfreudige Schülerin stand ich stets an der Spitze der Klasse. Ich war Gruppenratsvorsitzende, FDJ-Sekretär, GOL-Mitglied. Es hagelte viele Auszeichnungen, die ich gern entgegennahm, da ich damals keinen Widerspruch zu meinem Glauben sah. Doch ich sollte eines Besseren belehrt werden. Plötzlich fand man nämlich heraus, daß ich regelmäßig die »Junge Gemeinde« besuchte. Es wurde mir nahegelegt, dies zu unterlassen. Man ließ mich sogar durch meine Freundin (das muß man schon sagen) bespitzeln. Als ich der Kirche trotzdem weiter die Treue hielt, war ich in der Schule plötzlich von der Bildfläche verschwunden. Als Klassenbeste erhielt ich zum Abschluß der 10. Klasse nicht eine Auszeichnung. Es ging sogar so weit, daß man mir androhte, mein Fachstudium für Unterstufenlehrer zu streichen, was dann aber nicht erfolgte. Damals begriff ich einfach nicht, was ich denn Schlimmes getan hatte.

Inzwischen bin ich selbst Lehrerin beziehungsweise Erzieherin, und ich nahm mir vor, meine Schüler niemals in solche Konflikte zu stürzen. Doch das war bis vor ein paar Wochen selbst in der Unterstufe gar nicht so einfach. Viele Erziehungsziele waren im Lehrplan festgelegt, und sogar im Hort hatte man seine liebe Not mit diesen Dingen. Ich bewegte mich stets auf einem schmalen Pfad zwischen dem, was der Lehrplan forderte, und dem, was ich mit meinem Glauben vereinbaren konnte. Ich bin sicher, daß es noch viele andere Lehrer und Erzieher gibt, die ähnlich empfunden haben wie ich. Jetzt ist natürlich vieles einfacher. Der Druck von staatlicher Seite wurde von uns genommen, und ich glaube, daß viele Lehrer durchaus in der Lage sind, unsere Kinder zu verantwortungsbewußten, selbständig denkenden Persönlichkeiten zu erziehen, wenn man sie läßt. Ich freue mich jedenfalls, daß meine beiden Kinder als aufrechte, ehrliche Christen aufwachsen und sich zu ihrem Glauben, ohne Angst, öffentlich bekennen können.

Jutta Beyer (26),
Unterstufenlehrerin,
Langenbach

Liebe Frau Wolf, bis vor kurzem war alles, was ich über Sie wußte, lediglich, daß Sie eine bei der Führung dieses Landes nicht sonderlich beliebte Schriftstellerin sind. Obwohl ich bisher keines Ihrer Werke selber gelesen habe, empfinde ich seit ihrem Beitrag in der »Wochenpost« *Das haben wir nicht gelernt* eine gewaltige Portion Sympathie für Sie.

Ich bin 26 Jahre alt, wohne derzeit noch bei meinen Eltern in Dingelstädt, einer Kleinstadt im Bezirk Erfurt. Beschäftigt bin ich seit 1980 bei der Deutschen Post Berlin, als Fernkabelmonteur. Der Ort Dingelstädt gehört zu einer der beiden Gegenden der DDR (Oberlausitz und Eichsfeld), in denen der katholische Glauben noch stark vertreten ist. Auch ich stamme aus einem katholischen Elternhaus. Allein aus dieser Tatsache ergaben sich während meiner Schulzeit diverse Konflikte. Wie etwa 50 % meiner damaligen Mitschüler nahm ich nicht an der in der 8. Klasse obligatorischen Jugendweihe teil, war aber aus einem gewissen »Anpassungszwang« heraus in der 7. Klasse FDJ-Mitglied geworden. War die Nichtteilnahme an der Jugendweihe noch hauptsächlich das Verdienst meiner Eltern, fand ich Stück für Stück aus dem allgemeinen Duckmäusertum meiner Umwelt heraus. Einige wenige Lehrer unterstützten und ermutigten mich, auch gegen Widerstände die eigene Meinung zu vertreten. Nur der Nachsicht dieser Lehrer, an der Spitze mein Klassenlehrer im 9. und 10. Schuljahr, ist es zu danken, daß ich die POS mit guten und sehr guten Zensuren abschließen konnte.

Für September 1980 war der Beginn meiner Lehre für das Post- und Fernmeldeamt Heiligenstadt geplant. Bei allen anderen Berufsrichtungen, die mein Interesse gefunden hätten, verlangte man vor Abschluß des Lehrvertrages eine langjährige Armeeverpflichtung. Bei der Post war man bereit, mich einzustellen, in erster Linie war von Belang, daß ich keine Westverwandtschaft besaß, erst in zweiter interessierte man sich für fachliche Qualitäten. Die Lehrstellenvergabe erfolgte mit offensichtlicher Begünstigung anderer Bewerber, der bereits mit mir abgeschlossene Lehrvertrag wurde kurzerhand für ungültig erklärt, und über Nacht stand ich wieder ohne Lehrstelle da. Nach längerem Hin und Her vermittelte man mir einen Lehrvertrag mit dem Berliner Stammbetrieb des Kombinates Fernmeldebau. Die Lehre an der Postschule in Erfurt konnte beginnen. Dort fand ich ein ausgesprochen mieses, intrigantes, verlogenes Klima vor. Offiziell verlangte man Höchstleistungen, fast die Hälfte meiner Lehrlingsklasse war von Armee, Polizei und MfS eingestellt worden, die brauchten sich um ihren Abschluß keinerlei Gedanken zu machen. Aber selbst in dieser Hochburg der Verlogenheit fanden sich wieder Lehrer, die mich förderten und unterstützten, denen ich heute für ihre Lebenshilfe noch dankbar bin, die trotz Benachteiligung bei Beförderungen und ähnlichem ihre Meinung behaupteten und auch öffentlich vertraten. Ausgerechnet im Staatsbürgerkundelehrer (er war kein Genosse, ein Novum im Bezirk Erfurt) fand ich einen Mann, dessen damalige Positionen gerade in den vergangenen Wochen beispielgebend hätten sein können. Dieser Mann wurde dann später gemaßregelt, durfte nur noch Sport unterrichten.

Im nachhinein habe ich es nie bedauert, statt in Heiligenstadt in Berlin beschäftigt zu sein. In Berlin ticken die Uhren irgendwie anders, was mich in letzter Zeit immer wieder in Konflikte brachte zu der provinziellen, kleinkarierten Lebensweise im Eichsfeld. Seit 1982 die meiste Zeit im Berliner Raum, fühlte ich mich dort mehr und mehr heimisch. Geht man mit offenen Augen durch die Stadt, fallen einem die vielen, mit diversen Sicherungsanlagen ausgestatteten, ominösen Gebäude auf. Rings um Berlin löst ein militärisches Sperrgebiet das andere ab, das MfS in der Lichtenberger Normannenstraße ist das größte überhaupt, unweit davon, ich glaube, es gehört zu Biesdorf, die erst neu gebaute Bezirksverwaltung. All dies ist für den aufmerksamen Beobachter mehr als bedrückend. Bei Aufenthalten in Strausberg beschlich mich immer ein beklemmendes Gefühl, dort ist das Verteidigungsministerium allgegenwärtig. 1983 beantragte ich einen Studienplatz an der Ingenieurschule der Deutschen Post in Leipzig. Man lud mich daraufhin zum Kadergespräch. An meinen Leistungen gab es nichts auszusetzen, man ließ jedoch durchblicken, daß, ohne Kandidat der SED zu sein, aus einem Studium nichts würde. Auch in dieser Situation leistete ich mir den Luxus einer eigenen Meinung, ging nicht auf diesen Kuhhandel ein, ließ das Studium sausen. Trotz alledem betrachte ich den östlichen Teil Deutschlands als meinen Platz, zog nie ernsthaft in Erwägung, dieses Land zu verlassen.

Bisher habe ich versucht, darzustellen, daß es mir trotz oftmals widriger Umstände gelang, eine eigene Meinung zu bewahren und auch zu vertreten. Deshalb möchte ich nun auch nicht verschweigen, daß ich Anfang dieses Jahres diesbezüglich inkonsequent handelte, was ich im nachhinein zutiefst bedauere. Im Januar bekam ich eine Röntgenaufforderung vom Wehrkreiskommando, untrügliches Zeichen für den unmittelbar bevorstehenden Wehrdienst. Obwohl von tiefer Abneigung gegen das hoffentlich überwundene System geprägt und obendrein katholisch, konnte ich mich nicht dazu entschließen, einen Antrag auf Dienst bei der Spatentruppe zu stellen. Dies geschah einerseits aus Inkonsequenz, andererseits aus Angst, bei der Berliner Post dadurch in Mißkredit zu geraten und für politisch untragbar erklärt zu werden, wie es einigen meiner Kollegen, aufgrund von Westkontakten zum Beispiel, passiert war. Am 3. Mai 1989 wurde ich zur Armee eingezogen.

Was ich dort anfangs erlebte, erschlug mich förmlich, alle bisherigen Werte, wie Hilfsbereitschaft und Kollegialität, Freundlichkeit, Ehrlichkeit und Freundschaft, wurden und werden mit Duldung von höchster Stelle ins Gegenteil pervertiert. Meine Reserviertheit und Ablehnung gegenüber dem Staatsapparat schlugen in ohnmächtige Wut und Haß um. Was hier läuft, läßt sich auf eine ganz einfache Formel bringen: Mit ausgefeilten Methoden versucht man, die Persönlichkeit der Wehrpflichtigen zu zerbrechen, willenlose Werkzeuge aus ihnen zu formen. Nicht nur die Uniform, sondern auch Tonart, Vielfalt und Methode der Schikanen erinnerten mich fatal an düsterste Zeiten deutscher Geschichte. Für einen Außenstehenden ist es unfaßbar, was sich manchmal hinter Kasernenmauern abspielt. Die Schilderung einzelner Vorgänge würde den Rahmen dieses Briefes sprengen. Meines Wissens haben Sie, Frau Wolf, eine Tochter, ich nehme aber dennoch an, daß auch Sie aus Ihrem Bekanntenkreis über die manchmal haarsträubenden Vorgänge bei den sogenannten Schutz- und Sicherheitsorganen informiert sind. Im Laufe der Zeit stumpft man unwillkürlich ab, kriegt die Perversität der Dinge, die unter dem Vorwand der Friedenssicherung betrieben werden, gar nicht mehr richtig mit. Das Bedauerliche daran: Hat bisher im sogenannten real existierenden Sozialismus fast nichts geklappt, dieses überkommene, stalinistisch-militaristische System funktionierte perfekt und zeitigte auch Wirkung. Dies wurde mir erstmals bewußt, als wir uns ein übles, einseitiges Machwerk über die Ereignisse in China ansehen mußten. Dieser Film löste bei einer nur verschwindend kleinen Minderheit der Soldaten Betroffenheit aus, beim allergrößten Teil wurde die beabsichtigte Wirkung erreicht.

Im Laufe des Sommers übte man immer ungenierter Druck aus. Mit dem Anwachsen der Ausreisewelle wurden wir immer öfter gezwungen, »Aktuelle Kamera«, »Schwarzer Kanal«, »Objektiv« und ähnliche Sendungen zu verfolgen. Die uns zugänglichen Zeitungen übertrafen sich gegenseitig in Verunglimpfungen der eigenen Landsleute. Anfang Oktober begann die Situation zu eskalieren. Wir wurden ständig in Bereitschaft gehalten, man heizte eine beispiellose Bürgerkriegspsychose an. Man sah, so wörtlich, »die Ratten aus den Löchern kommen«, faselte von Konterrevolution, wollte jeden, der es wagte, »die erfolgreiche Politik unserer Partei in Zweifel zu ziehen«, den Organen des MfS übergeben. Auch die Schuldigen waren schnell ausgemacht: »Kriminelle, Neues Forum, Schöbelclan, ARD, ZDF, SAT 1, RIAS und die Kirche«. Die Tage wurden zur Qual, wir kamen zwar nicht zum Einsatz, es war jedoch alles schon soweit vorbereitet, daß man bloß noch hätte Munition austeilen brauchen, und das Gemetzel hätte beginnen können. Bedauerlicherweise gab es sogar welche, die extra ihren Urlaub verschoben, um selber »dabei sein« zu können, wenn es losginge. Das Paradoxe: Hier wurde der Bürgerkrieg bereits einkalkuliert, während die Medien zur selben Zeit Veranstaltungstips für Leipzig und Dresden gaben.

Nun der plötzliche Umschwung, seit dem 9. November sind die Grenzen offen. Sie, Frau Wolf, prägten das Wort vom »Wendehals«, es läßt sich nicht treffender formulieren. Diejenigen, die vor wenigen Wochen am lautesten »Konterrevolution« schrien, hatten es nun überaus eilig, in den Westen zu reisen. Inzwischen spricht man von Militärreform, was für mich eher unglaubwürdig klingt. Neuerdings dürfen wir NDR II hören, ARD sehen, es gibt keinen Frühsport mehr, und man darf in Zivil auf Urlaub fahren. Alles »Verbesserungen«, die nichts kosten. Die Entscheidung für Zivil im Ausgang und Urlaub fiel ganz bestimmt nicht aus purer Menschenfreundlichkeit, sondern ist viel eher dem Umstand geschuldet, daß Uniformträger inzwischen total diskreditiert sein dürften. An der Substanz dieser Institution werden nach wie vor keinerlei Abstriche zugelassen. Bis vor wenigen Wochen stellte man sich selbstgefällig als »bewaffneten Arm der Partei« dar. Neuerdings versucht man, seine Existenzberechtigung aus einem Verfassungsauftrag herzuleiten. Bei keiner anderen Institution kann man für so wenig Arbeit soviel Geld verdienen wie bei der Armee. Meines Erachtens sind das alles krampfhafte Versuche, die eigenen Posten zu sichern. Anscheinend konnten Zäune und Kasernenmauern dem Erneuerungsprozeß bisher erfolgreich Widerstand leisten, auch wenn inzwischen ein Konsultationspunkt »Militärreform« sowie ein Untersuchungsausschuß beim Strausberger Ministerium ins Leben gerufen worden ist. Der alte, menschenverachtende Apparat ist noch längst nicht besiegt. Leider kann ich bis Oktober selber nur wenig bei dessen Beseitigung mithelfen, bin zu Zurückhaltung und vorsichtigem Taktieren gezwungen, denn noch hat man Macht über mich.

Liebe Frau Wolf, Sie gehören mit zu den Initiatoren des Aufrufs »Für unser Land«, hatten dabei bestimmt die besten Absichten. Wie ich leider beobachten mußte, wird der Aufruf nach und nach in eine Propagandakampagne umgewandelt, die BZ druckte vergangene Woche Vordrucke zum Ausschneiden und Abschicken. Hier hängt er in der Kaserne ebenfalls aus, ich muß mit ansehen, wie einer, der »gestern« noch die »Konterrevolution« zerschlagen wollte, dort unterschreibt. Angesichts dessen, daß von einem Tag zum anderen Leute, die das alte System stützten, sich als Trittbrettfahrer dieses Aufrufs betätigen, konnte ich mich bisher nicht dazu entschließen, ebenfalls meine Unterschrift darunter zu setzen.

Thomas Heinemann (26),
Fernmeldebaumonteur, Dingelstädt

Sehr geehrte Frau Wolf, ich bin sicher nicht der einzige, dem Sie mit Ihren Aussagen zutiefst aus dem Herzen gesprochen haben und bei dem diese eine heftige innere Erregung, ein Aufgewühltsein ohnegleichen hinterlassen haben. Jeder Zeile stimme ich hundertprozentig zu, ich bin ebenfalls der Meinung, daß wir in den letzten Tagen, weiß Gott, den Sklaven literweise aus uns herausgepreßt haben. Und diese totale Entmündigung wird bei allem Aufbegehren und allem neuen Selbstbewußtsein noch sehr lange nachwirken. Trotzdem bin ich Ihnen unendlich dankbar für diese Worte, sind sie doch eine Verstärkung, ja eine Untermauerung des eigenen Anspruchs beziehungsweise des Versuchs zu einem »aufrechten Gang«.

In diesem Zusammenhang hat es mich einfach getrieben, mich auch in bezug auf eigene Erfahrungen und Erlebnisse in diesem unserem Bildungs- und Erziehungswesen und die schweren Erschütterungen, die es bei mir, doch noch mehr bei meinen Eltern, hinterlassen hat, an Sie zu wenden. Die jetzt erfolgte Veröffentlichung der Rücknahme des Relegierungsentscheids für die Schüler der Carl-von-Ossietzky-EOS in Berlin-Pankow hat mich zögern lassen, zu schreiben, doch mein Entschluß steht schon seit acht Tagen fest, und die Rücknahme erfolgte erst gestern. Ich hoffe nicht Ihren Unmut zu erregen, doch dieses Problem läßt meine Familie und mich seit elf Jahren nicht zur Ruhe kommen.

Ich bin heute fast 29 Jahre alt, Student im 5. Studienjahr an der Sektion für Afrika- und Nahostwissenschaften (ANW) der Karl-Marx-Universität Leipzig mit Aussicht auf die Übernahme in die wissenschaftliche Tätigkeit nach Absolvierung einer befristeten Assistenz am Lehrstuhl Geschichte Afrikas. Meinen Weg bis zum heutigen Tage bezeichne ich nicht als normal, und ich möchte diesen Weg auch niemandem wünschen. Doch ist sein Verlauf symptomatisch, was in unserem Bildungswesen möglich ist.

Im November 1978, einer Zeit heftiger innenpolitischer Auseinandersetzungen nach der Ausbürgerung Wolf Biermanns und dem ersten größeren Exodus von Künstlern unseres Landes, war ich Schüler einer 12. Klasse an der EOS Staßfurt im Bezirk Magdeburg. Im Oktober hatte ich, wie sich später herausstellte, erfolgreich, die Eignungsprüfung für ein Afrikanistikstudium in Leipzig für das Jahr 1983 absolviert. Am 8. November kam es zu folgenden Ereignissen. Ich versuche alles so kurz wie möglich zu schildern, wobei es schwer ist, Prioritäten zu setzen.

Die Klasse war durch Ausfall eines Lehrers sich selbst überlassen, einige Schüler machten sich an einer Wandzeitung zum 61. Jahrestag der Oktoberrevolution zu schaffen, wobei unter reger, belustigter Anteilnahme der gesamten Klasse die Ansteckbuchstaben der Überschrift umverteilt, sinnentstellt oder zu sinnlosen Überschriften verändert wurden. Als die Klasse den Raum verließ, blieb die Überschrift »16 Jahre Horror Tote«. Keiner der beteiligten Schüler, zu denen ich gehörte, hatte damit politische Ambitionen, es war ein regelrechter dummer Kinderstreich, zu dem Siebzehnjährige eigentlich zu reif und mit zuviel Verstand ausgestattet sein müßten. Letzteres gab später auch die Schulleitung zu, man hatte die Wahl, es als dummen Jux oder als politisches, antisozialistisches, vor allem aber antisowjetisches Verbrechen zu werten. Man entschied sich für letzteres. Welcher »übergeordnete Druck« dabei eine Rolle gespielt hat, kann ich nur erahnen. Dieser Fakt war also Grund genug für ein heftiges Kesseltreiben, obwohl man aus heutiger Kenntnis der Dinge und der Historie sicher zu einer anderen Wertung kommen könnte. Nach dem Verhör der FDJ-Gruppenleitung, der ich angehörte, durch die Schulleitung wurden hinter verschlossenen Türen in Zusammenarbeit mit dem Kreisschulrat beziehungsweise dessen Beauftragten für die EOS, der auch Mitglied des Elternaktivs der Klasse war, Maßnahmen beraten. Hintergründe und Begleiterscheinungen des weiteren Verlaufs habe ich, zum Teil erst sehr viel später durch undichte Stellen im Apparat, ansatzweise erfahren, da strikte Geheimhaltung angesagt war. Man einigte sich darauf, für zwei Beteiligte die Relegierung zu beantragen. Der eine, er hätte das Abitur wahrscheinlich aus Desinteresse und mangelnder Leistungsbereitschaft nicht bestanden, war froh, endlich entsprechend seiner Neigung in einen technischen Beruf wechseln zu können. Der andere war ich. Bis heute bin ich mir mit meinen Eltern einig, daß der Hauptgrund dafür das fehlende soziale Umfeld war, das in einer Kleinstadt besonders wichtig ist. Beziehungs- und Einflußlosigkeit einfacher Eltern, die eben »bloß« Arbeiter waren (inzwischen Rentner) und sich schon gar nicht auf dem Boden von Rechts- und Strafrechtsvorschriften auskannten, erzeugten Ohnmacht gegenüber willkürlichen Handlungen Verantwortlicher des Bildungswesens besonders auf Kreis-, aber auch auf Bezirks- und Ministeriumsebene.

Bei der Abstimmung im Lehrerkollegium stimmten vier Lehrer gegen den Antrag auf Relegierung, der damalige Kreisschulrat machte ihnen daraufhin drastisch und in seiner unbeherrschten Art (wir kennen es auch aus eigenem Erleben) klar, daß sie die Wahl zwischen Zustimmung und dem eigenen Verlassen der Schule haben.

Ich wurde zum »Fall«. Die offiziell formulierte Begründung für den Antrag auf Relegierung ist mir bis zum heutigen Tage nicht bekannt, ebenso die dazu extra formulierte Einschätzung meiner Person. Parteisekretärin und FDJ-Sekretär der Schule veranstalteten meinen Ausschluß aus der Gruppenleitung, die einstimmige Positionsbestimmung der Klasse gegen mich und eine Verurteilung zum »Element« (ein Ausdruck des damaligen FDJ-Sekretärs und heutigen Direktors dieser Schule) durch eine Versammlung aller drei zwölften Klassen, wobei es aus anderen Klassen unter Hinweis auf Mißstände an der Schule Einspruch gab. Dieser war leicht abzuwürgen, schließlich bangte jeder um seinen weiteren Weg zum Studium. Meine Eltern wurden informiert, es gab keine Aussprache im Elternaktiv der Klasse, dessen Mitglied meine Mutter war. Die Klassenleiterin konnte durch Krankheit keinen Einfluß nehmen. In einem erkämpften Gespräch mit dem Kreisschulrat erfuhren meine Eltern, daß meine guten schulischen Leistungen nur einem Egoismus zum Nachteil der Gesellschaft geschuldet waren und ich in gerader Linie mit dem damals inhaftierten Rudolf Bahro einzuschätzen sei. Nun hatten wir ein Bild, wie die Einschätzung meiner Person an das Ministerium ausgesehen haben mußte. Aus damaliger Kenntnis der Dinge war dies eine Verurteilung zur Unperson. Auf Rat eines Bekannten erhoben meine Eltern Einspruch mit einer Eingabe beim Volksbildungsministerium, direkt an die Ministerin adressiert, gegen die Relegierung. Ich hatte mich bereits vorher in meiner Not an die Ministerin mit einer Bittschrift gewandt, die aber unbeantwortet blieb. Da im Laufe des November weder ein Bescheid auf den Relegierungsantrag noch auf die Eingabe erfolgte, erwirkte man seitens des Kreisschulrats beim Rat des Bezirkes Magdeburg meine zeitweilige Suspendierung vom Unterricht, da es »unzumutbar« war, mich im Verband der Klasse zu lassen. Der andere Schüler war schon lange freiwillig nicht mehr zum Unterricht erschienen. Zum 30. November erfolgte dann die Relegierung, wie gesagt, weder schriftlich noch mündlich mir, dem Betroffenen, gegenüber begründet, sondern nur unter Hinweis auf das Ereignis. Ich bin überzeugt, die Darstellung der Ereignisse und die Beurteilung meiner Person sind in bewußter und geplanter Verzerrung erfolgt, die Klassenlehrerin bekam sogar den Vorwurf, wie sie denn bisher völlig unzutreffende Beurteilungen über mich schreiben konnte.

Auch eine persönliche Vorsprache beim Ministerium erbrachte außer der Zusicherung durch einen gewissen Dr. Peter, den Fall nochmals genau zu prüfen, keine Ergebnisse, wie uns auch später nach dieser Prüfung kurz schriftlich mitgeteilt wurde. Es hätte auch dem bisherigen Wirken von Kreis- und Bezirksschulbehörde entgegengestanden und konnte also auch nicht sein. Ich wurde relegiert und für zwei Jahre von der Möglichkeit, den Weg zum Abitur zu gehen, gesperrt. In der öffentlichen Meinung der Stadt zur Unperson gestempelt, was in meinen Augen Rufmord gleicht, gab es doch Menschen, die versuchten, mir den Rücken zu stärken und über diese schwere Zeit hinwegzuhelfen. Für mich als Siebzehnjährigen war es sehr schwer, doch für meine Eltern brachen Welten zusammen. Sie haben ernsthaften seelischen und moralischen Schaden genommen, gar nicht zu sprechen von dem Vertrauen, das zu Staat und Gesellschaft schwer erschüttert war.

Trotzdem raffte ich mich auf, meinen Weg doch noch einmal von vorn zu gehen, obwohl mir von allen Seiten bestätigt wurde, daß die Art und Weise der eingeleiteten Maßnahmen nur darauf gerichtet sein konnte, mich so fertig zu machen, daß mir die Lust aufs Studieren ein für allemal verging. Es gab Momente, in denen ich so weit war, habe aber trotzdem immer wieder die Kraft gefunden, weiter zu kämpfen.

Bei der HO begann ich als ungelernter Verkäufer zu arbeiten und nutzte von Februar 1979 bis April 1980 die Möglichkeit der Erwachsenenqualifizierung zum Facharbeiter. Danach wollte ich so schnell wie möglich meinen Armeedienst hinter mich bringen, erfuhr aber, daß von seiten des Kreisschulrats dem Wehrkreiskommando signalisiert worden war, daß ich nach meiner Relegierung auf keinen Fall mehr drei Jahre dienen würde. (In Staßfurt kam man bis 1979 als Junge nur auf die EOS, wenn man sich zu dreijährigem Armeedienst verpflichtete.) Deshalb war ich auch schon für Frühjahr 1987 in der Planung, um dann 18 Monate abzuleisten. Ich intervenierte, bestand auf meiner einmal abgegebenen Verpflichtung und diente von Mai 1980 bis April 1983. Da ich die Hoffnung nicht aufgab, meine jahrealte Leidenschaft, das Interesse für Afrika, in meinen Beruf umzuwandeln, holte ich mir im Januar 1983 an der Sektion Afrika- und Nahostwissenschaften in Leipzig die Auskunft, ich solle mich trotz allem dort wieder bewerben, da ein Mensch ja nicht ein Leben lang bestraft werden könne. Entscheidend wären Abiturzeugnis und bestandene Eignungsprüfung sowie die Beurteilung derzeitiger Leiter.

Abitur – es wurde ein wahres Zauberwort für mich. In Staßfurt gab es für mich keine Möglichkeit, das Abitur an der Volkshochschule zu machen. Ob es dafür objektive oder subjektive Ursachen gab, ist mir bis heute nicht klar. Also unternahm ich den nächsten Versuch in der 35 km entfernten Kreisstadt Schönebeck. Erst Zustimmung, nach Konsultation mit Staßfurt versuchter Rückzug, dann doch Zustimmung. Da ich durch meinen Armeedienst verhindert war, mußten meine Eltern alles in die Wege leiten, so daß ich nach der Entlassung aus der Armee sofort in die noch laufende 11. Klasse einsteigen, dort in den letzten zwei Monaten wieder Fuß fassen konnte, da nach fünf Jahren ein neuer Start verteufelt schwer war. 1984 schloß ich dann mit Erfolg die 12. Klasse ab. Mit Zustimmung meines HO-Direktors wurde an vier von fünf Tagen meine Arbeitszeit so verlagert, daß ich 16 Uhr Feierabend hatte, um 17 Uhr zum Unterricht in der Stadt Schönebeck zu sein. Da es keine Busverbindung und im benötigten Zeitabschnitt auch keine Zugverbindung gab, kaufte ich mir von den Armeeersparnissen auf dem Schwarzmarkt einen »Trabant«, der wirklich bitter nötig war. Es war eine harte Zeit: von Montag bis Donnerstag 6.45 Uhr bis 16 Uhr zu arbeiten, wobei der Handel keine Schonplätze bietet, dann im Auto in eine andere Stadt zu hetzen und von 17 Uhr bis 21.05 Uhr am Unterricht teilzunehmen. Die Wochenenden gingen natürlich fürs Lernen drauf, zu viel war nachzuholen. Doch Verbissenheit bewahrt einen vor Selbstmitleid und dem Mitleid anderer.

Weil mein Selbstbewußtsein in dieser Zeit immer wieder versagte, andererseits immer wieder meine kämpferische Natur durchdrang, qualifizierte ich mich gleichzeitig zum Verkaufsstellenleiter, da ich mehrmals glaubte, weder das Abitur zu schaffen noch jemals wieder eine Chance an der Sektion ANW zu bekommen.

Das Abitur bestand ich mit »sehr gut« und bewarb mich erneut für ein Afrikanistikstudium 1985 in Leipzig. Ich bestand die Eignungsprüfung abermals und wurde tatsächlich angenommen. Der direkte Weg zur Afrikanistik begann zwar auch nicht sofort, war aber aus der Erfahrung des Vorangegangenen relativ einfach. Doch, so frage ich mich, war es normal, daß weder der Bescheid über die angesetzte Eignungsprüfung noch der über die Zulassung zum Studium jemals bei mir in Staßfurt ankamen und nur zufälliges persönliches Nachfragen bei der Sektion Schwierigkeiten verhinderte? War es normal, daß nach meiner Relegierung mein gesamter Briefkontakt zu einem breiten Freundeskreis in der Sowjetunion abbrach? Welche Kräfte waren da am Wirken?

Heute, kurz vor Beendigung meines Studiums, habe ich natürlich wieder Angst, Angst vor einem vorzeitigen Abbruch, weiß nicht, ob es der richtige Zeitpunkt ist, wieder an dieser Angelegenheit zu rühren. Doch der große Umbruch in unserem Land treibt mich dazu. Freunde und Bekannte haben mir gesagt, nach meinem Werdegang wäre ich doch einer der ersten Kandidaten für einen Ausreiseantrag gewesen, hätte über Ungarn oder Prag verschwinden können. Ich habe es nicht getan, nie vorgehabt, weil ich den Glauben nicht verloren habe, daß auch einmal in der DDR andere Zeiten kommen, und weil ich hier leben und arbeiten will.

Heutzutage werde ich von Freunden oder Menschen, die einfach nur meinen »Fall« kennen, in Staßfurt auf der Straße angesprochen, sie fragen mich, was aus mir geworden ist. Ohne Ausnahme ergreift sie ein ungeheures Erstaunen, wenn sie hören, daß ich studiere, glauben es kaum, was ich studiere und begreifen nicht, woher ich die Energie genommen habe, diesen Weg doch noch zu gehen. Alles gipfelt in der Aussage: »Na, da hast du es denen und auch dir selbst aber bewiesen!« Andererseits können ehemalige Lehrer und Mitschüler mir bis heute nicht in die Augen sehen. Das kann aber nicht alles sein. Nach all diesen Jahren der Anstrengung, der Bitternis und vor allen Dingen der Verbitterung steht mir nicht der Sinn nach Rache. Ich kann auch keinen Haß empfinden. Doch ich bin es mir, vor allem aber meinen Eltern, die an diesem »Fall« zerbrochen sind, schuldig, die Sache nicht auf sich beruhen zu lassen. Ich will darum kämpfen, daß uns Genugtuung zuteil wird, es geht um eine öffentliche Rehabilitierung in der Art, daß die öffentliche Meinung der Stadt Staßfurt es voll zur Kenntnis nehmen muß.

Doch wie kann ich das erreichen, sehe ich mir die heutige Kräftekonstellation dort an? Die Personen, die damals mit Macht meine

»Vernichtung« betrieben haben, sind heute in führenden Positionen des dortigen Bildungswesens. Der ehemalige Beauftragte des Kreisschulrates für die EOS im Jahre 1978 ist heute selbst Kreisschulrat. Der damalige FDJ-Sekretär der Schule ist heute deren Direktor, die damalige Parteisekretärin ist es heute noch. Die damalige FDJ-Gruppensekretärin der Klasse ist nach einem Jurastudium heute Richterin am Kreisgericht Staßfurt. Bei diesem Gedanken wird mir himmelangst. Über die heutige Bezirksschulbehörde Magdeburg kann ich mir kein Urteil erlauben, habe aber kein Vertrauen, da meine Eltern in den Jahren 1978 bis 1983 dort sehr entwürdigend behandelt wurden. Was also tun?

Die Ohnmacht habe ich überwunden, die Rat- und Hilflosigkeit blieb. Sollte man sich an den Rechtsausschuß der Volkskammer wenden, oder sollte man das Rechtsmittel über einen Anwalt (wobei Kreis- und Bezirksebene ausgeschlossen wären) wählen? Recht nach elf Jahren einzuklagen, halte ich beinahe nicht für möglich, doch das nachträgliche Eingeständnis begangenen *Unrechts* halte ich für unumgänglich. Unrecht, das die Betroffenen bis heute weder verarbeitet noch überwunden haben.

Ihr »Wochenpost«-Artikel versetzte mich zuerst in Schlaf- und dann in Ratlosigkeit, deren erstes Resultat dieser Brief ist. Ich bin entschlossen, obwohl man mich schon einmal im wahrsten Sinne des Wortes »zur Strecke gebracht hat«, um Recht zu kämpfen. Ein klar denkender 28jähriger ist dazu wohl besser in der Lage als ein damals kopfloser 17jähriger.

Thomas Krakow (29),
Student,
Leipzig

»Was haben wir (nicht) gelernt?«

Nein, liebe Christa Wolf, das haben wir nicht gelernt, offen die Meinung zu sagen – jedenfalls in den letzten 18 Jahren nicht! In der FDJ-Gruppe lernten wir damals – 1952 – unsere Meinung offen auszusprechen. In den siebziger und achtziger Jahren war Duckmäusertum gefragt. Einzelauszeichnungen hingen meist davon ab, ob man »genehm« war. Diejenigen, die die Wahrheit sagten, auf Veränderungswürdiges hinwiesen, waren unbeliebt. Also hieß es letztendlich: »Ruhig bleiben und weiterwursteln«. Auch Presseorgane machten auf »Leisetretermasche«, und die sah so aus: Wurden Mißstände, die Behörden betrafen, einer Zeitung mitgeteilt, bekam man später ein nettes Schreiben des Inhalts: »Wir haben Ihre Eingabe an die zuständigen Organe geschickt. Von dort erhalten Sie Bescheid.« Bürger, die auf eigene Faust »böse« Briefe an Behörden schrieben und sich etwas im Ton vergriffen, fanden sich dann »auf Nummer Sicher« wieder: § 220 – Öffentliche Herabwürdigung. Auch der Schriftsteller Walter Janka – ein ehrlicher Genosse übrigens – bekam, wie aus seinem Buch *Schwierigkeiten mit der Wahrheit* hervorgeht, im eigenen Lande Schwierigkeiten – eben, weil er die Wahrheit schrieb.

Doch die Generation der heute über Fünfzigjährigen hat es noch gelernt, die Wahrheit zu sagen – in der Zeit eines Wilhelm Pieck, eines Otto Grotewohl. Sorgen wir dafür, daß unser Volk wieder lernt, offen die Wahrheit zu sagen! Dafür ist der Dialog da!

Manfred Felkel (52),
Limbach-Oberfrohna

Christa Wolfs Überlegungen unter dem Titel *Das haben wir nicht gelernt* haben auch mich, einen vom Jahrgang »49«, betroffen gemacht. Betroffen und traurig zugleich, denn genauso wie diese junge Frau den politisch-moralischen Werdegang der knapp Vierzigjährigen in diesem Lande geschildert hat, ist er gewesen – sicher, in Abhängigkeit vom individuellen Umfeld, mehr oder weniger zutreffend in dieser oder jener Nuance.

Auch mir wurde die Angst vor dem Aussprechen der Wahrheit und der persönlichen Meinung anerzogen. Noch dazu aus christlichem Elternhaus stammend, haben sich mir die vielen kleinen und großen, ich sage bewußt: Diffamierungen, tief eingeprägt, die ich, beginnend im Kindergarten, bis zum Einsatz im Betrieb nach dem Studium, erduldet habe. In einer Beurteilung ist schwarz auf weiß zu lesen, daß der Student, »trotz Werbebemühungen des Mentors für die SED, der CDU beitrat«. Abgestempelt – nur mit doppeltem Engagement überhaupt für diese oder jene Tätigkeit als Leiter geeignet. Dies sind Tatsachen, oder will das etwa einer bestreiten? Vielleicht von denen, die Frau Wolf Beschimpfungen oder Drohungen zu ihrem Beitrag geschrieben haben?

Ich war einfach entsetzt, etwa von dem Zitat »Die politische Macht hat die Arbeiterklasse. Das sollten auch Wolf und Konsorten nicht vergessen!« Haben das etwa Arbeiter gesagt? Mir wird dabei Angst. Wer ist denn die Arbeiterklasse? Sind das zum Beispiel nicht die vielen Arbeiter und Bauern, die auch Christen sind? Kann denn eine Partei sich »Partei der Arbeiterklasse« nennen, wenn sie nur die Arbeiter mit marxistisch-leninistischem Weltbild vertritt? Fragen über Fragen.

Unter den vielen Zuschriften, die in der »Wochenpost« Nr. 46, veröffentlicht wurden, schrieb eine Leserin aus Dresden, daß sie in einer heilen Welt ohne weltanschauliche Gewissenskonflikte erzogen wurde und nun, wenn auch schmerzhaft, neue Einsichten gewonnen hat. Akzeptabel. Andere Zuschriften unterstellen, daß alles bisherige in 40 Jahren DDR negiert wird. Dem ist doch gar nicht so! Ich staune über die Selbstsicherheit und Überheblichkeit, mit der einige Leser über ihren persönlichen Lebensweg in der DDR berichten, sich offenbar über alle angestauten Widersprüche hinwegsetzend, und – ich bin schon wieder betroffen. Wenn diese Menschen dann noch in der Volksbildung tätig sind, wie werden sie dann meine Kinder erziehen, denen ich trotz allem, oder gerade deshalb, meine – und nicht ihre – Weltanschauung mit auf den Weg gegeben habe?

Aber ich bin optimistisch, weil ich als langjähriger Elternvertreter auch viele Pädagogen kennengelernt habe, die sich um eine solide, gute und ehrliche Erziehung, Toleranz und Demokratie auch in der Schule bemüht haben. Ich erwarte, daß sich diese Pädagogen jetzt erst recht engagieren und durchsetzen im Interesse der nächsten Generation und der Vierzigjährigen! Wird das möglich sein?

Siegfried Geisler, Werdau

Werte Christa Wolf, voller Interesse habe ich Ihre Äußerungen sowohl in der »Jungen Welt« als auch in der »Wochenpost«, Nr. 43, gelesen. Ich muß sagen, daß sie mich zutiefst enttäuschen und auch verletzen. Ich schätze Ihre Bücher als streitbare, anregende und auch anstrengende Lektüre. Warum diese Enttäuschung?

Ich bin Jahrgang 1950, gehöre also zu jener Generation, die von Ihnen als Generation benannt wird, die »(...) von kleinauf dazu angehalten wurde, sich anzupassen, ja nicht aus der Reihe zu tanzen ...«. Es enttäuscht mich, wenn Sie versuchen anhand eines einzelnen Beispiels (sicherlich gibt es diese Erlebnisse auch unter vielen meiner Generation) schließen, wir wären die Generation der »Unmündigen«. Nein, liebe Frau Wolf, so einfach ist es nun doch wohl nicht. Ich stehe auch für diese Generation, und viele Freunde, die ich habe, gehören zu meiner Generation. Und wir sind der andere Teil der Generation! Ich bin also Jahrgang 1950. Meine Eltern gehören zu Ihrer Generation. Mein Vater, ein Sachse, Jahrgang 1922, meine Mutter, Schlesierin, Jahrgang 1925. Beide gehören zu denen, die Mitläufer waren, sie haben daraus nie ein Hehl gemacht, aber sie zogen Konsequenzen aus dem Erlebten. Sie wurden Mitglieder der KPD beziehungsweise SED. Meinem Vater eröffnete unsere demokratische Republik den Weg vom Buchhalter zum Richter am Obersten Gericht. Meine Mutter legte noch in der Nazizeit ihr Staatsexamen als Krankenschwester ab und arbeitete über 35 Jahre in unserem Gesundheitswesen.

Ich wurde erwachsen in einer Familie, in der es sehr wohl zum guten Ton gehörte, sich heftig zu streiten, sich auseinanderzusetzen. Wie überhaupt mein weiterer Weg weder in der FDJ noch in der Partei »sprachlos« war. Meine politischen Schlüsselerlebnisse gibt es um 1961, 1968. Ja, ich lernte auch das »Neue ökonomische System«, die »Menschengemeinschafts«-These oder die These von der »relativ selbständigen Gesellschaftsformation Sozialismus«. Na, und? Wir haben es richtiggestellt. Ich bin davon überzeugt, auch der VIII. Parteitag wird nun an die richtige Stelle in der Geschichte gerückt.

Und, liebe Frau Christa Wolf, es gehören auch die X. Weltfestspiele, die ich als Student inmitten von politischen Diskussionen mit Genossen der DKP, Anhängern der KPD (ML), Maoisten, SPD-Mitgliedern erlebte, zu dem, was ich nicht missen möchte in meinem Leben, wie auch Jugendtreffen in Karl-Marx-Stadt oder Frankfurt (Oder). Und ich werde nicht die Freude und das Glücksgefühl vergessen, die ich empfand auf der Demonstration am 1. Mai 1975 in Berlin, als wir sangen: »Alles auf die Straße, rot ist der Mai, alles auf die Straße, Saigon ist frei!« Sicherlich gehöre ich zu den Bevorteilten, weil meine Heimatstadt Berlin ist. Aber mein Mecklenburger Mann wird Ihnen noch seine Überlegungen schreiben, er kam erst 1985 nach Berlin. Ich meine, das zu negieren, was Teile meiner Generation bisher erlebten, wäre wieder nur die halbe Wahrheit. Und dafür können Sie doch nicht sein?

Mein Lebensweg führte mich über eine Lehre als Rinderzüchter, über ein vierjähriges Philosophiestudium an der Humboldt-Uni (wo wir keineswegs »sprachlose und meinungslose« Studenten waren), über die Arbeit als Leiter der Kreisparteischule Berlin-Treptow, eine vierjährige Aspirantur an der Akademie für Gesellschaftswissenschaften beim ZK bis zum Leiter des Bezirksparteiarchivs Berlin meiner Partei. Und Sie können mir glauben, das war ein schwerer Weg der Erkenntnis! Alles mußte über Bord, und ein kritischer Blick wurde geschärft. So tut es mir heute sehr weh, wie verkommen unsere Agitation/Propaganda ist, seit wir unseren Genossen Lamberz verloren haben. Übrigens eine Meinung, die ich schon vor der Wende vertreten habe, und ich kann für mich sagen, alles (auch zum Mißfallen mancher Genossen) versucht zu haben, um dem zu begegnen. Das habe ich übrigens auf meiner Akademie für »Gewi« gelernt. Auch ich habe mir manche Beule geholt, wurde zutiefst gekränkt durch eigene Genossen, die Widerspruch dann in der Beurteilung »Kritikempfindlichkeit« nannten oder mich der »Überheblichkeit« bezichtigten. Ja, kurz vor der Wende wäre ich fast auch außerhalb der Partei, meiner Partei, gestellt worden, weil ich Fragen hatte, mehr Fragen und wenig Antworten.

Aber meine Partei hat es auch wieder gerade gerückt. Und so glaube ich, wird es letztlich immer sein. Wie hätten sonst die Genossen, die 1951 verdächtigt und verurteilt wurden, durch das Leben gehen können. Ja, Wahrheit setzt sich durch. Ich spreche mich auch nicht frei, wie so manche meiner Genossen, die schon immer alles gewußt haben wollen oder sich scheuen, Fehler einzugestehen, daß ich auch Fehlentscheidungen getroffen habe oder Falsches vertreten habe. Aber da ist mir Lenin der Ratgeber, seine Auffassung von Fehlern und Wahrheit.

Ich kann mich auch nicht damit einverstanden erklären, daß die »Sieger der Geschichte« »[...] wenig oder nichts von ihrer eigenen Kindheit und Jugend [...]« geschrieben hätten. Notwendigerweise, das brachte schon die Beschäftigung mit Philosophieentwicklung in der DDR nach 1945, aber auch die Arbeit im Archiv mit sich, habe ich viele Memoiren gelesen. Als Beispiel sei nur Franz Dahlem genannt, der sich sehr ausführlich über seine Kindheit und Jugend geäußert hat. Ich könnte noch viele aufzählen, unsere Memoirenliteratur ist schon aufschlußreich, wenn auch nicht ausreichend. Allerdings, und da gebe ich Ihnen recht, aus den Geschichts- und Staatsbürgerkundestunden habe ich diese Kenntnisse nicht.

Meine Tochter, Physiotherapeutin, ist heute 20. Sie gehört zu der Generation, von der Sie behaupten, sie sei »selbstunsicher, entmündigt, häufig in ihrer Würde verletzt, wenig geübt, sich in Konflikten zu behaupten«. Nun, Frau Wolf, im selben Atemzug beeindrucken Sie die jungen Leute von heute. Sie schreiben, »mich beeindruckt die politische Reife in den Gesprächen und Diskussionen ...« Also ist weder meine Generation ganz noch die meiner Tochter wohl in diesem Zustand, den Sie beschreiben.

Dr. Sabine Vollmann (39),
Berlin

Ich bin 64 und aus Krankheitsgründen nicht berufstätig – gehbehindert –, aber trotzdem am Geschehen bei uns und in aller Welt stets interessiert und es aufmerksam zur Kenntnis nehmend. Geschichte und Literatur haben in meinem Leben stets eine große Rolle gespielt und dazu beigetragen, das Geschehen und dessen Zusammenhänge zu erkennen und ein bißchen Gespür für Entwicklungen zu haben.

Das haben wir nicht gelernt! Ich empfand diese Worte als zeitbezogene Bemerkung der betreffenden Frau, die von vielen gesprochen werden könnten und mit manchen unerfreulichen Erinnerungen verbunden ist. Nun, da vieles aufbricht, sich Ventile öffnen und Angestautes löst und wir die ganze Entwicklung als Chance, ja als Wendemarkierung ansehen sollten, beginnen Meinungen, Kritiken, Vorschläge, Wünsche – nicht alle real – wie aus einem Füllhorn sich zu ergießen in einer Vielfalt, die wir weiß Gott nicht kennen und die deshalb auch verwirrend – hoffentlich aber nicht verirrend – sein kann.

In meiner Jugend war ich einige Jahre FDJ-Gruppensekretär, und ich muß sagen, daß diese Zeit zu meinen schönsten Erinnerungen zählt und damals ein Idealismus vorhanden war, der trotz Armut und bescheidensten Lebensverhältnissen nicht getrübt wurde. Es herrschte ein positiver Optimismus, bei dem Autos, Eigenheim und gar Luxus noch keine entscheidende Rolle spielten, denn es ging um viel weniger, es ging um das tägliche Überleben, um Nahrung, wovon man heutzutage, weil Brot und Brötchen so selbstverständlich und billig sind, viel auf der Straße und in Müllbehältern vorfindet.

Menschen und Zeiten ändern sich. Die Bedürfnisse der Leute werden immer größer, durch Fleiß und Fortschritt verständlich, aber die Vernunft darf dabei nicht »flöten gehen«, wie es oft vorkommt. Daß junge Menschen heute nicht mehr so denken können wie wir vor Jahrzehnten, unter ganz anderen Verhältnissen, das kann man verstehen, aber trotzdem gehören zum Leben und Alltag Realitäten, die man beachten muß. Es scheint mir nicht der Fall zu sein, wenn man, wie im Fernsehen zu sehen, wie von Furien gejagt, sein Land verläßt, daß sich als »Staat der Jugend« verstand und versteht und viel Gutes in dem Sinne tat. Das Lachen und Jubeln nahe dem Ziel BRD konnte ich nicht verstehn, mir ist einfach nicht denkbar, daß die »Ausreisenden«, wie sie glauben und träumen (bis auf Ausnahmen), in ein Land kamen, in dem sich all ihre Wünsche erfüllen werden. Die Euphorie vergeht, der reale Alltag mit der Suche nach Arbeit und Wohnungen wird manche ernüchtern.

»Wir wollen bleiben!« – das hört sich besser an. Wenn es nicht nur bei Dialogen (man sollte auch »Gespräche« sagen) bleibt, dann wird das Besserwerden, reale Vorstellungen vorausgesetzt, bald sicht- und spürbar werden, und das wünschen ja wohl alle. Wenn eine Mutter vier kleine Kinder zurückläßt, dann gibt es dazu keine Worte. Wird sie ihre »Heldentat« drüben bekennen?

Kurt Heinisch

Für mich begann der Niedergang des »real existierenden Sozialismus«, als ich in Ungarn im August 1989 auf einem Zeltplatz bei Sopron praktisch mit ausgebreiteten Armen versuchte, die jungen Leute von ihren Fluchtplänen abzubringen. Ich konnte meine Verzweiflungstränen angesichts der Vergeblichkeit meines Tuns lediglich dadurch stoppen, daß ich mir immer wieder zwei Sachverhalte verdeutlichte:

1. Diese ganze Wegrennerei ist wie das Ende einer erzwungenen Ehe. Diese mit dem Staat zwangsweise »verheirateten« jungen Leute sahen nur noch die Fluchtpfade durch den »Neusiedler See« und die ungarischen Maisfelder, um aus der »Liebesumklammerung« der alten Männer zu entkommen. Jetzt, 2 Monate weiter, ist der Weg wesentlich kürzer und die Motive wohl auch ein wenig anders strukturiert.

2. Das Weggehen dieser Leute wird unsere Situation nicht nur verschärfen, sondern zum Nachdenken zwingen. Meine sich daran knüpfende Hoffnung war die, daß alles anders werden wird, nichts so mehr bleiben kann, wie es sich darstellt.

Inzwischen ist der Wandel da, Punkt 2 hat sich für mich erfüllt. Die von mir so genannte »Liebesumklammerung« besteht ja immer noch in gewisser Weise, wenn auch schon durchlöchert und zerfaserter als je zuvor. Das, was im Moment abläuft, ähnelt für mich eher dem Sachverhalt des Erwachsenwerdens, dieses Heranreifen des mündigen Bürgers mit einem aufrechten Gang, wobei die stattfindenden Foren, Diskussionen, Demonstrationen, unter anderem ihrer Form nach, einer »pubertären Krise« zu entsprechen scheinen.

»Vater« (oder war es schon der Großvater) Staat versuchte anfangs, diese Dinge mit übergroßer erzieherischer Strenge aufzuhalten. Seine pädagogische Prügelstrafe bewirkte in dieser Situation lediglich die Eskalation der Ereignisse. In meiner Arbeit erlebe ich öfters Eltern, die in der Weise auf ihre Kinder reagieren. Bei »Ungezogenheit« vermehrte Strenge, bei sich lösenden Jugendlichen mit immer restriktiveren Maßnahmen. Sie sagen dann, daß sie doch nur das Beste des Kindes im Auge haben und manchmal wird dieser Anspruch auch handgreiflich durchzusetzen versucht.

Ich weiß, daß ist Psychologisierung gesellschaftlicher Ereignisse, die sich doch ganz anders abspielen, die eher von sozialen, ökonomischen, ideologischen Faktoren beeinflußt werden. Trotzdem möchte ich bei einem »Bild« bleiben, nicht zurückkehren zu den konkreteren Dingen. Draußen vor dem Fenster des so langsam dahinrollenden D-Zuges rüttelt ein Falke in der Luft über einer bestimmten Stelle des graubraunen, feuchtglänzenden Ackers. Er ist auf der Jagd, auf Nahrungssuche an diesem trüben Tag. Er sieht, wie eine schöne gefährliche Waffe aus, und er ist es wohl auch, für das graufellige Völkchen der Feldmäuse, das sich ängstlich in seinen Bauen versteckt hält.

Die Parole »Wir sind das Volk« wurde auf den Demos in Leipzig und Dresden gerufen. Wird das Volk dabei auch von auf der Stelle rüttelnden Falken beobachtet? Wird nur auf einen günstigeren Zeitpunkt zum Zuschlagen und Einfangen gewartet? Ich glaube, diese Frage bewegt nicht nur mich, und die möglichen Antworten machen Angst.

Ich habe in der Vergangenheit schon einige schlimme Dinge im Rahmen des Erwachsen-Werdens miterleben, mitbeobachten können, als Kind, Jugendlicher und Erwachsener. Habe hilflos verfolgen müssen, was da geschah, ohne wenigstens Fragen stellen zu dürfen, meine Meinung äußern zu können. Das Jahr 1953, die ungarischen Ereignisse 1956, Chrustschows Entstalinisierungsversuche, die Ereignisse in Polen 1958, der Bau des »Schutzwalls« 1961, der »Prager Frühling« 1968, Honeckers Abwenden von der illusionären Ulbrichtschen »sozialistischen Menschengemeinschaft«, die Ausbürgerungswelle der Künstler in den siebziger Jahren, die achtziger Jahre in lähmender Lethargie …! Erfolgt jetzt etwas ähnliches? Werden wieder die Menschen mobilisiert, aktiviert, Hoffnungen gemacht, folgen dem wieder die Versagung, das Versagen des sogenannten Wende-Sozialismus?

Dr. A. Reinhardt,
Halberstadt

Nachdem ich Ihren Beitrag *Das haben wir nicht gelernt* in der »Wochenpost« gelesen und die Stellungnahmen meiner Mitbürger zur Kenntnis genommen habe, fühle auch ich mich veranlaßt, meine Meinung zu Ihren Überlegungen zu sagen. Mit Aufmerksamkeit und Interesse habe ich Ihre bisherigen Arbeiten gelesen. Sie sind eine kluge und begeisterungsfähige Frau, von der unsere Bürger erwarten können, daß Sie, als Schrittmacher dieses gegenwärtigen revolutionären Prozesses, sich in der Geschichte der DDR auskennen. Ich, als älterer Mensch, mit mehr Lebens- und Kampferfahrungen, brauche Sie nicht an die Dialektik und die gesellschaftliche Entwicklung unserer DDR unter den jeweiligen Bedingungen ihrer Umwelt zu erinnern. Vieles, was Sie in Ihrem Beitrag sagen, ist richtig, findet meine volle Zustimmung. Eine Fehlleistung Ihres Könnens unterlief Ihnen in der Würdigung der Geschichte der DDR, der 40jährigen Geschichte unseres sozialistischen Staates, mit seinen bedeutsamen Erfolgen, seinen Höhen und Tiefen. Die Lehre von der Methode der Geschichtswissenschaften wurde von Ihnen mißachtet, denn sonst könnten Sie nicht die Passagen über die antifaschistischen Widerstandskämpfer in dieser Form bringen. Es waren Menschen jener Zeit, die mit ihrem Herzblut die Grundlagen für diesen Staat schufen.

Als die Faschisten zur Macht kamen, waren Sie gerade vier Jahre alt. Was Sie und Ihre Familie in diesem Zeitabschnitt des Hitlerfaschismus getan, unter welchen Umständen Sie und Ihre Angehörigen diese schreckliche Zeit überlebten, würde mich zwar interessieren, doch soll dies nicht der Anlaß meines Briefes sein. Als Kämpfer gegen den Faschismus, an der Seite von 18 Millionen Männern und Frauen in ganz Europa, stand ich im Kampf gegen den Hitlerfaschismus. Elf Millionen von ihnen, darunter 2,6 Millionen unschuldige Kinder, wurden bestialisch ermordet. Ich und meine Kameraden, wir fühlen uns durch diese Passage in Ihrem Beitrag in unserer Ehre verletzt. Sie beschmutzen das Andenken an diese auf schreckliche Art umgebrachten Menschen, die ihr Leben auch für Sie und den Frieden hingeben mußten. Mit diesen Zeilen haben Sie die noch überlebenden und im Kampf gefallenen Antifaschisten, gleich welcher Weltanschauung, beleidigt, dem Neofaschismus Vorschub geleistet. Im Frühjahr 1945 waren es jene Männer und Frauen, die als Aktivisten der ersten Stunde mühevoll diesen Staat aufbauten. Lesen Sie die Literatur des Widerstandes, lesen Sie mein Buch *Zehn Jahre gefangen*.

Günter Wackernagel,
Berlin

Verehrte Frau Wolf, lese immer wieder Ihren Artikel: *Das haben wir nicht gelernt.* – Die Zeilen: »Eine kleine Gruppe von Antifaschisten« usw. haben es mir besonders angetan. Warum? Am 13. Februar 1945 total ausgebombt, kam ich bei alten Freunden unter, und wir warteten auf die Rote Armee. Nach Dresden kamen am 8. Mai 1945 Matern, Fischer, Fenske, Heinrich Greiff und andere mit der Roten Armee. Ich wurde Aktivist der ersten Stunde. Mitglied der KPD (später SED). Ich bekam eine Aufgabe. Dann war ich bei der ersten Wahl im Wahlvorstand, wir schütteten die Wahlurnen aus, unsere Gesichter wurden immer länger. Wir waren entsetzt, lebten wir doch in dem Gefühl, daß die Deutschen von Rhein bis Oder richtig wählen würden. Dann erlebte ich, daß unter der Roten Armee eine kleine Gruppe (Pieck, Ulbricht, Matern usw.) das Heft in die Hand nahm und endlich eine »Rolle« spielen konnte, die sie so leidenschaftlich schon 1918 spielen wollte. – Kurz, das Experiment mit der Arbeiter-und-Bauern-Regierung war wohl mit dem grausigen Fackelzug am 7. Oktober 1989 zu Ende. Ernst Nickisch schrieb das Buch: »Adolf Hitler ein Verhängnis«! 12 Jahre dauerte das »Tausendjährige Reich« – bis 1945 und ab 1949 dann Arbeiter-und-Bauern-Macht! 40 Jahre. Was ich seit dem 7. Oktober 1989 erlebe, ist für die (KP) SED ein Schock. Nun fürchte ich, das Volk der Deutschen in der DDR und in der BRD (da es von Natur aus höchst unpolitisch, trotz der Erziehung durch Hager) wird den rechten Weg nicht finden, wenn ja, wenn? Seit 40 Jahren hat man in der DDR das Volk wieder (wie von 33–45) zu Ja-Sagern erzogen. Wir in der DDR trugen 40 Jahre die größeren Lasten der Vergangenheit. Die Deutschen in der BRD fuhren indessen mit dem Volkswagen in andere Länder. Die Besuchersperre in der DDR führte zum »Stau«, und wie bei einem Dammbruch stürzten die Massen los. Mit dem Kaiser die erste, mit Hitler die zweite Katastrophe, nun die dritte, und die wäre vermeidbar gewesen, wenn wir Internationalisten auch die deutsche Frage gemeistert hätten.

Paul Fleischer (86),
Dresden

Es ist nicht die Zeit, individuelles Gekränktsein dann anzumelden, wenn Berufsgruppen pauschal beschrieben werden. Christa Wolfs Wertung der bisherigen Bildungspolitik ist legitim. Die Lehrer wurden an unseren Instituten ausgebildet und haben angepaßt und parteilich Ideologie weitergegeben. Ansonsten hätten sie nicht Lehrer sein können. Die Mißerfolge dürfen wir jetzt benennen. Leider kamen unter anderem die deutsche Sprache und die humanistische Bildung viel zu oft unter den Wehrerziehungsstiefel! (Die Gekränkten reden sicher auch über »*die* Handwerker« und andere Berufsgruppen, obwohl jeder von ihnen vielleicht mindestens eine Person kennt, die ehrlich, pünktlich und sauber arbeitet.)

Wer Christa Wolfs Bücher gelesen hat und auch weiß, daß wesentliche Aussagen in diesen Büchern der Zensur zum Opfer fielen, wer ihnen Mut und ihre Unerschrockenheit, ihre Mühe und ihren Einsatz für die Menschen kennt, wird dankbar sein!

Schriftsteller sind Sprecher des Volkes, die Bücher in den Bibliotheken sind das Gewissen der Menschheit! Viele Schriftsteller gingen in älterer und jüngster Vergangenheit ins Exil. Christa Wolf blieb und mahnte. Sie appellierte an die an unseren Schulen erzogenen Jugendlichen, hierzubleiben! Weil wir jeden brauchen, um nicht im wirtschaftlichen Chaos zu versinken. Schriftsteller und Journalisten sollen die öffentliche Meinung kennen und mit ihrem Wort der Wahrheit dienen. Sie müssen damit die Regierenden kontrollieren und den Zögernden, Resignierenden wieder Mut machen. Sie müssen aufrütteln und uns lehren, was wir nicht gelernt haben. Menschen wie Christa Wolf geben uns Hoffnung und Zuversicht. Sie verdienen Achtung und Respekt. Die neugewonnene Zuversicht müssen wir weitergeben.

Dr. Lieselotte Friedel, Ärztin/
Holger D. Friedel, Ingenieurökonom,
Berlin

Dieser Artikel war für mich einer der wichtigsten Beiträge, die ich in den letzten Jahren in der »Wochenpost« lesen konnte. Aus meiner eigenen Entwicklung wird mir bewußt, welch schädigende Wirkung die ideologische »Zwangsjacke« hatte und wie lange ich gebraucht habe, welche Kraftanstrengung es bedeutete, bis ich sie abstreifen konnte. Betroffen mußte ich anhand einiger Leserzuschriften feststellen, daß Menschen die geistige Enge nicht erkannt haben und sie sogar verteidigen. Es beunruhigt mich besonders, daß darunter Lehrer sind. Sie bewegen sich in dem ihnen verordneten Denkschema und scheinen tatsächlich nicht mehr fähig zu sein, ihrem eigenen Empfinden Raum zu geben. Ich hege Zweifel daran, daß sie in der Lage sind, sich in die vielfältigen Spielarten an Entwicklungsmöglichkeiten im Kind und Jugendlichen einzufühlen, Schwächen aufzudecken, Begabungen zu erkennen und zielgerichtet zu fördern. Die verantwortlichen Stellen sollten sich Gedanken darüber machen, wie die Lehrer für ihren verantwortungsvollen Beruf psychologisch besser befähigt werden.

Dr. med. Ortrun Lorenz, Dresden

Liebe Frau Christa Wolf, erst heute habe ich den Mut, Ihnen zu schreiben, und zwar auf Ihren Artikel *Das haben wir nicht gelernt.* Sie sind eine sehr mutige, angriffslustige, ehrliche Frau; ich bewundere Ihre Offenheit und Ehrlichkeit.

Es macht mich zornig, daß die Leute, die mich früher als Querulant und Gegner des Sozialismus bezeichnet haben, jetzt das Gleiche reden wie ich. Ich persönlich bin stolz darauf, daß ich immer meine Meinung offen gesagt habe, aber auch ich wurde gegängelt von frühester Kindheit an. 1945 wurde ich eingeschult. Uns wurde gelehrt, daß »Stalin« der Größte war. Als Stalin verstarb, mußten wir uns von den Sitzen erheben und 10 Minuten seiner gedenken. Das vergesse ich nie! Eine Schülerin sagte nach diesen 10 Minuten das Wort »Amen«. Was denken Sie, was diese Schülerin auszuhalten hatte! In Ihrem Artikel spiegelt sich auch das wider, was uns mit den Kindern widerfahren ist. Unsere Kinder durften, als sie klein waren, die »Westnachrichten« nicht sehen und hören. Wir wollten vermeiden, daß sie in Konflikte gebracht werden, da ja unsere Medien von A–Z gelogen haben. Erst als sie älter waren und die Zusammenhänge erkennen konnten, gestatteten wir ihnen das Westfernsehen.

Mein Mann ist Lehrer für Biologie und Chemie, schon 30 Jahre im Schuldienst. Er hatte die Absicht, aus diesem Beruf auszusteigen, weil er es nicht mehr ausgehalten hat, ständig bevormundet zu werden von seinem Direktor. Ich habe aber gesagt: »Halte durch, vielleicht kommt es bald anders, der Direktor wird auch nur gegängelt vom Rat des Kreises, Abteilung Volksbildung.« Mein Mann ist Lehrer geblieben.

Nun haben wir die Wende. Ich kann es noch nicht fassen. Die Freiheit hat das Volk erkämpft, wir sagen jetzt, was wir denken. Aber – und das tut mir weh, leider noch nicht alle. Wie soll man auch so schnell das Vertrauen (angesichts der Wendehälse) wiedergewinnen? Das wird ein jahrelanger Prozeß werden!!! Als Sie Ihren Artikel in der Wochenpost geschrieben haben, ahnten Sie noch nicht, daß am 9. November 1989 die Grenzen für fast alle geöffnet wurden. Ich war auch in Westberlin, war aber auch glücklich, als ich wieder in Neustrelitz war, in meiner Heimat, die mir mehr wert ist als der Konsum. Wir sind hier in Neustrelitz glücklich, wir haben alles, was ein DDR-Bürger sich auf ehrliche Art und Weise verdient hat und haben nie Privilegien gehabt.

Auch Ihren Artikel *Es tut weh zu wissen* habe ich mit großem Interesse gelesen. Seien Sie nicht traurig über die Leute, die schreiben: »Dieser Artikel ist es nicht wert, gelesen zu werden.« Diejenigen, die so etwas schreiben, haben immer noch nicht begriffen, was Sie meinen, und daß wir einen ehrlichen, offenen Sozialismus, in dem sich jeder entfalten kann, aufbauen wollen. Die Lehrer, die geschrieben haben »Nach Wolf wäre es wohl besser gewesen, unseren Kindern – wie in Bayern – die Landkarten mit den Grenzen von 1937 zu servieren«, haben Ihren ersten Artikel nur flüchtig gelesen und nicht verstanden, was Sie gemeint haben.

Ich bin froh, daß wir in unserem Lande Christa Wolf haben, und ich finde, daß es häßlich ist, wenn jemand schreibt, »der Name Wolf scheint im Moment Mode zu sein«. Ich persönlich wünsche nur, daß Sie uns in Ihrer verantwortungsvollen Tätigkeit noch viele Jahre erhalten bleiben, denn erst jetzt wird es für Sie interessant, und es lohnt sich, als Schriftstellerin für viele Bürger tätig zu sein, denn die Bürger wollen Ehrlichkeit, gelogen wurde lange genug.

Ich würde mich glücklich schätzen, wenn Sie, liebe Frau Wolf, mir ein Autogramm schicken würden. Ich bin sonst nicht so sehr für Autogramme, aber ich würde später gerne einmal meinen heranwachsenden Enkeln die Unterschrift einer mutigen Frau zeigen. Bleiben Sie so, wie Sie sind, und weitermachen, bitte nicht aufgeben!

Edda Klemd,
Sekretärin, Neustrelitz

Bitter bewegt las ich die Leserbriefe zum Beitrag *Das haben wir nicht gelernt* in der »Wochenpost«, Nr. 46. Was von einigen Lesern an Verleumdungen, ja Demütigungen einer Frau getan wurde, die jahrzehntelang ihre Sprache behielt – die nicht flüsterte, wo andere schwiegen –, ist schmerzhafter noch als zu wissen, »es tut weh«. Wer da schreibt: »Die politische Macht hat die Arbeiterklasse. Das sollten auch Wolf und Konsorten nicht vergessen«, oder gar: »Nach Wolf wäre es wohl besser gewesen, unseren Kindern – wie in Bayern – die Landkarten mit den Grenzen von 1937 zu servieren«, ist in meinen Augen faschistoid. Und ich frage mich, was sind das für Menschen, deren Denkstrukturen so verhärtet sind, daß es ihnen unmöglich ist, mit dem Kopf »zu sehen« – sich selbst zu erkennen. Wir werden Zeit brauchen, jenen ungerechtfertigten Haß freizulegen, Haß, der oft aus der Feindschaft gegen die eigene Person herrührt. Dabei kann auch Kunst heilsam sein – solange, wie sie für jeden Menschen frei zugänglich ist, einfach zum Leben gehört wie das Allernotwendigste.

Vielleicht erst dann tut »Wissen« nicht mehr weh.

Alexandra Hildebrandt (19),
Potsdam

Der Artikel von Christa Wolf in der Nr. 43 hat mich gefreut, war er doch einer der ersten, der die Ursachen der Massenflucht aus unserem Land in den Verhältnissen bei uns suchte. Es waren vor allem junge Menschen, die sich zu diesem Schritt entschlossen, Menschen, die erst vor kurzem unser so hervorragend gelobtes Bildungswesen durchlaufen hatten. Eine Analyse der Ursachen kann an diesem Bildungswesen nicht vorbeigehen. Nicht umsonst stand das Bildungswesen, und hier insbesondere die an den Kindern vorbeigehende politische und ideologische Vereinnahmung, so in der Kritik bei allen Demonstrationen. Christa Wolf hat meine Gedanken ausgesprochen.

Um so erstaunter, um nicht zu sagen, erschrockener war ich über einige Reaktionen von Lesern in der Nr. 46. War die Zusammenstellung wirklich ein Spiegelbild der Zuschriften, oder wird hier eine Redaktionsmeinung repräsentiert? Sicher konnte man unabhängig von der sozialen Herkunft in unserem Land etwas werden, so wie es die Leserin Frau Justiz schreibt, wenn man sich anpaßte, das heißt: Pionier, mit 14 in die FDJ, Jugendweihe sowieso, mit 18 in die SED, selbstverständlich 3 Jahre NVA, vor allem aber das tun, was verlangt wurde. Weigerung war staatsfeindlich, die Wirklichkeit entnahm man der Zeitung, bei Weglassung auch damals vorhandener kritischer Beiträge, keinesfalls brachte man seine eigenen negativen Erfahrungen ein. Nach diesem Rezept habe ich das Fach Marxismus-Leninismus im Fernstudium absolviert und habe bei minimalstem Aufwand gute und sehr gute Ergebnisse erreicht. Diskussion und Meinungsbildung hätten diesen »Erfolg« nur gefährdet. Es war die Welt der zwei Gesichter.

Den aufrechten Gang, den Christa Wolf der Jugend bescheinigt, den haben die Schüler kaum in der Schule gelernt, wie Herr Prof. Kohlsdorf meint, obwohl, und das sagt Christa Wolf auch, es Lehrer gab, die mit den Schülern diskutiert und Meinungsbildung erlaubt haben. Diese wenigen Lehrer waren eindeutig in der Minderheit und können heute nicht als Alibi dienen, es wurden auch genügend aus der Schule herausgedrängt, wer schreibt eigentlich deren Geschichte?

Aber das war eben nicht der Grundzug unseres Bildungswesens, auch wenn es Frau Hendrich so darstellen möchte. Typisch für unser Bildungswesen waren die Relegierungen an der Carl-von-Ossietzky-EOS, wobei diese nur die Spitze eines Eisbergs waren. Es wurde in den Schulen mit allen möglichen Nachteilen gedroht, wenn sich Schüler nicht konform verhielten, zuletzt erst, wenn Schüler an Veranstaltungen in Kirchen oder von »oppositionellen« Gruppen teilnahmen.

Die »Wende« kam nicht von einer Partei und schon gar nicht vom

Bildungswesen. Die Zustimmungen der braven Schüler und ihre Teilnahme an allen möglichen Veranstaltungen kamen doch nicht aus ehrlicher Überzeugung. Christa Wolf hat dieses Verhalten bereits in *Nachdenken über Christa T.* behandelt. Die wirkliche Überzeugung zeigte sich in Ungarn, in Prag und in Warschau. Hier wurden Tatsachen geschaffen, die die »Wende« maßgeblich beeinflußt haben! Und die Begründung, daß es sich um Kriminelle, Asoziale, Gewissenlose, Verräter oder einfach nach leichtem Wohlstand Strebende handelt, kann keinen denkenden Menschen überzeugen, zumal sie von der anderen Seite als gut ausgebildet und hochmotiviert angesehen wurden, mit entsprechenden Chancen auf dem Arbeitsmarkt. Die ausbleibende Rückreisewelle bestätigt letztere Einschätzung.

Die »Wende« kam in unserem Land eindeutig von den Menschen, die nicht das Land verlassen und sich auch nicht länger anpassen wollten. Sie haben sich nicht in den etablierten gesellschaftlichen Strukturen, sondern in kirchlichen Räumen gesammelt und artikuliert und ihre Forderungen dann auf der Straße durchgesetzt, unter Zustimmung großer Teile der Bevölkerung. Das *erste Dialogangebot* waren »polizeiliche Mittel«, wobei den Ordnungskräften nur ihr undifferenziertes Vorgehen vorgeworfen werden kann, indem alle Demonstranten als Rowdys eingestuft und entsprechend behandelt wurden. Die wirklichen Rowdys zu isolieren wäre kein Problem gewesen, denn nachdem sich beide Seiten verständigt hatten, war das auch kein Problem mehr. Daß es unter den Sicherheitskräften auch Menschen gab, die sich nicht gegen die eigene Bevölkerung mißbrauchen lassen wollten, zeigen die Fälle von Befehlsverweigerung, auch sie haben die Wende eingeleitet. (Warum wird dieses Thema eigentlich tabuisiert?) Aber es gab auch welche, die mit der Waffe in der Hand gegen Demonstranten als Konterrevolutionäre vorgehen wollten und das in der Leipziger Volkszeitung auch so bekundeten!

Gewiß, wir haben in unserem Land viel erreicht, wir haben einen Lebensstandard und eine soziale Sicherheit, um den uns der Großteil der Menschheit beneidet. Aber wir haben auch Fehler und Versäumnisse zugelassen, die aufgearbeitet werden müssen, und die wir nicht wieder mit Erfolgsmeldungen zudecken dürfen, das wurde lange genug getan. Unsere Erfolge hatten und haben auch eine enorme Umweltzerstörung zur Folge. In den Kohleabbau- und Chemiegebieten ist das unübersehbar. Und unsere fehlende Arbeitslosigkeit beruhte doch auch darauf, daß wertvolle Arbeitskräfte unnütze Zahlen zusammentrugen, immer wieder die gleichen Probleme aufschrieben, ohne eine Lösung zu erhalten, die immer wieder die gleichen Dinge bestellten, ohne sie zu bekommen, die immer wieder die alten Maschinen reparierten ohne ausreichende Ersatzteile usw. usw. Wieviel wertvolles Volksvermögen ist hier verschwendet worden, das für Arbeitszeitverkürzung und soziale Verbesserungen hätte genutzt werden können. Bei uns brauchte niemand arbeitslos zu sein. In unserem Land rühmten wir uns eines hohen Bildungsstandards, der sich aber in unserer Export-Import-Struktur nicht niederschlägt. Und unser Wohnungsneubau, auf den wir so stolz sind, ist mit Krediten gebaut, deren Rückzahlung noch unsicher ist. Trotz beachtlicher Erfolge bei Hochtechnologien, etwa der 1-Megabit-Speicher, gibt es genügend Betriebe, deren Grundmittelbestand verschlissen ist.

Gewiß ist nicht das Bildungswesen allein schuld an den gegenwärtigen Schwierigkeiten, aber es war trotz aller Erfolge nicht so, wie es manche sehen wollen. Es wird jetzt darauf ankommen, es zu dem zu machen, was es sein soll: Eine Stätte der Wissensvermittlung, einer umfassenden Wissensvermittlung auch im gesellschaftspolitischen Bereich, die Meinungsbildung ermöglicht und nicht Meinungen als alleinige Wahrheit vorgibt, die gesellschaftliches Engagement nicht an der Pionier- oder FDJ-Mitgliedschaft mißt, sondern an dem gesamten Spektrum der außerschulischen Betätigung. Bleibt nur zu hoffen, daß es gelingt, das Bildungswesen so zu verändern, daß die Jugendlichen keinen »Praxisschock« mehr bekommen und daß sie ihr Können und ihren Elan zum Nutzen der Gesellschaft einsetzen können. Dazu bedarf es noch weitgehender Veränderungen der gesamten Strukturen, aber immerhin, ein Anfang ist gemacht.

Michael Müller,
Magdeburg

Liebe Frau Christa Wolf, nach Ihrem Beitrag in der »Wochenpost« – *Das haben wir nicht gelernt* – wollte ich Ihnen sofort schreiben, wollte Ihnen danken für Ihre ehrlichen, mutigen und klugen Worte. Aber ich komme mit meiner Zeit in dieser bewegten Gegenwart noch nicht zu Rande, möchte überall sein, auf Demos, bei Gesprächen. Dann erschienen in der Nr. 46 die ersten Leserbriefe. Ich weiß, ich muß tolerant sein, aber wenn eine Frau W. schreibt: »Wir haben Sie nicht gebeten, für uns zu sprechen«, so möchte ich bitte, und mit mir viele andere Bürger, in diesem *wir* nicht mit eingeschlossen sein! *Ich habe* Sie gebeten, und *ich bitte Sie weiter*, für uns zu sprechen und zu schreiben! Es macht mich froh, daß die Schriftsteller unseres Landes, besonders Sie, die ich verehre, gleich am Anfang ihre Stimme erhoben haben. Und ich glaube auch, Sie sind stark genug, diese Meinungen von

Lesern, »Sie würden den Antifaschisten die Hand ins Gesicht schlagen oder den Lehrern Schläge unter die Gürtellinie versetzen, sie für vogelfrei erklären ...« und dergleichen mehr, zu verkraften.

Daß sich Lehrer am tiefsten betroffen zeigen, wie Sie in der Nr. 47 bemerkten, kann ich nur bestätigen. Ich bin eine 48jährige Frau, habe als Sekretärin in vielerlei Betrieben gearbeitet und mich immer auch mit offenen Augen bei den Arbeitern in der Produktion umgesehen. Für Politik habe ich mich von klein auf interessiert, bin oft angeeckt und habe – ich muß es gestehen –, als ich älter wurde, der Bequemlichkeit halber mehr und mehr resigniert und geschwiegen, habe Ohnmächtigkeit und Zorn in mir aufgestaut. Die letzten zwölf Jahre habe ich in einer POS die vielfältigen Arbeiten einer Schulsachbearbeiterin erledigt.

Es macht mir Spaß, mit Kindern zusammen zu sein, und auch unter den Lehrern habe ich manche Freunde gewonnen. Ihren Artikel *Das haben wir nicht gelernt* habe ich mit der Schreibmaschine für »meine Lehrer« vervielfältigt. Erstaunlich die Reaktion. Ja, es gab Betroffene, die die bittere Wahrheit auch für sich akzeptierten. Aber das Gros ist der Meinung: *Wir* haben unser Bestes gegeben, *wir* haben keine Schuld!

Ich glaube, das kommt daher, weil Lehrer als Gesprächspartner Kinder haben, und diesen Kindern haben sie ihre von oben deformierte Meinung guten und auch manchmal weniger guten Gewissens weitergegeben. Kinder haben ja nicht widersprochen, sie wußten schnell, was der Lehrer hören wollte. Und untereinander – das kann ich Ihnen versichern – traut(e) ein Lehrer dem andern nicht. Mit den wenigen Lehrern, zu denen ich volles Vertrauen habe, unterhielt und unterhalte ich mich noch abseits und allein. Ich habe schnell erkannt, daß die, die unter dem administrativen, starren Volksbildungssystem litten, die guten, die menschlichen, die toleranten sind.

Ja, es tut weh zu wissen. Und gerade unter den Lehrern gibt es viele, die gar nicht wissen wollen, die im alten Trott weitermachen wollen. Man muß auch sehen: Sie haben ein verhältnismäßig gutes Gehalt und Aussicht auf (Arbeitern gegenüber) eine sehr gute Rente und auch mehr Freizeit als andere Bevölkerungsschichten. Leider haben sie wenig Kontakt zum »Volk«, sie sind eine »Kaste« für sich. Es tut mir oft weh, das zu sehen.

Dabei wollte ich einst selbst Lehrer werden. Mein Wunsch mußte scheitern, ich hatte einen Vater, der freischaffender Künstler war. Das war 1955 Grund genug, einem bildungshungrigen Mädchen die EOS zu verwehren. Heute bin ich nicht mehr traurig darüber. Aber ich zürne diesem Staat, der sich »sozialistisch« genannt hat und nennt. Der noch nicht in vollem Maße begriffen hat, welch unermeßlichen Schaden er dem Begriff »Sozialismus« zugefügt hat. Der unsere Generation eingesperrt und mundtot gemacht hat – eine Insel mitten in Europa. Wie gern hätten wir uns die Welt angesehen! Die dicken Mauern und Zäune, die jetzt in einer Nacht durchgeschnitten wurden, haben nicht den Zweck gehabt, uns vor den überall lauernden Klassenfeinden zu schützen, sondern sie waren einzig und allein dazu da, uns einzusperren. Das schnelle Visum darf uns nicht blind und nicht stumm machen.

Wenn ich »Staat« sage, meine ich diese allgewaltige, arrogante Parteiführung, von deren verbrecherischen Machenschaften wir jede Woche ein wenig mehr erfahren, und die jetzt davon spricht, »verlorengegangenes Vertrauen« wiederzugewinnen! Verlorengegangenes Vertrauen! Ich habe vor zwei Wochen Walter Jankas *Schwierigkeiten mit der Wahrheit*, vorgetragen von Ulrich Mühe, im Fernsehen gehört. Ich bin bis ins Innerste erschüttert. Gern würde ich wissen, wie die Leute, die sich durch Ihren Artikel so sehr getroffen fühlten, so verletzt waren, hierauf reagieren? So wie wir es beinahe verlernt haben, ehrliche Freude und Mitgefühl zu zeigen, so ist manchen von uns auch die Fähigkeit abhanden gekommen, gerechte Empörung an der richtigen Stelle anzubringen.

Ja, es gibt Menschen, die eindeutige, sogar starre Strukturen brauchen, und sogar nicht wenige, meine ich. Und doch hoffe ich, daß die anderen in der Mehrzahl sind! Auch ich habe oft heimlich gedacht, es kann doch nicht sein, daß ich allein verrückt bin, weil ich vieles so anders sah. Jetzt weiß ich: Ich bin nicht allein! Da gibt es welche, die treten bei einer Demonstration vor zehn-, zwanzigtausend Menschen hin und sagen eindringliche, wahre, mutige Worte – oft ohne Zettel. Sie waren also schon immer unter uns, neben mir! Es muß das Normalste von der Welt werden, lebendig, ehrlich, großzügig und weitsichtig zu sein! Und deshalb, liebe Frau Wolf, bitte ich Sie: Sprechen und schreiben Sie weiter für uns, für die große Masse. Und lassen Sie sich nicht aufhalten von egoistischen, kleinkarierten, von sich selbst überzeugten Besserwissern!

Ingrid Größel,
Sekretärin,
Falkenstein

Nachwort

>»Den Schmerz,
>den wir uns und anderen zufügen,
>wenn wir jahrzehntealte Verkrustungen aufbrechen,
>können wir uns nicht ersparen.«
>
>Christa Wolf

Die Briefe, die zwischen Ende Oktober und Anfang Dezember 1989 bei Christa Wolf oder in der Redaktion der »Wochenpost« eingingen, könnten vielfältig ausgewertet werden: Historiker wären beschäftigt, Pädagogen, Psychologen, Literaturwissenschaftler und in einigen Fällen wohl auch Rechtsanwälte und Psychiater. Es sind zumeist sehr emotionale Briefe, von Menschen, denen es möglich oder auch unmöglich ist, sich zu erkennen. Manche meinen, Christa Wolf hätte ihnen ihr ganzes Leben in Frage gestellt, andere sind glücklich über das Gefühl, endlich mit dem Gesicht zu ihren Kindern oder Schülern zu stehen.

Individuelle Biographien werden geschrieben auf der Tafel eines genetischen Codes, mit der Kreide der sozialen Umwelt und Erziehung, sie sind Spiegel menschlicher Existenz. Viele Briefe sind Teile solcher Spiegel, von deren Größe und Klarheit ich nur eine sehr unvollkommene Vorstellung habe. Ich bin 35 Jahre, von Beruf Diplom-Philosoph und vielleicht, durch einige glückliche Umstände, zu denen auch mein Alter zählt, etwas weniger »belastet« als mancher Briefeschreiber.

Christa Wolf hat eine Diskussion angeregt, die nicht durch Konzepte, Strategien, Gesetze und Zukunftsvisionen zu ersetzen ist. Es ist die Diskussion, die uns die alten Konzepte … ver(ent)menschlicht präsentiert.

Natürlich kann man heute, Wochen und Monate nach dem Aufbruch, die Entstalinisierung in Bildung und Erziehung in Gegenständen, Methoden und Strukturen erklären. Man kann vielleicht auch schon besser die Salti mortali einiger typischer Exemplare der Gattung Mensch einordnen – jedem ist Lernfähigkeit zuzutrauen. Von Veränderung aber kann man wirklich erst dann sprechen, wenn diese Diskussion sehr leise und individuell bewältigt, für manchen ähnlich einer Krankheit überstanden ist. Hoffentlich bleibt uns diese Zeit. Die individuelle Bewältigung unserer Vergangenheit bringt Zorn und Trauer hervor. Der würdelose Ruf einzig nach Rache verstellt uns jedoch die Möglichkeit der Reflexion auf eigene Schuld und Verantwortung und ist selbst bloß Erscheinungsbild einer individuellen Verdrängung. Beleben wir den Brechtschen Satz und machen ihn zum Gegenstand unserer Kultur: »Mögen andere von ihrer Schande reden, ich rede von meiner.«

Wem diese Ethik schon eigen war oder wer sie neu gewonnen hat, ist offener für die Zukunft.

Die Briefeschreiber – die jüngste sechzehn, der älteste sechsundachtzig Jahre alt – sind Lehrer(innen), Erzieher(innen), Schüler(innen) und Eltern, manche sind alles in einer Person. Ja, auch das war charakteristisch für unsere Schule, Lehrer, die auf immer in Schülerrollen besetzt sind. (Lehrer, die gegenüber der Volksbildungshierarchie zeitlebens Schüler blieben.)

Leider haben einige, die Christa Wolf besonders scharf kritisierten, die Zustimmung zur Veröffentlichung verweigert. Die Motive mögen unterschiedliche sein: Fehlende Courage, unter veränderten Bedingungen zu vormals Gedachtem zu stehen, oder gewonnene Einsichten, die die alten nicht mehr vertretbar erscheinen lassen – aber auch, und das ist viel bedenklicher, neue Ängste vor neuen Ausgrenzungen. Daß so mancher heute seinen Brief anders geschrieben hätte, weniger polemisch vielleicht, geht aus späteren Briefen an den Verlag hervor. Um so mehr verdienen alle die unseren Respekt, die im Bewußtsein der Zeitbedingtheit ihrer Wortmeldung dem Abdruck dennoch zustimmten und so der Dokumentation den authentischen Charakter erhielten.

Auf der anderen Seite baten Briefeschreiber um die Streichung von einzelnen Passagen oder wollten auf eine volle Namensnennung verzichten, weil sie aufgrund negativer Erfahrungen der Vergangenheit, erlebter Ohnmacht gegenüber Maßregelungen oder staatlicher Gewalt noch immer Repressalien für sich oder ihre die Schule besuchenden Kinder befürchten. Wieder andere möchten besonders »schmerzende Wunden« nicht in aller Öffentlichkeit heilen lassen. Die (verständlichen) Streichungen nehmen der Idee zu diesem Buch nicht den Sinn.

Sinnfragen stellen sich gerade in Zeiten, da wissenschaftlicher oder kultureller Fortschritt in bis dahin ungekanntem Maße die Verhältnisse Mensch–Natur, Mensch–Gesellschaft und Mensch–Mensch verändern beziehungsweise verkehren. In solchen Zeiten vollzieht jeder eine Veränderung seiner selbst. Die Pole solcher Sinnfragen könnten heißen:

– Der Sinn liegt in irgendetwas oder irgendjemandem, in einem Gott, einer Religion, einer Weltanschauung, einem Führer oder Staatsmann, einer Struktur oder einer Idee ...

– Der Sinn liegt im Leben selbst begründet.

Im ersten Fall verliert das Leben Sinn, wenn ein Führer tot, ein Staatsmann entmachtet, ein Gottglaube oder eine Idee verweht ist. Im zweiten Fall gewinnt das Leben eines Menschen je mehr Sinn, als er sich verwirklicht. Nun kommen diese Pole höchst selten in reinster Form vor. Ihre Erscheinungsbilder sind Mischungen, und die schönste Zukunftsethik wäre eine Assoziation, in der Menschen den Sinn ihrer Existenz in sich suchen und in ihrer Gesellschaft finden. Aber soweit ist es nicht, und so finden wir diese Pole bezogen auf Christa Wolfs Artikel real in »Sie haben mir aus dem Herzen gesprochen« und »Ihr Beitrag ist es nicht wert, gelesen zu werden« wieder.

Ein Naturwissenschaftler würde definieren: Je stärker die Deformation, desto geringer die Möglichkeit ihrer Reflexion durch den Deformierten. Karl Friedrich Wessel (der Berliner Philosoph, nicht zu verwechseln mit einem anderen Herrn Wessel!) weist zu recht darauf hin, daß jede Gesellschaft und jedes Schulsystem in der Gefahr steht, einen bestimmten Teil Heranwachsender zu deformieren. Es ist deshalb wichtig, bestimmte Deformationen genauer zu bestimmen. Als eine Hilfe zur Selbsterkenntnis, eine Bestätigung eigener Erfahrungen oder eine völlig unannehmbare Position könnte das folgende Komprimat einer umfänglicheren Studie (entstanden im Oktober/November 1989, zusammen mit Michael Tiedtke) die aufgebrochene Diskussion um Fragen der Bildung und Erziehung bereichern.

Die DDR befindet sich in einer tiefen, alle gesellschaftlichen Bereiche erfassenden Krise. Die aufgebrochenen Probleme sind die sichtbar gewordenen Entwicklungsprobleme unserer Gesellschaft. Die Wurzeln dieser Entwicklungsprobleme sind auch in den Verzerrungen und Einseitigkeiten bei der Verbreitung und Anwendung des Marxismus-Leninismus durch die bislang Herrschenden sowie in den daraus resultierenden stalinistischen Deformationen der ökonomischen und politischen Verhältnisse zu suchen. Natürliche Folgen waren ein zentralistischer Führungsanspruch, die Gleichschaltung aller Parteien und politischen Organisationen, ein Menschenbild, das sich durch absoluten Konformismus mit den von der führenden Partei gesetzten Normen »verwirklicht«.

Die Schule sowie alle staatlich institutionalisierten Formen von Bildung und Erziehung entstanden und entwickelten sich als Organe der staatlich organisierten Vorbereitung von Schülerinnen und Schülern auf ein Leben in einer Gesellschaft, die eine Welt der Erwachsenen ist. Kinder haben durch den äußeren Zwang der Verhältnisse das Verhaltensmuster »Funktionieren« sozial erlernt, obwohl alle erziehungsprogrammatischen Dokumente seit Gründung der DDR die »allseitig und harmonisch entwickelte sozialistische Persönlichkeit« als Ziel postulierten. Um dieses Ziel haben sich Generationen von Lehrerinnen und Lehrern, Erzieherinnen und Erziehern ehrlich bemüht. Aber das vorherrschende Menschenbild und die das politische Handeln leitenden Gesellschaftsvorstellungen entwickelten nicht die unbedingt notwendige Zielsetzung, mit Erziehung die Veränderung bestehender Verhältnisse zu befördern. Die gesellschaftlichen Verhältnisse, unter denen Schüler und Lehrer lernten und arbeiteten, reproduzierten permanent Angepaßtheit, Untertanengeist und absoluten Konformismus mit fremd gesetzten Normen. Das durch Erkenntnisse multiplizierte Wissen und Können der Schüler trug hauptsächlich *nicht* die Potenz der Selbstfindung und Selbstverwirklichung in sich, sondern produzierte den gebildeten Untertanen.

Zukunftsgewinn für diese Gesellschaft sollte künftig nur aus der demokratischen Artikulation der gesellschaftlichen Gesamtinteressen erwachsen. Dies setzt den mündigen, problembewußten, gebildeten, kulturvollen, aktiv tätigen Menschen voraus. Es bedarf dazu gesellschaftlicher Strukturen, die geeignet sind, als *Entwicklungsformen* einer »Assoziation« zu fungieren, in der die »freie Entwicklung eines jeden die Bedingung für die freie Entwicklung aller ist«.

Erziehung und die Schule als eine ihr dienende gesellschaftliche Institution entwickeln ihre Sinngebung nicht aus sich heraus, sondern empfangen diese immer aus den gesellschaftlichen Widersprüchen, die sich in den Interessen unterschiedlicher sozialer Subjekte ausdrücken. Die Antwort auf die Frage, was Erziehung in unserer Gesellschaft heute sei, ist von unserem Verständnis der Gesellschaft selbst abhängig. Dieses Verständnis kann aber nur Resultat einer öffentlichen Konsensbildung sein, das eben auch die Erziehung einschließt. Einen Ausgangspunkt bildet dabei die Frage: Besteht das Ziel von Bildung und Erziehung im Optimieren von Aneignungsgegenständen und -prozessen, um orts- und zeitresistente Menschen zu entwickeln, *oder* besteht es in der Aneignung von geronnenen Wesenskräften menschlicher Kultur, um individuelle Selbstverwirklichung zu befördern?

Das Kind ist nicht das »dumme Kind«, das es zu befördern gilt, und schon gar kein »kleiner Erwachsener«, der vieles noch nicht kann. Es ist vielmehr in seiner Eigenart zu begreifen, als das Ergebnis eines evolutionären Prozesses, der in jeder Lebensphase ein spezifisches Bild bietet. Forschungen, die solche Vorstellungen weiter fundieren müssen, stehen erst am Anfang, aber es gilt, den jeweiligen Rahmen dieser Möglichkeitsfelder zu benennen. Dann erst wird es möglich sein, die Maßverhältnisse zum Beispiel von Rationalität und Emotionalität, Verstand und Vernunft, von Belastung und Erholung, von Druck und Freiwilligkeit, von Körperlichkeit und Geistigkeit, von Motorik und Statik zu bestimmen und in pädagogische Gestaltung einfließen zu lassen.

Persönlichkeitsentwicklung sollte insofern Ziel pädagogischen Handelns sein, als es um die bewußte Gestaltung der notwendigen Bedingungen für die individuelle Entwicklung und Aneignung von Wissen, Können und Gewissen durch Lernende in konkreten Tätigkeiten und sozialer Gemeinschaft geht. Dazu ist eine grundsätzliche Veränderung der staatlich-institutionellen Formen für Bildung und Erziehung erforderlich. Bisher geltende Prinzipien müssen neu überdacht und öffentlich diskutiert werden:

Einheitlichkeit als
- allgemeines Grundrecht auf Bildung (lebenslang)
- allgemeine Schulpflicht
- Chancengleichheit/Gerechtigkeit entsprechen den Möglichkeiten des einzelnen (einschließlich der Förderung von Begabten und Behinderten)
- differenzierte Bildungswege und freie Wahlmöglichkeiten
- geschlechtsspezifische Differenzierungen (das Auseinanderfallen von biologischem und kalendarischem Alter)
- Pluralität von Schulmodellen

Lebensverbundenheit als
- Öffnung der Schule für das unmittelbare soziale Umfeld
- Schule als Begegnungsraum der Generationen und sozialen Gruppen
- Einbeziehung des gesellschaftlichen Reproduktionsprozesses in schulische Lern- und Erziehungsprozesse

Staatlichkeit im Sinne
- eines dem Volke dienenden Staates als Instrument zur Sicherung des allgemeinen Grundrechts auf Bildung
- der Verhinderung der vollständigen Privatisierung der Schule
- der Anwendung des Prinzips der Entflechtung von Parteien, gesellschaftlichen Organisationen und Schule
- der Anwendung *aller* verfassungsmäßigen Bürgerrechte auf die Schülerinnen und Schüler trotz ihres Minderjährigenstatus
- einer Schule als demokratischer Rahmen für Persönlichkeitsentwicklung

Weltlichkeit als
– Gewissens- und Glaubensfreiheit
– Aufhebung des Bekenntniszwangs in der Schule
Persönlichkeitsentwicklung als
– Aneignung von Gewissen und Erwerb sozialer Kompetenz.

Die Aneignung beziehungsweise der Erwerb von *Gewissen* erfolgen durch planmäßige und spontane Impulse und Entwicklungen. Rationales und Emotionales verschmelzen in einem individuell-verbindlichen System von moralischen Werten, an denen sich Denken und Fühlen, Wollen und Handeln orientieren. So verstanden wird Persönlichkeitsentwicklung als Erziehungsziel bei aller individuellen Differenziertheit einen Menschen meinen, der sich durch eine Diktatur seines eigenen Gewissens positioniert, sich in Bewegungen einläßt und sich dadurch aus dem Verhaltensmuster »Funktionieren« in den Verhaltenskodex »Agieren« emanzipiert.

Bisherige wissenschaftliche Analysen konnten aus ideologischen Gründen kaum zu den grundlegenden Ursachen von Deformationen in der Erziehungspraxis vordringen. Die übermäßige Politisierung der Schule und anderer Erziehungsinstitutionen (vom Kindergarten bis zur Hochschule), die hier erzwungenen weltanschaulichen Bekenntnisse führten dazu, daß erzieherische Verhältnisse zu reinen Machtverhältnissen deformiert wurden. Dabei reicht das Spektrum der Machtausübung von der Zensierung über Disziplinierungsmaßnahmen bis zur Anwendung von Zwang. Forderungen von Lehrern nach mehr und differenzierten Straf- und Disziplinierungsmöglichkeiten verweisen auf die im Denken fixierte Ausrichtung auf Machtausübung, die den postulierten Erziehungsidealen entgegengesetzt ist. Deshalb steht das Problem der Macht als ein Kardinalproblem pädagogischer Praxis und Forschung.

Allgemeine Befunde der Analyse bisheriger Schulpraxis sind Identitätsverlust von Schüler(innen), Erzieher(innen) und Lehrer(innen) durch Organisationsformen des schulischen Lebens, verfestigte Handlungsmuster, mechanische Prozeßvorstellungen, inhaltlich-stoffliche Vereinseitigungen, das Fehlen von Variantendenken beziehungsweise Entscheidungs- und Handlungsspielräumen. Diese Entfremdungsmechanismen schlagen sich in der Psyche von Schüler(innen), Lehrer(innen) und Erzieher(innen) nieder und erscheinen in unterschiedlichster Weise als Störungen im motorischen, vegetativen und sozialen Bereich.

Auch in bezug auf die gesellschaftlichen Erziehungsinstitutionen gilt es, alle Verhältnisse zu zerbrechen, in denen der Mensch ein geknechtetes und entfremdetes Dasein führt. Es müssen die subjektiven Voraussetzungen für erzieherisches Handeln durch Selbsthilfe und solidarisches Lernen aller am Erziehungsgeschehen Beteiligter geschaffen werden. Inhaltlicher Kern dieses Lernprozesses ist der Erwerb der Fähigkeit zur Öffnung realer Handlungsspielräume und Entscheidungsfreiheiten. Daraus erwachsen sowohl die *Möglichkeit*, zwischen Alternativen zu entscheiden, als auch die *Fähigkeit*, sich bewußt und freiwillig zu entscheiden (Verantwortung und Risiko der Entscheidung eingeschlossen). Diese Fähigkeit ist die Voraussetzung für Engagement und Hingabe, in deren Folge schöpferisches Mitwirken von Individuen in Gruppen und auch in der Gesellschaft selbstbestimmt möglich wird.

Konzepte einer notwendigen Bildungsreform müssen sich auch der Neubestimmung von Inhalten der Allgemeinbildung stellen, um künftig Verkürzungen und stoffliche Vereinseitigungen zu überwinden. Analysen bisheriger Lehr- und Unterrichtsmaterialien verweisen auf solche Mißstände. Einige Grundprobleme seien im folgenden zusammengefaßt (auf der Grundlage einer Schulbuchanalyse des Bundes der Evangelischen Kirchen in Vorbereitung auf den IX. Pädagogischen Kongreß 1989):

Gesellschaftsbild

Nunmehr über Jahrzehnte stellte sich das Bild der DDR-Gesellschaft undifferenziert harmonisch dar. Leitbild war das Wunschbild einer konfliktfreien Gesellschaft. »Vaterland«, »Heimat« wurden vorrangig gesellschaftspolitisch verstanden. Als gesellschaftliches Leben erschien einzig das in staatlichen Formen organisierte. Die Lebenswirklichkeit der Schülerinnen und Schüler mit ihren Konflikten und Problemen war aus dem Unterrichtsstoff weitgehend ausgeblendet. Abstrakte Wertungskategorien wie Dankbarkeit gegenüber der Partei und den Werktätigen machten eine ernsthafte Auseinandersetzung mit der erfahrbaren gesellschaftlichen Wirklichkeit unmöglich. So mußten beispielsweise Umweltpolitik im nationalen Rahmen (Mülldeponien und Verbrennungsanlagen) und in der Schule propagierte Regeln des Naturschutzes enorm auseinanderfallen. Ökologisches wurde als ökonomisch Machbares und als Folge der Technologie dargestellt.

Geschichtsbild

Geschichte wurde mechanistisch als notwendige Entwicklung zum Sozialismus hin geboten. Vereinfacht galt der Kampf der unterdrückten Klassen um soziale Gerechtigkeit als die bestimmende Geschichtslinie.

(Die Geschichte als Geschichte auch des religiösen Bewußtseins beispielsweise wurde nicht thematisiert.) Die DDR in ihrem jeweils gegenwärtigen Zustand erschien dann als einzig mögliche Konsequenz und
Endpunkt der gesamten Nationalgeschichte. Periodisiert nach Partei-
tagen, war die Geschichte der DDR schließlich kaum mehr als verkürzte und geschönte Parteigeschichte. Die Biographie der Gründer
der DDR, die Sichtweise auf Faschismus als ausschließlich sozialökono-
misches Phänomen, der dadurch a priori gesetzte antifaschistische
Charakter der DDR verhinderten eine tiefergehende Auseinandersetzung mit dem deutschen Faschismus unter individuellen und psycholo-
gischen Aspekten, auch dem von Schuld und Verantwortung, und
schloß damit zugleich auf immer die offene Auseinandersetzung mit
neofaschistischen Tendenzen in unserem Land aus. Die Geschichte der
DDR wurde konfliktfrei als stetiger Weg zum Besseren und nicht als wi-
dersprüchlicher, opferreicher und teilweise schmerzhafter Entwick-
lungsprozeß dargestellt.

Friedensbild

Der Frieden erschien vor allem als ein durch Partei- und Staatsführung
(oder einen individuellen Friedensstifter) herbeigeführter Sieg im internationalen Klassenkampf. Dieser »Kampf« sollte und konnte, so
wurde suggeriert, durch die Leistungen der Werktätigen, der Schüler,
an ihrem jeweiligen Platz geführt werden. Auch Friedensfähigkeit galt
als a priori gesetzte Größe. So waren zum Beispiel Atomwaffengegner-
abzeichen schon deshalb verboten, weil die »sozialistische DDR« doch
nur Atomwaffengegner vereinigte. Damit wurden die Massen als ei-
gentliches Subjekt der Geschichte nur verbal benannt, für den einzelnen war dies jedoch nicht konkret erlebbar. Eine auf Konfliktbewältigung und Dialog bauende Friedenserziehung gab es nicht, Friedensfähigkeit im schulischen Leben und die Notwendigkeit der Entmilitarisie-
rung des Denkens wurden nicht thematisiert. Die Sprache des »Kamp-
fes« durchzog alle Bereiche, und die durch sie vermittelten Vorstellungen entsprachen nicht der Logik des Nuklearzeitalters.

Zukunftsbild

Vorherrschend war eine einseitige Fortschrittsvorstellung, die sich vor-
dergründig am wissenschaftlich-technischen Fortschritt orientierte. Es
wurde die Illusion bestärkt, daß ökologische Fragen, allgemein-
menschliche Interessen und Menscheninteressen mit der von der Partei bestimmten Politik ohnehin bewältigt wurden. Fortführung dieses
Weges in den bestehenden politischen Strukturen erschien so als ein-

zige Form des künftigen Zusammenlebens der Menschheit. Alternatives Denken und ethische Entscheidungsräume waren nicht im Kalkül der dadurch bestimmten pädagogischen Überlegungen. Der abstrakte Gedanke einer notwendig zu entwickelnden Leistungsgesellschaft verbannte ökologisches Bewußtsein weitgehend aus dem Zukunftsdenken.

In der Diskussion zu einer notwendigen Schulreform ist zunächst grundsätzlich zu klären, was die Schule *nicht* kann: Sie kann nicht die Auswirkungen der gesellschaftlichen Arbeitsteilung auf dem gegenwärtigen Niveau der Produktivkraftentwicklung aufheben. Sie kann nicht die objektiv bedingte Reproduktion der sozialen Klassen und Schichten der Gesellschaft aufheben. Sie kann nicht die Wirkungen der politischen Strukturen der Gesellschaft aufheben. Und dennoch steht sie in der Pflicht, die aus den gesellschaftlichen Verhältnissen resultierenden Begrenzungen für Persönlichkeitsentwicklung zu problematisieren, um Schülerinnen und Schüler in die Lage zu versetzen, diese auch als veränderbar zu begreifen. In diesem Zusammenhang ist die Diskussion über das Verhältnis der Schule zum Leistungsprinzip als dem historisch-konkreten Maß an gesellschaftlicher Gleichheit dringend erforderlich.

In einem solchen Erziehungsverständnis kommt der künftigen Schule als demokratischer Rahmen für Persönlichkeitsentwicklung die Funktion zu, der Ausbildung von geistigen und praktischen Fähigkeiten und der Entwicklung subjektiver Leistungsvoraussetzungen nach Maßgabe der individuellen Möglichkeiten jedes Heranwachsenden zu dienen. Dabei kann es nicht um die uniformierende Fixierung auf einen allgemeinverbindlichen Kanon von äußeren Anforderungen gehen, sondern um die Öffnung von Entwicklungsmöglichkeiten, die von Lehrern und Eltern motiviert und zunehmend selbstbestimmt von den Schülern realisiert werden *können*.

Öffentliche Diskussionen von Lehrer(innen), Erzieher(innen), pädagogischen Wissenschaftler(innen) und Schüler(innen) zur Bildungs- und Schulpolitik sowie zu aktuellen Fragen in der Erziehung der Jugend müssen neue und lebendige Formen finden. In die Diskussion sollten *alle* an Bildungs- und Erziehungsfragen interessierten gesellschaftlichen Kräfte vorbehaltlos einbezogen sein. Um künftig auszuschließen, daß Wissenschaft zur Machenschaft wird, müssen ihre Ergebnisse durch Öffentlichkeit ihr Regulativ finden.

Aus der Schulmedizin stammt der Begriff »Hospitalismus«. Er bezeichnete ursprünglich jene unvorhersehbaren Wirkungen medizinischer Intervention, die manchmal die antizipierten Folgen, auf die wir fest gerechnet haben, wieder aufheben (zum Beispiel Wundbrand nach erfolgter Operation durch bakterielle Infektion). Abgeleitet von dieser Begriffsbestimmung sind psychosoziale Hospitalismussyndrome, diagnostiziert bei Menschen, die in relativ geschlossener sozialer Umgebung aufwachsen und leben (Heime, Internate, Gefängniszellen ...).

Typisches Signum dieser Enge ist die allgemein vorherrschende Reizarmut. Wahlmöglichkeiten und Freiräume, zwischen Alternativen zu entscheiden, sind ausgeschlossen, Variantendenken fällt dem Reglement eines geordneten und geplanten Lebensverlaufs zum Opfer. Verhalten wird in erster Linie nach Konformität mit den gestellten Anordnungen bewertet. Des Lebens »kräftigster« Ausdruck ist die kalte Einförmigkeit und der Mangel an sozialer und intimer Nähe. Die Folgen solcher Ontogenese (die nicht den Namen Humanontogenese verdient) sind im motorischen Bereich Plumpheit und Poltrigkeit als Mangel an Eleganz und Lockerheit, im vegetativen Bereich Unempfindlichkeit gegenüber Kälte und Hitze, im sozialen Bereich Mangel an Bindungsfähigkeit und Einfühlungsvermögen (gegenüber Menschen und Umgebungen), mangelnde Individualität beziehungsweise Neigungen zu Uniformiertheit, Egoismus und Eigennutzdenken, eingefahrener Denkdogmatismus in Schwarz-Weiß-Schablonen, simpler Wortschatz, gerichtet nur auf konkret Anschauliches, kein nuancierter Einsatz von Ausdrucksmitteln (Lächeln/Grinsen).

Sind uns Pädagogen diese Symptome nicht allzu bekannt? War Hospitalismus in seinem Gestalt- und Sinneswandel im Begriff, die Hospitäler, Heime und Knastzellen zu verlassen, um sich in der Gesellschaft zu etablieren? Schmeicheln wir uns nicht vorschnell mit unseren »pädagogischen Siegen«. Denn jeder dieser Siege hatte Folgen, die sich an ihnen rächten.

Die grundsätzliche Veränderung der »geschlossenen Gesellschaft« DDR braucht und gebiert neue Formen und Strukturen auch in Bildung und Erziehung. In allen Teilen unseres Landes arbeiten gegenwärtig größere und kleinere Gruppen in sich ständig neubildenden pluralen Strukturen auch zu Fragen von »Bildung, Erziehung und Jugend« (Bezeichnung gleichnamiger Arbeitsgruppe des Runden Tisches). Die Vielfalt der Themen ist weit größer, als sie in den bisherigen offiziell bestehenden Strukturen überhaupt behandelt wurden: Menschenbild, Integration von Behinderten, interkulturelle Erziehung, freie Schulen, alternative Schulkonzepte, der Kampf für Kinder ohne Lobby, Drogenmißbrauch, freie Kinderläden, Rätesysteme an den Schulen – dies sind einige Sachthemen solcher basisdemokratischer Gruppen. Zur Mitarbeit motiviert sind auch Menschen, denen ihr entfremdetes Dasein schon lange als Frustration, als neurotischer Befund, als Gefühl von Macht- und Mutlosigkeit unbestimmt bekannt war.

Zunächst, und die vielen Briefe an Christa Wolf sind ein Indiz dafür, waren es Befindlichkeiten und Emotionen, die zum Thema »Volksbildung« weithin artikuliert wurden. Die Kritik an Bestehendem ist oft leichter als die Konstruktion von Neuem. Der Anschluß an Interessengruppen wie die Selbstbildung von Gruppen ist in vollem Gange. Sicherlich gibt es dabei auch Gefahren, wie ein sinnbildliches Beispiel verdeutlichen soll:

Im Theater des Komsomol in Moskau wurde 1989 Bulgakows »Meister und Margarita« aufgeführt. An einer bestimmten Stelle im Stück wurden Zettel aus dem Rang ins Publikum geworfen. Auf ihnen stand zu lesen: Wem es bislang nicht gefallen habe, der könne sein Geld an der Abendkasse zurückverlangen. Einige Zuschauer, die sich besonders vor den Kopf gestoßen fühlten, standen auf und fanden sich im Foyer einem Schild gegenüber: »Schon wieder seid Ihr uns auf den Leim gegangen!«

Die Gefahr besteht darin, daß noch lange nicht mündige Bürger wieder falschen Propheten oder Profilierungsneurotikern hinterherlaufen. Zu begegnen ist dieser Gefahr nur durch Öffentlichkeit, Durchschaubarkeit und Neugestaltung von Strukturen des gesamten gesellschaftlichen Lebens.

Es sind nicht nur die Schule oder andere Formen von staatlich institutionalisierter Bildung und Erziehung, die heute diskutiert werden. Es geht auch nicht allein um Bildungsreform, Schulreform und Paßfähigkeit von Bildungswegen im nationalen und internationalen Maßstab. Es geht um ein Menschenbild, das Defizitmodelle (der Heranwachsende als Mangelwesen) und »funktionierende Menschen« überwindet und sich selbst verwirklichende und agierende Menschen meint.

Was aber für den individuellen Entscheidungsprozeß gilt, gilt auch für den gesellschaftlichen: Wenn Handlungsspielräume und Entscheidungsfreiräume durch ökonomische und politische Realitäten eingeengt beziehungsweise ausgeschlossen sind, dann stehen ökologische, politische, soziale und kulturelle Gestaltungselemente für eine künftige Gesellschaft in der Gefahr, zu Fiktionen ihrer Schöpfer zu werden. Fortschrittseuphorie und die dramatische Zuspitzung vieler Widersprüche menschlichen Zusammenlebens, Reformängste und Veränderungswille, politisches Kalkül und Sorge um die internationale Wettbewerbsfähigkeit, Wirtschaftsmechanismen contra Gattungsbedürfnisse … lassen wissenschaftlich-technischen Fortschritt als ein über uns gekommenes Phänomen erscheinen. Sind es aber die neuen Techniken, die den neuen, sich selbst verwirklichenden kreativen Menschen brauchen, oder ist es dieser Mensch, der die neuen Techniken braucht?

Offensichtlich sind Gefühle der Macht- und Mutlosigkeit in der gleichen Seinsweise zu suchen wie Hoffnung, Zuversicht und Optimismus. Das materielle Sein der Gesellschaft, das Grundverhältnis Produktivkräfte/Produktionsverhältnisse ist von Heerscharen von Gesellschaftswissenschaftlern untersucht worden. Der Gedanke aber, daß diese keine der menschlichen Tätigkeit entfremdeten Substanzen sind, sondern Wesensäußerungen der gesellschaftlichen Menschen, und daß vermitteltes gesellschaftliches Bewußtsein durch Politik, Kultur, Bildung usw. befördert, gehemmt oder verdreht werden kann, greift nur langsam Raum und wird zum Gegenstand öffentlicher Diskussion.

Zweifellos befreit sich unsere Gesellschaft aus einem Mechanismus, der sich als untauglich erwiesen hat. Wir leben in einer Übergangsgesellschaft, in der sich die vorurteilsfreie Erkundung aller real möglichen Richtungen als notwendig erweisen wird (zum Beispiel kann man nicht bestimmte marktwirtschaftliche Wirkungen wollen, aber deren Ursachen oder Voraussetzungen grundsätzlich ausschließen). Die Westberliner Publizistin Lea Rosh meinte dazu (in einem BZA-Gespräch vom 20. 1. 1990): »Aber wenn eine sozialismuseigene Art von Kapitalismus gelänge – phantastisch! Doch man kann's nicht ohne Menschen – die müssen mitmachen wollen.«

Viele Menschen machen schon mit, sie schreiben Briefe, zum Beispiel an Christa Wolf, organisieren sich in basisdemokratischen Gruppen, fordern nicht nur, sondern *machen* praktische Bildungspolitik von unten. In Familien, Schulen, Kindergärten, Heimen … wartet man nicht mehr nur auf Konzepte von oben. In diesen Formen steckt vielleicht schon ein Stück Zukunft für uns alle. Christa Wolf gebührt das Verdienst, die Aufmerksamkeit auf einen gesellschaftlichen Bereich gelenkt zu haben, der anders als »Stasi und Nasi«, immer mit den Händen und vor den Augen der Öffentlichkeit wirkte.

Berlin, im Januar 1990   *Jan Hofmann*

Nachdenken über Deutschland . . .

in der Sammlung Luchterhand

»Uns ist eine Besinnungspause nicht vergönnt, aus einem extremen seelischen Ausnahmezustand müssen wir über eine Zukunft befinden, die wir gar nicht bedenken konnten.«
Christa Wolf

Christa Wolf
Im Dialog
Aktuelle Texte
SL 923
Reden, Briefe, Aufrufe und Gespräche – Stationen der aktuellen Ereignisse 1989/90.

Günter Grass
Deutscher Lastenausgleich
Wider das dumpfe Einheitsgebot
SL 921
Reden, Gespräche, Interviews von Günter Grass, der sich wie kein anderer seit den sechziger Jahren ebenso eindringlich wie entschieden zur Frage der »Wiedervereinigung« geäußert hat.

Mein Deutschland findet
sich in keinem Atlas
Schriftsteller über ihr nationales Selbstverständnis
Herausgegeben von Françoise Barthélemy und Lutz Winckler
SL 893
»Deutschland – ein Wort aus dem Geschichtsatlas . . .«
Helga Schütz und andere Autoren aus Ost und West zum Thema Deutschland.

»Nichts wird mehr so sein,
wie es war«
Zur Zukunft der beiden deutschen Republiken
Herausgegeben von Frank Blohm und Wolfgang Herzberg
SL 924
Texte über das »Wie« einer deutschen Einheit. Eine grenzüberschreitende Diskussion.

Christa Wolf
Im Dialog
◣ **Aktuelle Texte**
Sammlung Luchterhand

Christa Wolf

im Luchterhand Literaturverlag

Ansprachen
96 Seiten. Gebunden

Die Dimension des Autors
Essays und Aufsätze, Reden und
Gespräche 1959–1985
960 Seiten. Leinen
Auch als SL 891

Gesammelte Erzählungen
228 Seiten. Gebunden
Auch als SL 361

Im Dialog
Aktuelle Texte
SL 923
Reden, offene Briefe, Aufsätze und
Gespräche, mit denen Christa Wolf
1989 und Anfang 1990 zu den jüng-
sten Entwicklungen in der DDR
Stellung genommen hat.

Kassandra
Erzählung. SL 455

**Voraussetzungen einer Erzählung:
Kassandra**
Frankfurter Poetik-Vorlesungen
SL 456. Originalausgabe

Kein Ort. Nirgends.
SL 325

Kindheitsmuster
Roman. SL 277
»Eines der großen Prosawerke der
späten deutschen Nachkriegslitera-
tur . . .
Konrad Franke
Luchterhand Bibliothek
552 Seiten. Leinen

Nachdenken über Christa T.
Mit einem Nachwort von
Hans Mayer
248 Seiten. Leinen
Auch als SL 31

Sommerstück
Erzählung
224 Seiten. Leinen
»Dieses Buch ist, was es nicht gibt:
eine idyllische Elegie. Es ist die vielleicht ergreifendste Prosa der Christa Wolf – ganz leise, traurig, ohne
Pathos, sattgesogen von Abschied,
doch gar nicht tränendick: Altern
ist Rückzug. Was vorliegt, ist ein
kleines großes Meisterstück.«
Fritz J. Raddatz

Störfall
Nachrichten eines Tages
SL 777. Originalausgabe
»Christa Wolfs Chronik, die persönliche Trauerarbeit, wie sie schon einmal in *Nachdenken über Christa T.*
versucht wurde, mit einer kühnen
Reflexion der gesamten Zivilisa-
tionsgeschichte verknüpft, ist ihr
persönlichstes, ihr radikalstes, ihr
schwärzestes Buch.« *Frontal*

Unter den Linden
Erzählung. SL 249

**Christa Wolf/Gerhard Wolf
Till Eulenspiegel**
SL 430

Christa Wolf. Ein Arbeitsbuch
Studien, Dokumente, Bibliographie
Herausgegeben von Angela Drescher
560 Seiten. Broschur

Christa Wolf

im Luchterhand Literaturverlag

Sommerstück
224 Seiten. Leinen
Ein Buch der Freundschaft, ein
Buch der Erinnerungen an einen
mecklenburgischen Sommer, der
einmalig und endlos erschien, ein
einziges Fest. In ihrer den Freunden jenes Sommers gewidmeten
Erzählung vergegenwärtigt sich die
Autorin noch einmal jene Zeit:
»Heute scheinen wir keine stärkere,
schmerzlichere Sehnsucht zu
kennen als die, die Tage und Nächte
jenes Sommers in uns lebendig zu
erhalten.«

»Hier ist die Rede wieder von Land-
schaft, von Kindern, Tieren, der
unwiderruflichen Präsenz also des
Lebendigen, von Festen, Wein,
Krebsen und Kuchen, die ans
Irdische anpflocken sollen und die
unter den Gestirnen, wie bei
Claudius beinahe, gemeinsam erlebt
werden – Lichtzeichen und
Warnzeichen.« *Barbara Bondy,
Süddeutsche Zeitung*

**Christa Wolf
Sommerstück**

Luchterhand
Literaturverlag

Berlin – Ost und West

im Luchterhand Literaturverlag

Brigitte Burmeister
Anders oder vom Aufenthalt
in der Fremde
Roman. 256 Seiten. Leinen
»Sozialistische und andere Alltags-
welten werden schlagartig beleuch-
tet – liebevoll, spöttisch, respektlos,
kopfschüttelnd, augenzwinkernd.«
taz

Daniela Dahn
Kunst und Kohle
Die ›Szene‹ am Prenzlauer Berg
Berlin, DDR. SL 785
Im einstmals dichtestbesiedelten
Arbeiterviertel der Welt hat sich in
der Kunstszene in den letzten Jahren
ein Underground etabliert, der von
sich reden macht.

Christoph Hein
Drachenblut
Novelle. SL 616
Ein scheinbar ganz normales
Frauenleben in Ost-Berlin wird in
Rückblicken beschrieben. »Ich bin
auf alles eingerichtet, ich bin gegen
alles gewappnet, mich wird nichts
mehr verletzen. Ich bin unverletzlich
geworden. Ich habe in Drachenblut
gebadet, und kein Lindenblatt ließ
mich irgendwo schutzlos. Aus
dieser Haut komme ich nicht mehr
heraus.«

Mikado oder Der Kaiser ist nackt
Selbstverlegte Literatur in der DDR
Hg. von Uwe Kolbe, Lothar Trolle
und Bernd Wagner. SL 809
Seit Anfang der 80er Jahre erschien
in Berlin/Hauptstadt *Mikado,* die
wohl wichtigste einer ganzen Reihe
von selbstverlegten Literaturzeit-
schriften, die sich zu dieser Zeit in
der DDR »unter- und außerhalb
der Zensur« hervorwagten.

Peter Schneider
Der Mauerspringer
SL 472.
»Schneider muß in West- und Ost-
Berlin erfahren, daß mit der politi-
schen Teilung auch Sprache und
Bewußtsein der Deutschen zerrissen
wurden. Fester und höher als jede
sichtbare türmt sich diese ›Mauer
im Kopf‹.« *Badische Zeitung*

Helga Schütz
In Annas Namen
Roman. SL 831
»Den eigentlichen Reiz dieses her-
vorragenden Romans macht, gerade
für den Leser außerhalb der DDR,
die Einfachheit der Handlung aus,
die selbstverständliche Einbeziehung des nicht leichten Alltags, die
Vitalität, mit der man seinen eigenen Freiraum behauptet und ver-
schönt.« *Die Presse, Wien*

Berlin halb und halb
Von Frontstädtern, Grenzgängern
und Mauerspechten
Berichte und Bilder
Hg. Sylvia Conradt und
Kirsten Heckmann-Janz
SL 922

Geschichten aus der Geschichte

in der Sammlung Luchterhand

Diese Anthologien unterscheiden sich von anderen Erzählsammlungen durch das Prinzip, Geschichte in Geschichten widerzuspiegeln. Nicht Schreibweisen sollen repräsentiert werden, sondern literarische Texte in ihren zeitlichen Bezügen zu einem historischen Prozeß.

Geschichten aus der Geschichte der Bundesrepublik Deutschland
Hg. von Klaus Roehler
SL 300. Originalausgabe
Aktuelle Neuauflage aus Anlaß des 40. Jahrestages der Gründung der Bundesrepublik Deutschland.

Geschichten aus der Geschichte der DDR
Hg. von Manfred Behn
SL 301. Originalausgabe
Aktuelle Neuauflage aus Anlaß des 40. Jahrestages der Gründung der Deutschen Demokratischen Republik.

Geschichten aus der Geschichte Österreichs 1945–1982
Hg. von Michael Scharang
SL 526. Originalausgabe

Geschichten aus der Geschichte Nordirlands
Hg. von Rosaleen O'Neill und Peter Nonnenmacher
SL 704. Originalausgabe

Geschichten aus der Geschichte der Türkei
Hg. Güney Dal und Yüksel Pazarkaya
SL 804. Originalausgabe

Geschichten aus der Geschichte Frankreichs seit 1945
Hg. und eingeleitet von Claude Prévost
SL. 836. Originalausgabe

Geschichten aus der Geschichte Polens
Hg. von Per Ketman und Ewa Malicka
SL 856. Originalausgabe

Geschichten aus der Geschichte Kubas
Hg. José Antonio Friedl Zapata
SL 878. Originalausgabe

Geschichten aus der Geschichte der Sowjetunion
Hg. von Thomas Rothschild
SL 901